CW00428150

LE CERVEAU DE MOZART

Bernard Lechevalier

LE CERVEAU DE MOZART

Préface de Jean Cambier

15, rue Soufflot, 75005 Paris

ISBN : 2-7381-1759-7
ISSN : 1624-0654

www.odilejacob.fr

À la mémoire
de Jean et Madeleine Lechevalier

Préface

Comme la parole met en forme et exprime les idées, la musique reflète et manifeste les états d'âme. En même temps qu'elles assument cette fonction de communication, parole et musique s'autonomisent pour sous-tendre des représentations dont le partage fonde une civilisation. Ces langages sont, l'un et l'autre, le produit d'une activité de l'esprit de l'homme. Ils n'ont de signification et même de simple existence qu'en référence à cet esprit.

La destruction d'une région limitée de l'hémisphère cérébral gauche d'un individu droitier fait perdre à la victime l'usage du langage articulé. En constatant cette relation entre une lésion définie du cerveau et la désorganisation d'une fonction de l'esprit, Paul Broca, en 1861, fonda la neuropsychologie. Durant plus d'un siècle, la discipline évolua lentement bien qu'elle bénéficiât du développement accéléré des sciences neurologiques. Ses progrès se faisaient pas à pas, à la merci des découvertes des cliniciens qui, à l'école de Broca, veillaient à tirer les enseignements des expériences de la nature.

C'est ainsi qu'il fut établi que la perte du langage oral (aphasie) n'est pas nécessairement accompagnée d'une dégradation des capacités musicales, puis que le traitement de la musique peut être compromis, voire aboli, en l'absence de toute espèce d'aphasie. Dès lors, l'amusie bénéficia d'un statut autonome mais la diversité des composantes de la fonction et la rareté des documents anatomocliniques laissèrent subsister de nombreuses interrogations sur la neuropsychologie de la musique.

Les deux dernières décennies ont été marquées par le miracle de l'imagerie fonctionnelle : la vie du cerveau en action peut désormais être suivie d'instant en instant. Dès lors, la recherche, sans abandonner la délimitation des lésions associées à une amusie, s'intéresse au mode de travail adopté par le cerveau pour répondre à de telles lésions. D'un autre côté, une imagerie non vulnérante autorise l'exploration du « cerveau musical » chez des sujets volontaires sains, musiciens ou vierges de toute éducation en ce domaine.

Auteur, dès 1985, d'une monographie sur les troubles de la perception de la musique d'origine neurologique, Bernard Lechevalier fut un pionnier en la matière. Il n'a pas cessé de contribuer à l'épanouissement de la discipline jusque dans ses progrès les plus récents. Sa vocation allie le cœur et la raison. La raison, parce que, en tant que professeur de neurologie, ce neuropsychologue de formation a créé à Caen une école dont la réputation, dans cette discipline, dépasse nos frontières. Le cœur, parce que l'organiste titulaire de l'église Saint-Pierre a la musique dans le sang. Étudiant à Paris, il s'y livrait des mains et des pieds, ayant logé son orgue dans un duplex. À Caen, c'est sur le même principe qu'il a bâti sa maison. Fidèle à l'instrument, il n'est pas esclave de son répertoire. Ainsi il a voué un culte à Mozart dont il connaît « de l'intérieur » l'œuvre dans toute son étendue et dont il a compris la personnalité à travers sa correspondance et le témoignage de ses contemporains.

De même que Flaubert ne fut pas « l'idiot de la famille », Wolfgang Amadeus ne fut pas le pitre invétéré au comportement attardé d'enfant mal élevé que certains « amateurs » soi-disant éclairés ont osé représenter. Rompu aux facettes multiples de toute personnalité, le neurologue tempère la signification des fantaisies de « l'enfant prodige » à la lumière de son expérience médicale. De même, c'est en professionnel que l'organiste traite de l'art du compositeur et c'est en professionnel qu'il s'appuie sur les dernières acquisitions de la science pour imaginer le fonctionnement d'un cerveau exceptionnel.

Sous l'égide de Mozart, une initiation à la neuropsychologie de la musique est développée. Le lecteur découvre les propriétés « hors normes » de la mémoire musicale qui sont un défi pour les théoriciens des « systèmes de mémoire ». Il apprend que la tonalité, la mélodie, le timbre, le rythme sont traités séparément dans des régions distinctes de l'un ou l'autre hémisphère, mais que la fonction musicale coordonne ces activités en engageant le cerveau dans son ensemble. Il constate que, si la part de l'hérédité est indéniable, l'exposition à la musique dès la première enfance et une éducation musicale très précoce ont une influence décisive sur les dispositions à la musique, qu'il s'agisse de l'oreille absolue, de la mémoire musicale ou de toute autre forme d'apprentissage mettant à profit la plasticité du cerveau immature.

S'il est permis de se représenter la manière dont le cerveau de la musique se construit et d'imaginer comment il peut fonctionner, une question n'est pas résolue : pourquoi n'y a-t-il qu'un seul Mozart ? Sa double compétence autorise l'auteur à chercher une réponse de nature physiologique ; la transition de l'artiste accompli au génie créateur pourrait correspondre à une mutation dans la dynamique qui règle l'activation des réseaux hémisphériques. Le créateur qui transgresse a découvert une façon non orthodoxe d'utiliser son cerveau.

Jean CAMBIER,
membre de l'Académie nationale de médecine

Introduction

Pas de corps, pas de cerveau ! A-t-il eu seulement un cercueil ? Rien n'est moins sûr. Le sac de lin favorisait paraît-il la décomposition et le cimetière Saint-Marx[1] n'autorisait la tombe individuelle que pour les grands de ce monde. Pas de statue tombale, il n'entraînera jamais personne en enfer, pour avoir fait trop de fausses notes ! Le corps de Mozart appartient à la terre. Il est nulle part et partout. Dès lors a-t-on le droit de gloser sur le cerveau du compositeur le plus célèbre qu'ait produit l'humanité ? Sacrilège diront les fanatiques, cynique jetteront les moralistes, surréaliste affirmeront les gens dans le vent, inutile grommelleront les grincheux.

Comment un tel projet a-t-il bien pu naître et se concrétiser ? Il fut tout d'abord question d'écrire une sorte de manuel à l'usage des bonnes familles sur le développement musical de l'enfant, mais quelle est la meilleure méthode : la rose ou la bleue ? Problème qui aurait demandé une longue expertise scientifique, puis le projet prit la forme transitoire d'un traité de neuropsychologie de la musique. Austère et difficile à faire passer au public ! C'est alors que l'image de deux personnages se présenta : Mozart avait joué de l'orgue à Strasbourg – le temple Saint-Thomas conserve pieusement les claviers qu'il a touchés à son retour de Paris –, mais un autre Saint-Thomas, à Leipzig celui-là, avait eu comme cantor

Jean-Sébastien Bach, le maître de tous les organistes, que j'aurais rêvé de voir jouer ses redoutables sonates en trio. D'un commun accord avec mon amphitryon, nous avons choisi d'aborder les différents aspects de la neuropsychologie de la musique à partir d'un de ses personnages les plus emblématiques : le plus aimable et le plus populaire des deux. Madame Catherine Meyer, qui m'accueillait au nom des éditions Odile Jacob, fut la bonne fée de ce projet un peu baroque, il faut bien le reconnaître. Je la remercie de sa confiance, de sa patience et de sa gentillesse.

Nous avons eu comme objectif non pas de faire une nouvelle biographie de Mozart, mais plutôt de retenir quelques aspects de son histoire, de sa riche personnalité et surtout de l'expression de son génie, pour tenter d'analyser les explications que peut nous apporter la neuropsychologie de la musique.

Cette science, qui a maintenant droit de cité, est née à la fin du XIXe siècle, à une époque où l'art musical faisait partie de la culture générale au même titre que la littérature, ce qui n'est peut-être plus le cas aujourd'hui. C'est à partir d'observations médicales de patients atteints d'affections cérébrales que l'attention des cliniciens fut attirée par ces curieuses dissociations entre une disparition du langage et la conservation des capacités musicales. De nos jours, nous sommes en mesure d'analyser, chez le sujet sain, la façon dont on perçoit, dont on retient et dont on interprète la musique. Il est rapidement apparu que l'art musical pouvait constituer un terrain d'étude privilégié de cette discipline nouvelle : la neuropsychologie cognitive, qui n'a d'autres ambitions que l'étude des mécanismes de la pensée.

Dans ce que j'appellerai « le premier cognitivisme », une relation entre les processus de la pensée et le cerveau était volontairement exclue ; de même, le rôle de la vie affective dans les processus mentaux n'était pas pris en compte, ce qui amena l'élaboration de schémas d'une certaine utilité, mais fort éloignés de la réalité du psychisme de l'homme. Cette double lacune est comblée aujourd'hui grâce à l'extraordinaire développement de l'imagerie fonctionnelle cérébrale qui permet de « visualiser le cerveau au travail », grâce également à une conception plus globale de l'esprit humain n'excluant ni le comportement ni la vie affective.

Je n'aurais garde d'oublier l'essor extraordinaire des neurosciences auquel nous avons la chance de participer, notamment les résultats des travaux d'un domaine neuf que l'on pourrait dénommer la neuro-psycho-biologie. Cette nouvelle science utilise les méthodes les plus sophistiquées de la biologie moléculaire, mais n'ignore ni l'apport de l'évolutionnisme darwinien ni celui de la psychanalyse. Une des conclusions les plus importantes de ce que nous apporte cette gigantesque « symphonie scientifique » n'est-elle pas que le cerveau de chacun soit singulier, fruit de toutes les expériences vécues depuis la vie fœtale jusqu'à l'âge adulte ?

CHAPITRE PREMIER

Une aventure à la chapelle Sixtine

L'exploit

Le 11 avril 1770, à midi, Leopold Mozart et son fils Wolfgang arrivent à Rome sous les éclairs et le tonnerre, trempés par la pluie et le ventre creux. Depuis Florence, ils n'ont trouvé que des auberges « les plus répugnantes » et rien à manger en raison du jeûne de la Semaine sainte, si ce n'est des œufs et des brocolis... C'est le quatrième grand voyage d'un adolescent de quatorze ans qui a passé huit ans de sa vie sur les routes. Ni Marianne dite Nannerl, sa sœur, ni Anna-Maria, sa mère, n'en font partie. Nous sommes le mercredi saint, l'un des deux jours de l'année avec le vendredi suivant où les chanteurs de la chapelle Sixtine font entendre le célèbre *Miserere* d'Allegri. Un détour par la basilique Saint-Pierre puis le père et le fils réussissent à s'introduire sous les voûtes peintes par Michel-Ange. Leopold écrira trois jours plus tard à sa femme : « Tu as peut-être déjà entendu parler du célèbre *Miserere* de Rome tellement estimé que les musiciens de la chapelle ont l'interdiction sous peine d'excommunication de sortir la moindre partie de ce morceau, de le copier ou de le communiquer à quiconque ? Eh bien, *nous l'avons déjà*. Wolfgang l'a écrit de tête et nous l'aurions envoyé à Salzbourg avec cette lettre si nous ne devions être présents pour son exécution ; mais la manière dont on l'exécute fait plus que la composition elle-même, nous l'apporterons nous-mêmes à la maison. Comme c'est un des secrets de Rome, nous ne voulons pas le confier à des mains étrangères... »

Leopold ne donne pas plus de détails sur l'événement mais quelques jours plus tard, dans une nouvelle lettre de Naples, il annonce : « Le pape lui-même est au courant que Wolfgang a écrit le *Miserere*. Il n'y a rien à craindre, cela lui a même plutôt fait grand honneur comme tu l'apprendras bientôt. » Leopold recommande à Anna-Maria de faire lire sa lettre partout, en particulier... au prince-évêque de Salzbourg ! À son retour à Rome, le cardinal Pallavicini remettra à Mozart le décret papal de Clément XIV le nommant « chevalier de l'Éperon d'or », la même décoration que Gluck a reçue, mais jamais, à l'inverse de lui, il ne se fera appeler « Chevalier ». Selon Nissen, le second mari de Constanze (la veuve de Mozart), Wolfgang aurait entendu le *Miserere* une deuxième fois (le vendredi saint) afin de vérifier sur place qu'il n'avait pas fait d'erreurs. Le cerveau de Mozart avait enregistré près du tiers d'un compact disc. Cet « épisode à la chapelle Sixtine » trouva son achèvement dans le stratagème imaginé par les Mozart père et fils pour s'introduire dans l'entourage du saint Père. Le jeune musicien ne fut-il pas pris pour un gentilhomme allemand appartenant à la maison d'un prince de Saxe résidant alors au Vatican et son père pour son majordome ? Loin de démentir cette méprise, nos deux héros purent, tels des aventuriers, franchir la haie des gardes suisses, s'asseoir à la table de Clément XIV qui, en raison du jeudi saint, partageait son repas avec des prêtres pauvres de Rome, puis approcher le cardinal Pallavicini à qui ils étaient recommandés.

L'épisode du *Miserere* d'Allergri mérite bien le terme d'exploit chez un musicien de quatorze ans quand on connaît l'œuvre et les difficultés de mémorisation qu'elle recèle, « exploit » qui correspond tout à fait à la définition du *Dictionnaire historique de la langue française* : « action remarquable dépassant les limites ordinaires de l'homme » ; l'exploit implique la passion, mais il ne peut se passer du savoir ni de la maîtrise tout autant que de l'inspiration, l'objet qu'il vise étant, de prime abord, inaccessible ou invincible.

Tout cela s'applique-t-il à Mozart pour qui toute activité touchant la musique semblait si naturelle, si facile au point qu'il reconnaîtra lui-même : « Je suis pour ainsi dire immergé dans la musique » ? Ne serait-on pas tenté de penser : ce n'est pas un exploit puisqu'il faisait de la musique comme il respirait ?

Les preuves de l'exceptionnelle mémoire musicale de Mozart ne manquent pas. Daines Barrington, dans sa « Lettre à un membre de la Société royale de Londres [1] » a laissé une description des improvisations de l'enfant prodige et a raconté comment il avait repris et terminé sur-le-champ une fugue que Jean-Chrétien Bach avait laissée en panne et dont il avait parfaitement enregistré le thème et les développements. Quelques années plus tard, le frère et la sœur échangeaient dans leurs correspondances ou celle de leur père des copies des morceaux qu'ils venaient d'entendre en concert et qu'ils avaient particulièrement goûtés. Il ne faut pas méconnaître que, de cinq ans l'aînée de son frère, Nannerl était une excellente musicienne. De Bologne, Wolfgang lui envoie la transcription des prouesses vocales de la belle et célèbre Bastardella, il loue sa « hauteur de voix incroyable » et un... « gosier *fort galant* » (en français). Quant à Nannerl, elle lui adresse des menuets de Michel Haydn, entendus au concert, qu'elle appelle d'une façon charmante ses « menuets volés », mais elle se limite à la mélodie, ajoutant une basse de son invention. D'un autre côté, on sait qu'il arrivera souvent à Mozart de ne pas écrire la partie de piano des concertos qu'il devait jouer, de peur qu'on la lui dérobe, paraît-il ; ne serait-ce pas plutôt parce qu'il était pris par le temps ?

Sa façon de composer témoigne, elle aussi, d'une mémoire musicale hors du commun puisque, ayant entièrement conçu l'œuvre mentalement, il n'avait plus qu'à l'écrire. Mozart ne sous-estimait pas ses dons véritablement exceptionnels mais il n'a pas cessé de se perfectionner dans son métier de compositeur ne serait-ce qu'en étudiant toute la musique écrite avant lui. S'il a accompli le voyage de Rome c'était certes pour se faire connaître des petits et reconnaître des grands, c'était également pour s'imprégner de la musique italienne, c'était aussi pour rendre visite à Bologne au plus célèbre contrapuntiste de l'époque, le padre Martini auquel le liait une affection quasiment filiale et à qui il ira demander des leçons d'écriture. Le padre sera satisfait de son élève et lui écrira six ans plus tard : « Je suis heureux que depuis le jour où j'ai eu le plaisir de vous entendre au clavecin à Bologne vous ayez fait de tels progrès en composition. » C'est en outre une des deux personnes qui se soient vu offrir par le pape la partition du fameux *Miserere*, propriété exclusive de la chapelle Sixtine et seule œuvre qui nous soit parvenue du choriste papal Gregorio Allegri (1582-1662).

Qu'est-ce que ce morceau célèbre a de si redoutable pour la mémoire ? D'abord sa longueur (quinze minutes), ensuite une certaine monotonie due au style funèbre imposé par le texte du psaume 51, psaume de repentance : « Pitié pour moi, Dieu en ta bonté, ta grande tendresse efface mon péché », mais surtout son écriture à neuf voix disposées en deux chœurs faisant alterner des versets qui sont séparés par une psalmodie en plain-chant chantée par les basses et les ténors. Certains disent aujourd'hui que se rappeler ce *Miserere* n'est pas difficile parce que... c'est toujours pareil. S'ils ont le courage de prendre connaissance de l'histoire de cette œuvre, de lire humblement la partition, et d'écouter ses enregistrements, ils s'apercevront que les choses ne sont pas si simples.

Une question vient d'emblée à l'esprit : qu'est-ce que Mozart a entendu (et retenu) au juste ? Car ce fameux *Miserere* a vraiment toute une histoire que nous conte Graham O'Reilly, directeur de l'ensemble William Byrd, qui a gravé récemment le psaume. Allegri composa son *Miserere* vers 1638 ; en 1714, Tomasso Bai, chef de chœur de Saint-Pierre de Rome en composa un autre qui lui ressemble beaucoup mais en diffère cependant car, dans le premier, les harmonies dites en faux bourdon (c'est-à-dire note contre note, à trois parties) sont identiques d'un verset à l'autre alors que dans celui de Bai elles sont différentes et varient selon le sens des mots. Dans l'impossibilité de choisir, il fut décidé que la synthèse des deux, que l'on pourrait appeler le *Miserere* d'Allegri-Bai, serait chantée à la chapelle Sixtine pendant l'office des ténèbres les jours saints. Cette habitude a prévalu jusqu'à 1870, date de la dissolution du chœur prestigieux que l'on venait écouter de toute l'Europe. Au temps de Mozart, c'est un véritable spectacle : on éteint progressivement les cierges sauf le plus haut symbolisant le Christ ; après le chant d'une antienne, l'obscurité est totale et le silence absolu ; s'élèvent alors, pianissimo, les notes cristallines du *Miserere*. La bibliothèque du Vatican en possède semble-t-il deux exemplaires. Toujours d'après Graham O'Reilly, le second a été écrit par le dernier chef de chœur de la Sixtine : Domenico Mustafà au XIXe siècle avec des indications très précises sur la façon d'interpréter toutes les fioritures que l'on ajoutait traditionnellement. Mozart a-t-il entendu la version Allegri *stricto sensu* ou celle d'Allegri-Bai ? On a peine à imaginer qu'il ait retranscrit de mémoire une œuvre qui répète toujours les mêmes notes. Il est donc plus probable qu'il ait écouté à deux reprises la forme autrement complexe de Bai et Allegri qui comprend vingt versets, dont les pairs sont simplement psalmodiés mais dont les impairs sont tantôt à quatre voix, d'Allegri, tantôt à cinq voix de Bai, tous différents les uns des autres. Le dernier fait entendre les neuf voix simultanément dans un *diminuendo* progressif impressionnant. De temps à autre, se détache au-dessus de l'harmonie le dessin très pur des voix de soprano réalisant des arabesques inattendues à des hauteurs vertigineuses qui ont pu évoquer la voix d'anges, d'autant plus que les chanteurs étaient des castrats. Mozart avait dû retenir ces multiples fioritures appelées *abbelimenti* puisque, selon de Wyzeva et de

Saint-Foix, il chanta lui-même en public à Rome le fameux *Miserere* en s'accompagnant au clavecin. On reste difficilement insensible à une telle musique, que certains ont accusée d'être plus sensuelle que spirituelle. Manifestement, les auteurs ont cherché à émouvoir, à transporter leur auditoire vers le sublime et l'extase. Est-ce ainsi que Mozart a entendu ce psaume ? On l'imagine plutôt attentif à chaque articulation, à chaque inflexion des voix dont il cherchait à capter les contours, à l'enchaînement des accords, ce qui requiert une acuité auditive et une attention peu communes. Il ne faut pas oublier que Wolfgang savait très bien le texte latin du *Miserere*, qui faisait partie de sa culture, texte qui a dû guider sa mémoire. N'a-t-il eu qu'une écoute « technique » ? Il n'est pas concevable que l'émotion suscitée par l'œuvre, la façon dont elle était donnée, la qualité des voix, l'ambiance mystique n'aient pas favorisé l'exploit de l'adolescent. Il ne faut pas perdre de vue non plus que c'est un garçon entreprenant et enjoué. Il a voulu montrer de quoi il était capable, il se devait donc de réussir sa copie ! À notre connaissance, personne n'a eu en main le précieux manuscrit né de sa plume. Qu'est-il devenu ? Dort-il au fond d'une bibliothèque ? Quelques jours plus tard, relatant cet exploit, Leopold écrira à sa femme qu'on pourra maintenant faire entendre le fameux *Miserere* à Salzbourg. Pour la petite histoire, alors qu'il séjournait à Bologne en juillet 1770, Mozart a écrit un autre *Miserere* (K 85) sous la férule du père Martini, mais qui selon de Wyzewa et de Saint-Foix est une œuvre originale pour alto, ténor et basse avec accompagnement d'orgue.

Quittons Saint-Pierre de Rome sur cette anecdote qu'il décrit à sa sœur : « J'ai eu l'honneur de baiser le pied de saint Pierre à l'église Saint-Pierre, mais comme j'ai le malheur d'être trop petit on a dû, moi le vieux farceur, Wolfgang Mozart, me soulever jusqu'à lui. »

De quelle sorte de mémoire s'agit-il ?

L'exploit du *Miserere* est difficilement explicable en terme de neuropsychologie classique. Dans cet épisode, trois opérations mentales se sont succédé : un encodage « hors normes » des informations musicales, qui dépasse de beaucoup la simple perception ; le stockage de ces informations sous forme d'une représentation pendant quelques heures ; enfin, leur restitution, pourrait-on dire : *ad integrum*, temps préalable à leur exécution. Ces trois opérations seraient les mêmes chez n'importe qui désireux de retenir une simple chansonnette et de la retranscrire « de tête », la complexité et la difficulté en moins.

Voulues explicitement par Mozart, la mise en mémoire et l'incroyable restitution de tout le *Miserere* d'Allegri permettent de se demander dans quel type de mémoire on peut classer cet exploit. En apparence, mais en apparence seulement, il s'agit de mémoire à long terme ; néanmoins, le stockage a nécessité une collaboration des mémoires à court terme et à long terme. Une difficulté surgit alors : comment fixer, dans cet exploit, la frontière entre court terme et long terme ? On est étonné de l'importance du matériel stocké, de la durée prolongée du stockage et surtout de la fidélité, sans une erreur, du rappel.

Une solution simple serait de rattacher cette opération mentale à la mémoire épisodique : elle en serait une forme particulière. Cependant, l'exactitude absolue du rappel est inhabituelle dans cette catégorie de mémoire à long terme ; le rappel du souvenir est souvent approximatif, parfois même assez flou ; en revanche, on peut le dater avec certitude et le localiser avec précision dans l'espace, caractère fondamental de la mémoire épisodique.

En fait, dans une opération intellectuelle, comme celle « de la chapelle Sixtine », des éléments de mémoire procédurale et de mémoire sémantique interviennent sans doute conjointement, et là encore, il est difficile de faire la part des choses.

On ne voit donc pas comment cet exploit mozartien peut être classé dans la modélisation de la mémoire humaine qui a cours actuellement. C'est pourquoi nous nous devons d'en rappeler maintenant les grandes lignes afin de tenter de donner une explication à cet épisode hors du commun, et d'examiner s'il existe spécifiquement une mémoire musicale.

Les systèmes de mémoire selon la neuropsychologie cognitive

Du fait de dissociations possibles en pathologie, faisant coexister chez un même patient l'atteinte de certaines catégories mnésiques et le respect de certaines autres, la mémoire, jadis considérée comme une fonction unitaire, a été progressivement divisée en plusieurs sous-systèmes. La connaissance de cette mémoire « plurielle » nous permettra de tenter de répondre à la question située au centre de nos préoccupations : la mémoire musicale est-elle assimilable aux autres types de mémoires que nous allons voir maintenant, ou bien en est-elle complètement différente, constituant un domaine séparé, une mémoire musicale spécifique ? Ce ne serait pas un cas unique : la mémoire olfactive, par exemple, répond à des modes de fonctionnement tout à fait à part.

Le célèbre psychologue William James oppose dans son *Précis de psychologie* la mémoire primaire à la mémoire proprement dite ou secondaire : « connaissance d'un événement ou d'un objet auquel nous avons cessé un certain temps de penser et qui revient enrichi d'une conscience additionnelle le signalant comme l'objet d'une pensée ou d'une expérience antérieure ». Cette dualité est l'ébauche de ce qu'on appellera plus tard la mémoire à court terme et la mémoire à long terme. Atkinson et Shiffrin (1968) en ajoutèrent une troisième qu'ils appelèrent

« registre sensoriel ». L'information sensorielle n'y demeure que quelques centièmes de seconde, avant d'être reçue par la mémoire à court terme.

LA MÉMOIRE À COURT TERME

Le cas dramatique du célèbre patient H.M. est démonstratif d'une dissociation entre l'atteinte de la mémoire à long terme et la conservation de la mémoire à court terme (le patient pouvait garder en mémoire 5 à 10 minutes des informations). Afin d'améliorer son épilepsie généralisée qui résistait à tous les traitements médicamenteux connus, le docteur Scoville tenta, chez ce bobineur de moteurs âgé de vingt-neuf ans, l'exérèse bilatérale et symétrique des lobes temporaux internes, c'est-à-dire des deux hippocampes (mais aussi des noyaux amygdaliens et en partie des régions para-hippocampiques). Sur le plan de l'épilepsie, le nombre des crises diminua notablement. En revanche, le patient s'avéra incapable d'acquérir de nouveaux souvenirs (amnésie « antérograde »), de donner la date du jour, il avait une amnésie (dite dans ce cas « rétrograde ») qui recouvrait une période de cinq ans. Chaque fois que sa psychologue Mme Brenda Milner venait l'examiner, et ceci pendant des décennies, il lui demandait qui elle était et pourquoi elle venait. Il ne s'améliora pas.

Par contre, l'intelligence, le langage, les fonctions sensorielles, la mémoire procédurale des habiletés motrices étaient préservés, de même que la mémoire à court terme : le patient pouvait retenir quatre à cinq minutes des informations. Une telle dissociation : court terme *versus* long terme était déjà signalée par Delay (1954) et par Barbizet (1959) dans un type d'amnésie relativement fréquent en raison de son origine alcoolique et carentielle : le syndrome de Korsakoff ; des travaux récents l'ont confirmé (Lechevalier, 2000).

Progressivement, le concept de mémoire de travail est devenu le modèle privilégié de la mémoire à court terme.

C'est une des acquisitions neuropsychologiques les plus fécondes des vingt dernières années (Baddeley, 1974). La mémoire de travail permet, grâce aux informations qu'elle reçoit, à la fois du registre sensoriel et de la mémoire à long terme, « le maintien et la manipulation de l'information pendant la réalisation de tâches cognitives de compréhension, raisonnement, apprentissage » (Baddeley, 1986). La capacité de la mémoire de travail est limitée, c'est la quantité d'informations que le sujet peut restituer immédiatement *sous une forme non modifiée* de lettres de chiffres ou de mots. Sa durée n'excéderait pas une à deux minutes, le nombre d'items retenus, appelé empan ou span, ne pouvant dépasser sept à neuf. Le passage vers la mémoire à long terme est donc très rapide. Atkinson et Shiffrin pensaient initialement que le court terme était une étape obligée vers le long terme. En fait, la distinction court terme-long terme ne repose pas que sur une question de durée. Elle est fondée également sur la différence de fonctionnement des deux systèmes. Cela apparaît bien quand on fait encoder au sujet un nombre d'items excédant les possibilités du court terme. Après sept ou huit items, il se met à encoder selon les méthodes du long terme, faisant apparaître l'effet de récence, les regroupements sémantiques ou tout simplement de moyens mnémotechniques ; au contraire, dans la mémoire à court terme, l'encodage se fait de façon immuable : « à l'identique », pourrait-on dire. Les mémoires à court terme et à long terme ne seraient pas qu'un seul système à deux étages mais bien deux systèmes indépendants. Ainsi la mémoire de travail est une sorte de « boîte vocale provisoire » de capacité limitée permettant de garder en mémoire pendant un laps de temps bref des informations tout en se livrant à une autre activité mentale. Elle est constituée d'un « système central exécutif », localisé dans le cortex frontal externe et de plusieurs sous-systèmes « esclaves » : boucle articulatoire subvocale qui autorise la répétition en langage intérieur des informations à garder en mémoire, « calepin visuo-spatial » qui permet de se représenter les objets ou les mots mémorisés. Elle est explorée par des épreuves de tâches doubles comme « garder en mémoire des mots ou des triplets de lettres, puis compter à l'envers le plus vite possible pendant dix à trente secondes, puis redonner les mots ». Perturbée dans les atteintes du lobe frontal, la mémoire de travail l'est aussi dans la maladie d'Alzheimer.

Dans le domaine de la musique, cette conception m'a toujours semblé inadéquate ou tout au moins trop restrictive. Prenons comme exemple l'improvisation : quand un instrumentiste classique ou de jazz improvise, il doit garder en mémoire son thème puis dans un plan général, vite élaboré, le soumettre à une série de variations et terminer au besoin par sa ré-exposition. Malheur à celui qui oublie le thème en cours de route ! Pour moi, cette conservation à la conscience du thème malgré tout ce qui se greffe dessus fait appel à une mémoire de travail plus proche du long terme que du court terme et que l'on pourrait appeler « mémoire de travail à long terme ». Autre exemple : l'audition de la musique est inséparable du temps ; pour avoir une représentation de l'œuvre, il faudra stocker au fur et à mesure ce que l'on entend, sans oublier ce qu'on entendait deux à trois minutes plus tôt. Où s'arrête le court terme, où commence le long terme ici ?

LA MÉMOIRE À LONG TERME

Graf et Schacter (1985) l'ont scindée en deux : la mémoire explicite et la mémoire implicite.

La mémoire explicite ou déclarative (Squire, 1992) est chargée du rappel conscient de souvenirs verbalisables dont on peut faire le récit. Son contenu est variable : images, concepts, mots, chiffres, fragments du discours musical. La pathologie a fait connaître des circonstances où l'atteinte de la mémoire déclarative n'était que partielle, permettant d'en décrire deux catégories.

La mémoire *épisodique*, qui nous permet de naviguer dans le passé et qui comprend principalement la mémoire autobiographique[2] par laquelle nous pouvons nous rappeler où et quand un événement personnel (ou dont nous avons eu connaissance personnellement) s'est produit, et la mémoire *sémantique*, qui comprend les connaissances que nous avons apprises indépendamment de repères spatio-temporels personnels.

Concernant la musique, il faut reconnaître la grande diversité de la mémoire sémantique ; l'identification de l'œuvre entendue constitue la partie principale de la mémoire sémantique musicale, les données théoriques sur une œuvre, son histoire, la connaissance de sa structure appartiennent aussi à la mémoire sémantique ; le répertoire, s'il appartient sans conteste à la mémoire sémantique, a été néanmoins constitué par la mémoire procédurale, nous en reparlerons. Les capacités surprenantes du joueur d'échecs professionnel sont souvent données comme exemple de l'utilisation de la mémoire sémantique : il connaît toutes les règles et tous les termes techniques du jeu parce qu'il les a acquis par apprentissage et maintenant il les utilise implicitement ; il a une vision à la fois générale et particulière de l'échiquier et visuellement il peut prédire ce que va devenir la partie ; il a en mémoire le déroulement de nombreuses parties célèbres dont il sait, quand il le faut, retrouver les applications. Schacter (1999) définit la mémoire sémantique comme « le vaste réseau d'associations et de concepts qui sous-tend notre connaissance générale du monde ». Il rapporte l'observation d'un excellent golfeur, atteint d'une maladie d'Alzheimer, qui démontre les dissociations possibles au sein des troubles de la mémoire. Notons au passage que, aussi surprenant que cela pourra paraître au profane, il y a beaucoup plus de rapport entre la musique et le golf qu'entre celle-ci et l'art des échecs ; en effet, comme la musique, le golf nécessite une perfection technique corporelle comparable à celle des instrumentistes. Le golfeur de Schacter se souvenait parfaitement des règles et de la façon de jouer au golf et il parvint à faire un parcours sans difficulté, mais, la partie finie, il demanda à faire son coup de départ et voulait recommencer, ne se rappelant plus qu'il venait de faire une partie. Cet exemple illustre la dissociation entre les troubles majeurs de la mémoire épisodique, préférentiellement atteinte dans la maladie d'Alzheimer alors que la mémoire sémantique est relativement moins touchée. À l'inverse, il existe des observations rares mais significatives de « démences sémantiques » dues à des lésions antérieures des lobes temporaux, qui altèrent électivement la mémoire des connaissances générales mais respectent la mémoire épisodique. De telles dissociations confortent pour les neuropsychologues l'autonomie de la mémoire sémantique. Une de nos patientes, M.B., inspectrice des impôts, était atteinte de façon caricaturale d'une telle dissociation : elle était capable de donner verbalement la liste des villages que son ambulance lui avait fait traverser au cours des quarante kilomètres qui séparaient son domicile de l'hôpital ; en revanche, elle avait perdu toute notion des caractéristiques des animaux, ne pouvant ni les décrire ni les dessiner : elle avait oublié, par exemple, ce qu'était une mouche, un oiseau, un chien.

La mémoire épisodique est liée à un dispositif anatomique précis : l'hippocampe et le cortex pariéto-temporal ; le cortex frontal intervient également dans la mémoire autobiographique. La partie antérieure des lobes frontaux surtout gauches est également impliquée dans la mémoire sémantique.

À vrai dire, les mémoires autobiographique et sémantique gardent souvent des liens entre elles. Si je suis au courant que Mozart a composé *La Flûte enchantée*, c'est parce que je l'ai appris ou lu dans des livres, mais je suis incapable de dire « où » ni « quand », ainsi ce souvenir appartient sans contestation à la mémoire sémantique. Si maintenant je désire me souvenir de l'assassinat du président Kennedy, je sais que c'était en 1963 car nous habitions encore Boulogne et notre fils aîné était un bébé. J'ai le souvenir d'un appel téléphonique : une vieille amie, consternée, nous apprit la nouvelle, un rayon de soleil traversait presque horizontalement le voilage et dessinait un rond clair sur la commode. J'ai relu récemment que c'était le 22 novembre. Ce souvenir autobiographique, appelé « souvenir-flash », est maintenant indissociable du rappel en mémoire sémantique.

La mémoire non déclarative ou implicite s'oppose à la mémoire des événements. Elle est centrée sur la mémoire procédurale, mais la mémoire implicite recèle bien d'autres entités qui font appel à des structures cérébrales variées. Le seul point commun de cet ensemble est que ces mémoires implicites sont non déclaratives : autrement dit, elles ne peuvent donner lieu à un rappel verbalisable qui prouve leur existence mais elles produisent la facilitation inconsciente d'une tâche à la suite de la (ou des) présentation(s) d'une information. Si la facilitation porte sur des habiletés, on parle alors de mémoire procédurale. Quand, après un an d'abstention, nous chaussons à nouveau nos skis, nous n'avons perdu ni nos réflexes (mémoire procédurale motrice) ni notre souvenir du plan des pistes (mémoire visuo-spatiale), ni la façon de se procurer des tickets de remonte-pentes (mémoire procédurale cognitive).

L'origine de la mémoire appelée de nos jours « procédurale « remonte à Descartes, mais elle a été mise en exergue par Bergson. Dans sa lettre du 1er avril 1640 à Mersenne, Descartes écrivait : « Un joueur de luth a une partie de sa mémoire en ses mains car la facilité de disposer ses doigts en diverses façons qu'il a acquise par habitude aide à le faire souvenir des passages pour l'exécution desquels il les doit ainsi disposer [...] outre cette mémoire qui dépend du corps, j'en reconnais encore une autre [...] intellectuelle qui ne dépend que de l'âme seule. »

Un peu plus de deux siècles après Descartes, Henri Bergson dans *Matière et mémoire* va établir la distinction entre habitude et mémoire ; il pose, au chapitre II, ses trois propositions fondamentales que je cite : « 1) Le passé se survit sous deux formes distinctes : 1° dans les mécanismes moteurs ; 2° dans des souvenirs indépendants [...]

2) La reconnaissance d'un objet présent se fait par des mouvements quand elle procède de l'objet, par des représentations quand elle émane du sujet [...] 3) On passe, par des degrés insensibles, des souvenirs disposés le long du temps aux mouvements qui en dessinent l'action naissante ou possible dans l'espace, mais non pas ces souvenirs. » Juste après l'énoncé de ces trois propositions, le philosophe entreprend de les vérifier et son paragraphe suivant annonce : « Les deux formes de la mémoire ». Il prend comme exemple, devenu célèbre, la leçon apprise par cœur qui illustre parfaitement les deux formes de la mémoire. L'apprentissage de la leçon est une habitude, une action plutôt qu'une représentation. Si par contre je me représente les différentes étapes de l'apprentissage, c'est autant d'événements successifs de ma vie, c'est une représentation. C'est la mémoire pure qui imagine alors que l'autre répète... Une phrase de ce même chapitre doit retenir toute notre attention en ce qui concerne la mémoire musicale car elle montre la difficulté où l'on se trouve en pratique de tracer une frontière entre mémoire procédurale et épisodique : « De ces deux mémoires dont l'une *imagine* et dont l'autre *répète*, la seconde peut suppléer la première et souvent en donner l'illusion » (*ibid.*, p. 87). La mémoire habitude est liée intimement au fonctionnement cérébral et moteur, qualité que n'a pas nécessairement la mémoire pure. Les deux philosophes diffèrent peu : ce que Descartes dénomme âme est la substance pensante immatérielle qui agit sur le corps et qui pâtit du corps par l'intermédiaire de la glande pinéale. Bergson est spiritualiste : la mémoire pure n'est pas forcément liée au fonctionnement du cerveau, et les lésions du cerveau altèrent le rappel des souvenirs mais pas les souvenirs : « le cerveau serait un instrument d'action mais pas de représentation » (*ibid.*, p. 78), ce que l'on n'oserait pas soutenir à présent. Comme nous le verrons, le répertoire du musicien n'aurait pas pu être acquis sans la mémoire procédurale.

La mémoire implicite ne comprend pas que la mémoire procédurale, elle inclut des processus psychologiques dont nous n'avons pas conscience comme les effets d'amorçage par lesquels la présentation préalable d'une information facilite inconsciemment des performances. L'éducation, l'apprentissage d'une langue étrangère font également appel à ce type de mémoire. Squire et Kandel étendent considérablement le champ de la mémoire implicite et y font entrer les goûts, les habitudes, la façon de se comporter, les dispositions comme on peut l'observer dans les familles de musiciens. Constituée dès notre petite enfance, à notre insu, la mémoire implicite forge notre personnalité. Il n'est pas impossible que certaines personnes aient une aptitude générale pour tout ce qui dépend de la mémoire procédurale motrice ; ainsi, Mozart avait la réputation de meilleur pianiste de son époque mais aussi d'un joueur de billard hors pair (il en possédait un chez lui et s'y adonnait quotidiennement), d'un habile danseur ; il était, en outre, friand de problèmes de mathématiques.

D'autres caractéristiques opposent encore mémoires implicite et explicite. Le philosophe Paul Ricœur (2000), traducteur et disciple de Husserl, adhère sans réserve à la « fameuse distinction proposée par Bergson entre mémoire-habitude et mémoire-souvenir », mais il en fait une lecture phénoménologique qui met l'accent sur le temps. À l'inverse d'une dichotomie, pour lui (p. 30) : « habitude et mémoire constituent les deux pôles d'une suite continue de phénomènes mnémoniques. Ce qui fait l'unité de ce spectre, c'est la communauté du rapport au temps » et c'est par rapport au temps que le philosophe va établir une distinction entre les deux types de mémoire bergsoniens. « Dans les deux cas extrêmes, une expérience antérieurement acquise est présupposée, mais, dans un cas : l'habitude, cet acquis est incorporé au vécu présent, non marqué, non déclaré comme du passé ; dans l'autre cas, référence est faite à l'antériorité comme telle de l'acquisition ancienne. » Paul Ricœur appelle souvenir « la reproduction du passé ». Cette reproduction « suppose la disparition et le retour d'un objet temporel, tel que la mélodie » (p. 42). Husserl a marqué, rappelle Ricœur, la distinction entre la rétention qu'il appelle souvenir primaire et la reproduction ou souvenir secondaire. Le rappel peut être instantané ou bien être le fruit d'une recherche laborieuse comme le notait déjà Bergson dans *L'Énergie spirituelle*. Ainsi, la mémoire vraie est une représentation dans le présent d'une partie du passé, un événement qui avait disparu pendant une période que Ricœur appelle « le laps de temps ». Le souvenir-habitude, à l'inverse, n'est pas une représentation du passé, mais une action qui s'est imprimée en nous et qui a toujours fait partie de notre présent. « C'est l'empire du savoir-faire, toutes les modalités du "je peux" dans une conception phénoménologique de l'homme capable que nous opposerons à la remémoration, assignée à la seule mémoire privée. »

Nous pouvons conclure de cette brève incursion en phénoménologie que se souvenir, c'est faire réapparaître à la conscience sous forme de représentation volontaire ou spontanément une tranche du passé qui avait disparu pendant un certain laps de temps. L'habitude, c'est la persistance dans un éternel présent d'actions passées, de « procédures » qui ont laissé leurs traces en nous et y sont toujours présentes sous la forme... de nos actions.

Une autre différence est que même si elle peut subir une certaine érosion, la mémoire procédurale est beaucoup plus résistante que la mémoire épisodique. Elle reste intacte dans la maladie d'Alzheimer, et dans le syndrome de Korsakoff alcoolique.

Un cerveau, deux cerveaux ou...
pas de cerveau du tout

La neuropsychologie cognitive a évolué au cours des années. Le premier cognitivisme ne s'intéressait qu'à l'analyse des processus mentaux en eux-mêmes, sans aucune référence au cerveau. Cette façon de penser n'était pas nouvelle : Bergson et les philosophes spiritualistes n'établissaient pas de lien nécessaire entre le cerveau et la pensée : « la pensée, en grande partie du moins, est indépendante du cerveau », écrit le philosophe dans *L'Énergie spirituelle* et, plus loin : « L'activité cérébrale est à l'activité mentale ce que les mouvements du bâton du chef d'orchestre sont à la symphonie. La symphonie dépasse de tous côtés les mouvements qui la scandent. » Aujourd'hui, on ne peut ni considérer la pensée comme une simple sécrétion du cerveau (comme une hormone l'est d'une glande endocrine) ni refuser à la pensée son appartenance au cerveau, tout en lui conservant son développement et sa vie propres. La neuropsychologie actuelle permet un approfondissement de la question des rapports de la pensée et du cerveau, aidée en cela par l'essor de l'imagerie fonctionnelle cérébrale. Nous pouvons donc la définir comme l'étude des diverses fonctions mentales en rapport avec le fonctionnement du cerveau.

En 1937, Papez décrivit un « circuit des émotions » situé à la face interne des hémisphères cérébraux (fig. 3). Ce que n'avait pas pressenti son créateur, c'est que ledit circuit allait être reconnu comme l'une des principales structures responsables de la mémoire. Pour l'avoir parcouru souvent, l'auteur vous demande de ne pas vous laisser rebuter par les quelques termes anatomiques empruntés au latin (de la Renaissance !) et de le suivre, muni du schéma de ladite figure, dans son exploration. La pièce maîtresse de ce circuit est sans conteste l'hippocampe (fig. 1 et 2) ainsi appelé en raison de la forme de l'animal marin (il est aussi dénommé « corne d'Ammon »). Il occupe la partie interne de chaque lobe temporal et donne naissance à un faisceau de forme bizarre : le fornix qui dessine un arc sous le corps calleux puis plonge dans les tubercules mamillaires visibles à la base du cerveau. De ces deux petites boules montent les faisceaux mamillo-thalamiques (découverts par le médecin de Marie-Antoinette : Vicq d'Azyr) qui se terminent dans les noyaux antérieurs des thalamus (ou couches optiques). De là partent des fibres qui regagnent l'hippocampe.

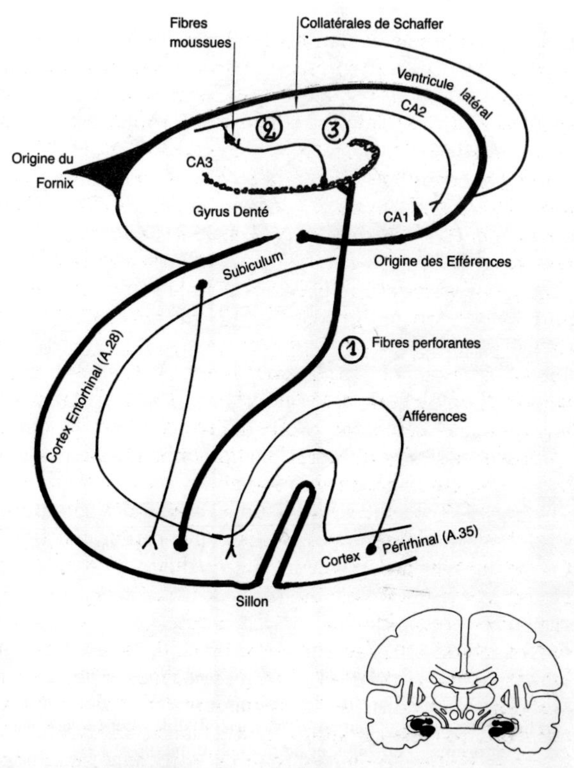

FIGURE 1. – *Connexions intrinsèques de l'hippocampe et du gyrus denté*

Le cortex parahippocampique, non visible sur la coupe, prolonge en arrière le cortex périrhinal.

Les 3 voies intrinsèques sont : 1/ les fibres perforantes reliant le cortex entorhinal aux cellules granulaires de Gyrus denté. 2/ les fibres moussues reliant ces dites cellules aux cellules pyramidales CA3. 3/ les collatérales de Schaffer reliant ces cellules CA3 au champ CA1. Ces 3 systèmes assurent une « potentiation à long terme des stimuli reçus ».
En cartouche : Situation des hippocampes (ou cornes d'Ammon).

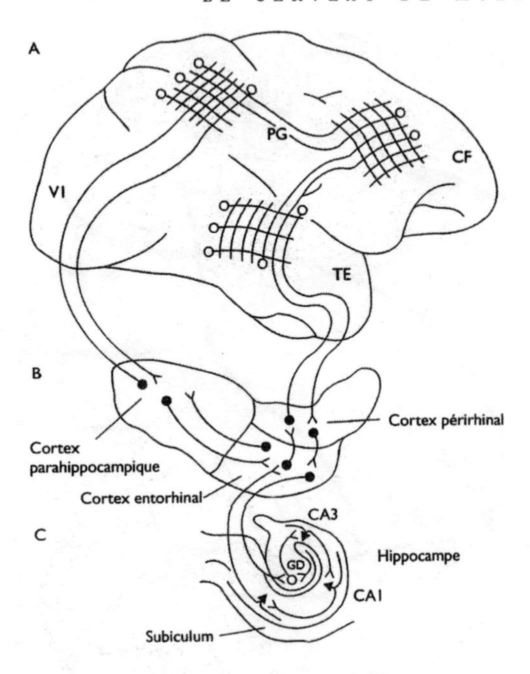

FIGURE 2. – *Afférences et efférences de l'hippocampe*

Les afférences proviennent principalement de trois régions du cortex cérébral lobes frontal, temporal et pariétal. Elles convergent sur les cortex entorhinal, périrhinal et parahippocampique.
Les fibres efférences proviennent du champ CA1 et du subiculum, forment la fimbria puis le fornix, élément du circuit de Papez (voir fig. 3). Il existe des voies efférentes extra-fornicales. Les destinations corticales des efférences sont les cortex frontal, temporal et pariétal (d'après L.R. Squire et E. Kandel, « Memory : from mind to molecules », *Scientific American Library*, New York, 1999, trad. fr. De Bœck Université, 2001).

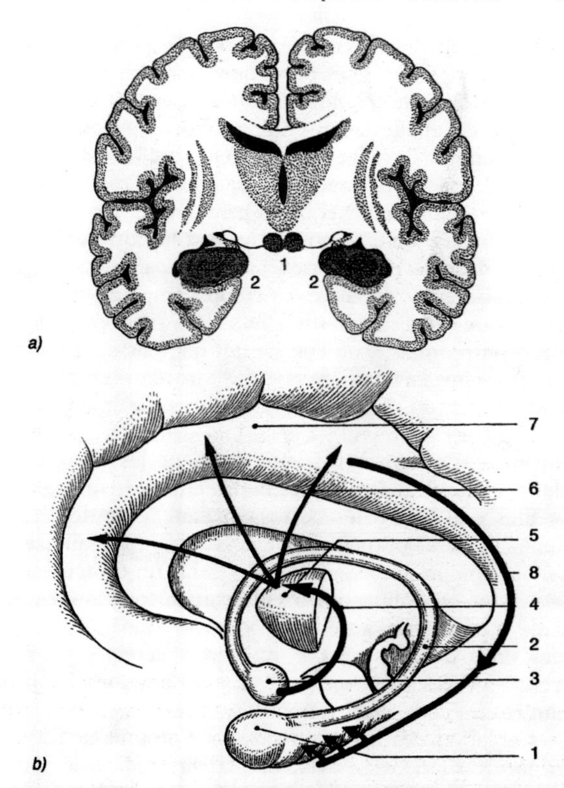

FIGURE 3. – *Le circuit hippocampo-mamillo-thalamique ou circuit de Papez*

a) Siège habituel des lésions responsables d'un syndrome amnésique : 1. lésions bilatérales des corps mamillaires, 2. lésions bilatérales des hippocampes.

b) Schématisation du circuit de Papez :
1. hippocampe, 2. fornix ou trigone, 3. corps mamillaire, 4. faisceau de Vicq d'Azyr, 5. noyau antérieur du thalamus, 6. fibres thalamo-cingulaires, 7. gyrus cingulaire, 8. cingulum.

(D'après J. Cambier, M. Masson, H. Dehen, *Abrégé de neurologie*, coll. « Abrégés de médecine », 2000, 10e éd., 616 p.)

Il a coulé beaucoup d'eau sous le pont depuis la découverte de Papez ! Les techniques modernes neurophysiologiques et morphologiques ont permis de mieux connaître de quelle façon l'hippocampe intervenait dans la formation et le rappel des souvenirs ; elles ont mis en évidence le rôle important de la région du cortex temporal qui jouxte l'hippocampe et qu'on peut appeler région *juxta-hippocampique*. Cette région comprend les aires enthorhinale, périrhinale et le cortex parahippocampique (fig. 1 et 3). L'aire enthorhinale est à l'hippocampe ce que, dans une maison, le vestibule est à la salle à manger : un lieu de rencontre, mais... où l'on ne fait que passer. L'équivalent des « invités » est, dans cette aire enthorhinale, les informations ou « afférences », venues de nombreuses aires du cortex cérébral mais surtout des aires dites *associatives* (c'est-à-dire celles qui associent les aires corticales primaires où arrivent les informations des cinq sens). Pas plus que les invités ne restent dans le vestibule, ces afférences ne séjournent longtemps dans cette aire, elles gagnent l'hippocampe qui leur fait subir un traitement en série, dont on commence à entrevoir le fonctionnement, même si nous ignorons encore sa durée, avant d'être expédiées dans diverses régions du cortex cérébral où elles seront stockées. Les figures 1, 2 et 3 aideront à mieux comprendre cette machinerie.

L'ablation des deux hippocampes produit la dégénérescence du circuit en aval. Le patient H.M. a démontré de façon tragique qu'elle produit également la suppression définitive de la fonction mnésique, portant beaucoup plus sur la formation de nouveaux souvenirs et l'évocation des anciens que sur la mémoire à court terme et les compétences manuelles (mémoire procédurale).

Nous-mêmes avec Delay, Brion *et al.* avons publié en 1965 une observation anatomique de nécrose très limitée des deux hippocampes, consécutive à une anoxie, réalisant un syndrome amnésique sans fabulation voisin du cas H.M. Les auteurs conclurent que des lésions bilatérales des hippocampes, non nécessairement symétriques, provoquaient un syndrome amnésique. Depuis lors, des cas assez semblables ont été rapportés, causés entre autres par des lésions vasculaires (Zola-Morgan, 1986) ou des encéphalites herpétiques.

Comme l'ont montré Squire et Alvarez d'une part, et Jaffard d'autre part, l'hippocampe et la région juxta-hippocampique ont un rôle majeur dans l'encodage et la restitution des traces ; ce rôle s'exercerait seulement pendant une période de temps limitée. Au-delà, les souvenirs de la mémoire à long terme seraient stockés dans les cortex temporal externe et pariétal mais des réactivations sont possibles qui seraient effectuées par l'hippocampe. Un second circuit, dévolu à la mémoire visuelle, part des nombreux centres corticaux de la vision puis transite dans la profondeur du lobe temporal et se termine dans le noyau amygdalien, de là il atteint le cortex frontal avec un relais dans le thalamus, considéré lui-même comme un centre de mémoire. Si le noyau amygdalien n'a pas un rôle direct dans la mémoire, il joue dans la tonalité affective des souvenirs, les motivations et les récompenses, donc dans la sélection des traces qui deviendront durablement des souvenirs. Nous pensons en écrivant cela à l'apparition à la conscience de certains souvenirs musicaux, même très lointains, résurgences chargées plus que d'autres affectivement : *La Recherche du temps perdu* abonde en de tels exemples ; le plus émouvant est celui de la sonate de Vinteuil dont la petite phrase fait revivre à Swann des expériences du passé. Déjà en 1919 Henri Bergson écrivait dans *L'Énergie spirituelle* : « derrière les souvenirs qui viennent se poser ainsi sur notre occupation présente et se révéler au moyen d'elle, il y en a d'autres, des milliers et des milliers d'autres, en bas, au-dessous de la scène illuminée de la conscience. Oui, je crois que notre vie passée est là, conservée jusque dans les moindres détails, et que nous n'oublions rien, et que tout ce que nous avons perçu, pensé, voulu depuis le premier éveil de notre conscience persiste indéfiniment ».

D'autres régions cérébrales interviennent encore : le cortex frontal externe (fig. 4) qui serait le siège des réseaux neuronaux constituants le système central exécutif, siège de la mémoire de travail appartenant à la mémoire à court terme, habituellement respectée dans le syndrome amnésique, le cortex frontal externe interviendrait également dans la mémoire épisodique et la mémoire autobiographique ; le cortex pariéto-temporo-occipital, siège présumé du stockage à très long terme en particulier de la mémoire sémantique avec pour cette dernière la région antérieure des lobes temporaux. Des structures sous-corticales comme le thalamus interviennent dans la mémoire ; les noyaux gris centraux et le cervelet sont impliqués dans la mémoire procédurale. En ce qui concerne la mémoire auditive, rappelons la proximité du cortex auditif (fig. 4 et 5) qui occupe la première circonvolution temporale et de l'hippocampe qui n'est autre que la cinquième temporale.

Une « révision » fructueuse du concept de « mémoire de travail »

Baddeley a décrit la mémoire de travail avec Hitch en 1974. Il constata récemment que le modèle original ne pouvait englober un certain nombre de phénomènes psychologiques importants. Aussi, a-t-il proposé (2000) un nouveau concept : le « buffer épisodique » en tant que nouvel élément de la mémoire de travail. Il prend appui sur des travaux d'Ericsson et Kintsch qui en 1995 avaient développé l'idée d'une mémoire de travail à long terme et sur l'observation d'un patient de Tulving, atteint d'une amnésie importante qui continuait à jouer aux cartes, se rappelant les annonces du contrat et les figures qui avaient été jouées ; le respect de ces capacités chez ce patient était troublant. Ces faits amenèrent Baddeley à se pencher à nouveau sur les capacités de la traditionnelle mémoire de travail et sur la nécessité d'envisager l'existence d'une

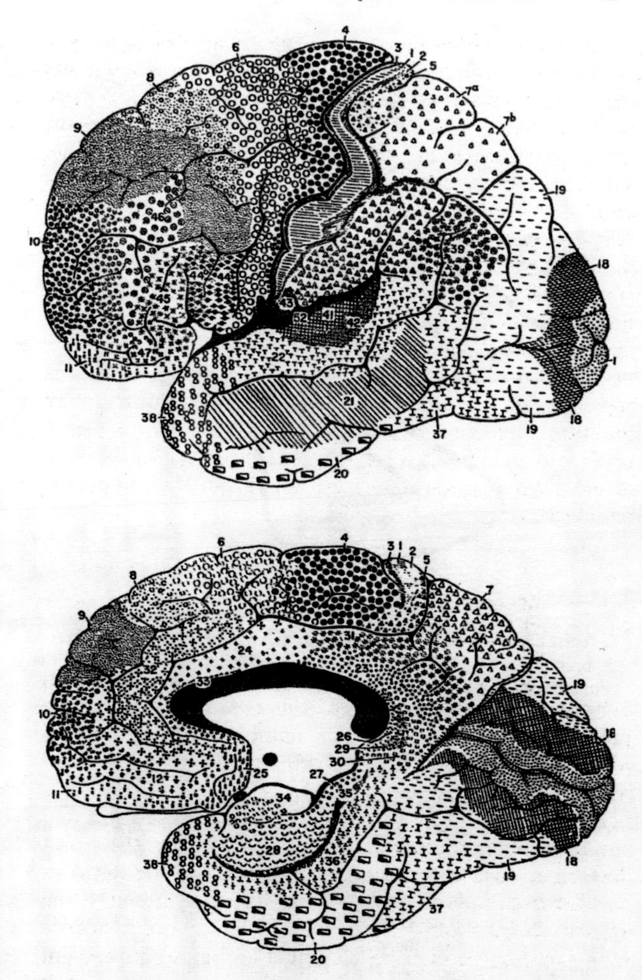

FIGURE 4. – *Les aires cytoarchitectoniques du cortex cérébral d'après Brodmann (1907)*

En haut : face externe de l'hémisphère cérébral gauche, en bas face interne de l'hémisphère cérébral droit.

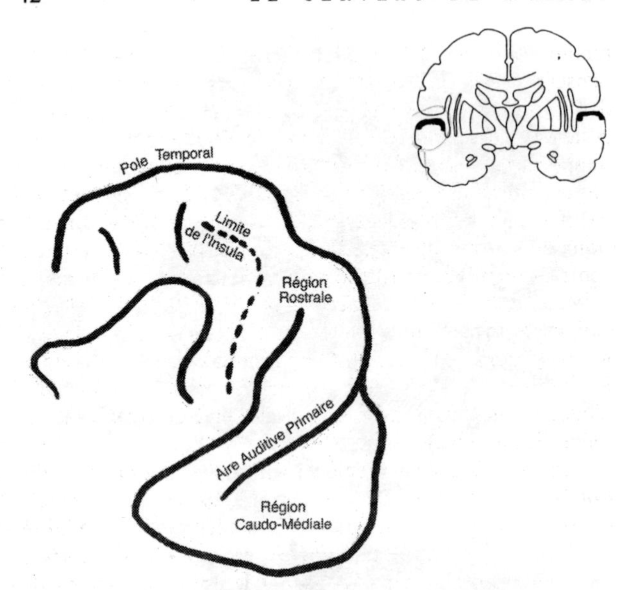

FIGURE 5. – *Vue dorsale du lobe temporal droit*

Le cortex auditif est situé sur la partie horizontale ou supérieure de la première circonvolution temporale. Il comprend : l'aire auditive primaire (A1), ou 41 de Brodmann, qui occupe la circonvolution temporale transverse de Heschl, entourée de toute part par l'aire secondaire (A2) ou aire 42.

Contrairement à une conception ancienne du traitement en série des informations auditives en A1 *puis* en A2, les travaux modernes optent plutôt pour un traitement en *parallèle* des différents stimuli, qui seraient traités par trois régions : A1 serait dévolue à la perception des sons purs, c'est-à-dire sans harmoniques, et des hauteurs. La partie caudo-médiale occupant le planum temporal, en arrière d'A1, traiterait les sons complexes et de haute fréquence, donc les harmoniques. La partie rostrale (R) en avant de A1 serait concernée également par les sons purs.

Le traitement linguistique des sons verbaux est assuré par le cortex temporal externe : aires 22 et 21, surtout dans l'hémisphère gauche.

En cartouche : situation de la première circonvolution temporale sur une coupe coronale.

(D'après Nieuwenhuys R., Voogd J., Huijzen C. van, *The Human Central Nervous System*, Berlin, Springer-Verlag, 1988.)

mémoire de travail à plus long terme : « Il est possible de penser, écrit-il, qu'il existe un processus ou un mécanisme des informations synergiques combinées à partir de sous-systèmes variés rentrant dans une forme de représentation temporaire. » Baddeley (2000) décrivit le buffer épisodique comme un système de capacités et de durée limitées de stockage temporaire capable d'intégrer des informations de sources diverses. Il serait contrôlé par le système central exécutif et constituerait une interface entre le court terme et le long terme. L'accès à ce buffer se fait par l'activation des mécanismes de la conscience et serait en liaison avec les aires préfrontales. Pour Prabhakaran *et al.* (2000), le cortex préfrontal droit est activé dans les processus d'intégration d'informations spatiales et non spatiales de la mémoire de travail.

Par rapport à la mémoire musicale, autant la traditionnelle conception de la mémoire de travail semblait trop restrictive et difficile à concilier avec la réalité pratique de l'interprétation, de la perception et de la mise en mémoire de la musique, autant le nouveau concept de buffer épisodique, et même d'une mémoire de travail à moyen ou long terme, s'y adaptent beaucoup plus facilement et surtout semblent plus proches de ce que nous apprend l'expérience.

Le répertoire et son serviteur : la mémoire procédurale

Dans toutes les corporations d'instrumentistes et de chanteurs, on cite toujours des artistes doués d'une prodigieuse mémoire musicale, remarquables par l'étendue de leur répertoire. Ce répertoire, acquis depuis la petite enfance au prix d'un dur labeur, mûrit habituellement dans les conservatoires et s'enrichit au cours de la carrière. Les grands concertistes internationaux possèdent grosso modo dans leur mémoire tout ce qui a été écrit pour leur instrument, même s'ils finissent par n'entretenir que leurs chevaux de bataille. Des pianistes comme Rubinstein, Barenboïm, des organistes comme Dupré, Litaize et Marchal, des violonistes comme Menuhin font partie de cette catégorie. Glenn Gould fut peut-être le plus stupéfiant de tous. Dans une série d'émissions télévisées de Bruno Monsaingeon, on assistait à une séance de travail de l'artiste avec Menuhin. Le grand violoniste arriva avec ses partitions. Gould s'installa au piano, demanda ce qu'il devait jouer et commença l'accompagnement, sans le texte musical, d'une sonate en faisant remarquer malicieusement qu'il avait déjà joué ça autrefois. Pas une erreur, pas un accroc, une mémoire parfaite ! On restait pantois de voir qu'en plus du répertoire de son instrument, Glenn jouait de mémoire la partie de piano de presque toute la musique de chambre sans compter ses propres transcriptions de nombreux opéras.

Ce type de mémoire, *la mémoire du répertoire*, représente pour le grand public la mémoire musicale ; elle frappe par son côté spectaculaire. On distingue à la mémoire musicale trois composantes (Trillet, 1993) : kinesthésique (c'est-à-dire la mémoire des mouvements mis en jeu par l'instrumentiste), qui a vraisemblablement un rapport avec le cervelet, mélodique et graphique.

Les professeurs de musique reconnaissent l'existence de ces trois mémoires musicales : la mémoire des mélodies nous permet de retenir les airs, la mémoire kinesthésique de retenir les mouvements mis en jeu pour les jouer, la mémoire graphique n'est autre que la mémoire visuelle de la partition. À vrai dire, on peut se demander si la distinction de ces trois mémoires musicales n'est pas uniquement le résultat empirique de la pédagogie ou si elles correspondent à trois réalités cognitives. Il faudrait leur ajouter la mémoire de l'harmonie, si utile quand on veut apprendre un morceau par cœur, la mémoire des timbres, des nuances...

Dans la mémoire musicale « du répertoire », la mémoire des mouvements des doigts ou kinesthésique est sans doute la plus importante des trois. Cela est tellement vrai que la notation musicale du temps de Descartes, tout au moins pour les instruments à cordes, utilisait des tablatures qui faisaient figurer sur six lignes parallèles les numéros des doigts qui devaient toucher les six cordes. La tablature illustre admirablement la réalité d'une mémoire procédurale : l'apprentissage de l'action aboutit à une mémoire de l'action, ou procédure, permettant elle-même de reproduire cette action (exécution) et de la représenter sur le papier. La portée est venue plus tard, mais le chant l'avait depuis longtemps adoptée. Sur la portée, système tout différent de la tablature, les notes sont des symboles graphiques ayant une double signification : la hauteur dans l'échelle sonore et la durée. Ce que lit l'exécutant, ce n'est pas l'image de l'action, c'est la représentation symbolique des sons qu'il fera naître, quelle que soit la manière dont il procédera et les doigtés qu'il adoptera. Alors qu'avec la tablature l'instrumentiste ne faisait qu'accomplir ce qu'un mode d'emploi lui imposait, en lisant les portées, l'interprète prend la responsabilité technique de son exécution personnelle.

Le second élément de la mémoire musicale est la mémoire mélodique. Par convention, ce terme désigne à la fois la mémoire des mélodies avec paroles qu'on appelle communément les chansons et les mélodies sans paroles, ou airs, qu'elles soient chantées ou jouées par un instrument. La mise en mémoire des chansons et des mélodies pures (sans paroles) se fait-elle de la même manière ? La chanson fait appel à une double mémoire, verbale et mélodique ; si la mélodie résiste mieux à l'oubli que les paroles comme nous le verrons plus bas, le « verbal » et le « mélodique » peuvent, en revanche, s'entraider pour le rappel. En ce qui concerne les paroles des chansons, leur apprentissage se fait de la même façon que pour tout le reste du langage : l'enfant apprend à percevoir le langage de sa mère non seulement en l'écoutant parler mais aussi en regardant les mouvements de sa bouche (théorie motrice de la perception du langage de Libermann, 1985), c'est-à-dire son comportement « oro-moteur ». Ce type de perception est moins démontrable pour les mélodies pures dont l'apprentissage est auditivo-mélodique. Une fois apprise, la mélodie pure est stockée dans la mémoire sous forme d'une représentation motrice durable concernant tous les organes de la voix chantée. Il faut remarquer que la notion de mélodie pure est assez théorique ; dans le chant, il existe une double représentation d'action : mélodique et verbale Cette distinction posée, les mélodies et les chansons s'apprennent par la répétition au même titre que l'apprentissage d'un texte par cœur proposé par Bergson ; cet apprentissage fait appel à la mémoire procédurale.

Quant au rôle d'une soi-disant mémoire graphique, il est beaucoup plus discutable. Un grand organiste, qui a perdu la vue à la suite d'un accident, nous faisait remarquer que pour un musicien aveugle la mémoire du graphisme musicale est nulle puisque la notation se fait en alphabet Braille. En ce qui concerne le voyant, aucun interprète ne soutiendra sérieusement que lorsqu'il joue par cœur il garde pendant l'exécution l'image visuelle exacte de la partition comme s'il avait le livre ouvert devant les yeux, tout au plus a-t-il de temps à autre des représentations du texte musical qu'il est en train d'interpréter. Celui qui joue avec la partition doit lire le texte servilement s'il déchiffre ; mais s'il connaît bien ce qu'il est en train de jouer, le recours à son texte lui permet plutôt de garder des repères visuels.

Dans quel type de mémoire peut-on faire entrer la mémoire du répertoire ? Le répertoire est un capital dans lequel l'exécutant peut puiser sans effort. Il nous semble indéniable que ce que nous appelons « le répertoire » a été acquis par un apprentissage, une répétition, et à ce titre appartient à la mémoire procédurale. L'enregistrement des traces s'est fait progressivement à la fois de manière explicite et implicite, d'où il résulte une habileté motrice durable. L'action répétée devient action conservée dans une finalité spécifique. Il faut bien se souvenir que la mémoire procédurale n'est pas qu'une mémoire motrice, kinesthésique, il est des procédures visuo-motrices et cognitives, mais ce qui caractérise cette mémoire c'est qu'elle est indépendante du langage, c'est une mémoire d'actions et non de souvenirs. Acquise dès l'enfance, à une époque de la vie où le cerveau est doué de capacités d'enregistrement et d'apprentissage excellentes, la mémoire du répertoire résiste bien aux ans, même s'il faut compter avec une certaine érosion. Elle se réactive constamment, au prix parfois de quelques variantes personnelles involontaires si l'on ne reprend pas de temps en temps le texte original pour se ressourcer. Cela arrive souvent à des « monstres sacrés » qui ont la réputation d'être les seuls à détenir la version « authentique » de l'œuvre... puisqu'ils la jouent ainsi. La réactivation de la mémoire porte le nom de consolidation, terme employé surtout pour la mémoire épisodique mais rien ne s'oppose à l'employer pour la mémoire procédurale.

Le répertoire ne concerne pas que la mémoire procédurale. Constitué grâce à elle, véritable thésaurus personnel, il devient un savoir et à ce titre il appartient autant à la mémoire sémantique qu'à la mémoire procédurale. Nous avons vu que la mémoire sémantique est faite d'éléments appris d'ordre général indépendamment des repères spatio-temporels ; toutefois on admet qu'elle peut comprendre des éléments personnels qui ont un rapport avec notre biographie (mémoire sémantique personnelle).

La différence des deux catégories (mémoire sémantique et mémoire procédurale) peut sembler difficile à saisir : le pianiste qui a dans son répertoire telle sonate de Mozart est capable de la chanter, il l'entend en lui-même, c'est un savoir (de même que tout Français connaît *La Marseillaise* sans savoir très bien où il l'a apprise), mais il est aussi capable de la jouer grâce à un long apprentissage technique d'actions successives mises en jeu, et cette faculté concerne la mémoire procédurale. Le répertoire musical appartient à la mémoire sémantique mais il est le fruit de la mémoire procédurale et il continue à s'en nourrir. Cette discussion montre combien l'auteur de

Matière et mémoire avait eu une bonne intuition des rapports de ces deux types de mémoire.

Dès lors une question vient à l'esprit : nous avons parlé du répertoire des instrumentistes réputés, doit-on réserver le terme de « répertoire » à la seule catégorie des professionnels ? Bien sûr, c'est dans l'exécution de la musique que la mémoire procédurale fait d'avantage qu'ailleurs la preuve de son existence mais, qu'en est-il chez un musicien non-instrumentiste ? Chez un musicien non-instrumentiste, en particulier chez le simple amateur de musique, le répertoire prend la forme de représentations intérieures des œuvres qu'il a appris à connaître par cœur, grâce à un apprentissage implicite ou explicite. L.J. était de ceux-là. Un ou deux mois avant le débarquement allié en Normandie, il enterra soigneusement ses vieilles cires des symphonies de Beethoven dans son jardin. Ayant fait seulement des études musicales élémentaires, il connaissait néanmoins par cœur les neuf symphonies et pouvait les chanter de bout en bout sans une erreur en indiquant les détails de l'orchestration. Il retrouva son trésor sous le tas de ruine de sa maison. L'avènement du « microsillon » faillit ramener ses reliques dans leur tombeau.

La crainte des trous de mémoire paralyse tellement certains exécutants qu'ils ne peuvent se passer de leur texte musical. Le célèbre claveciniste Ruggiero Gerlin déployait sur son pupitre une sorte d'accordéon de feuilles de musique collées. Peut-être que la crainte de voir le tout s'effondrer masquait-elle chez lui le trac de perdre le fil. En voyant arriver sur l'immense scène du palais de Chaillot le grand organiste Maurice Duruflé portant sous chaque bras des grands cartons sur lesquels étaient collées les pages qu'il devait jouer (admirablement), le public, étonné d'une telle entrée en scène, ne pouvait retenir un élan de sympathie comme si l'artiste était arrivé en bleu de travail pour faire démarrer l'immense machine qui s'avançait lentement du fond de la scène. Ces deux interprètes avaient pris le parti de ne pas se séparer de leur musique, sachant qu'ils étaient plus aptes à s'exprimer de cette façon, ce qui ne les a pas empêchés, l'un comme l'autre, de laisser leur nom à la postérité.

Le trou de mémoire ne survient pas que chez ceux qui le redoutent le plus, et qui sont simplement un peu plus inquiets que les autres. Il arrive inopinément dans des passages que l'artiste a joués des centaines de fois, ou même dont il est l'auteur, tel Wagner dirigeant le prélude de *Tristan* en 1871. Dans son article sur la mémoire musicale, basé sur l'expérience de sept concertistes, Marc Trillet distingue deux causes à ce genre d'accident : le relâchement de l'attention, qui a une prédilection pour les passages faciles, donc les moins travaillés, et l'erreur d'aiguillage, « véritable dérapage, lorsqu'un thème précédent, donnant lieu à un développement nouveau, réapparaît en un point d'articulation de la partition ». La violoniste interrogée par Trillet sur la façon de pallier un tel accident eut cette phrase merveilleuse : « Les doigts continuent parfois de savoir. » De telles erreurs d'aiguillage sont à craindre surtout chez Bach, en particulier au cours des fugues ; il est vrai que les différentes voix évoquent souvent un enchevêtrement de voies ferrées, mais aussi dans les variations et les intégrales ; le danger se dédouble alors : risque de se tromper dans l'ordre des parties s'additionnant à celui de mélanger deux variations voisines. Le même article raconte l'anecdote suivante survenue à l'altiste Maurice Vieux, qui montre le caractère souvent bref et bénin du dérapage : « Jouant une sonate à New York avec Cortot, Maurice Vieux perd le fil, se penche vers le pianiste et questionne : "Où sommes-nous ?", Réponse : "à Carnegie Hall", et tout repart. »

L'expression « perdre le fil », qui rappelle « le filo » que Leopold Mozart recommandait à son fils, traduit bien le souvenir de la continuité du discours musical. La perte du fil peut même survenir quand on joue avec le texte sous les yeux, notamment dans des œuvres que l'on connaît...

très bien et vis-à-vis desquelles peut-être l'instrumentiste manifeste-t-il une certaine lassitude.

À côté de ces défaillances passagères de la mémoire, peuvent survenir des véritables accès de panique. On en trouve des descriptions dans la littérature médicale ancienne comme celle qui est restée célèbre chez le pianiste Prudent – c'était son nom (Dupré, 1911). Plus près de nous, le remarquable film *Shine* du réalisateur australien Scott (un peu mélodramatique mais... sans fausses notes) relate l'histoire d'un jeune pianiste génial, David Helfgott, qui à onze ans jouait parfaitement les *Polonaises* de Chopin. Son père, paranoïaque typique, rigide et sadique, entend l'éduquer selon ses principes personnels et lui interdit d'aller étudier à Londres, ce que l'attribution d'une bourse lui permettrait. Le jeune homme s'y échappe, stupéfie ses professeurs britanniques par son talent, puis est appelé à donner en concert avec orchestre le *3e Concerto* de Rachmaninov, que son père voulait lui faire jouer à l'âge de dix ans. Exécution fulgurante qui se termine par un épisode gravissime de confusion mentale à la fin de l'œuvre. Hôpital psychiatrique, état psychotique, puis reprise progressive de la musique à partir de remplacements du pianiste d'un café-concert. Happy end : guérison, redémarrage d'une belle carrière, mariage.

Musique et mémoire : existe-t-il une mémoire musicale ?

Pour la raison que la musique est un art du temps qui nécessite un avant et un après, musique et mémoire sont indissociables. On peut même avancer que depuis la perception de la qualité musicale d'un son jusqu'à l'intégration dans sa propre conscience d'une œuvre musicale, on ne peut pas concevoir une perception de la musique qui se passerait de la mémoire puisque musique et temps sont liés, et que perception du temps et mémoire sont également liées.

Essayons, d'un point de vue strictement phénoménologique, de faire l'inventaire des circonstances d'intervention de la mémoire dans la musique. Rappelons que nous avons proposé de distinguer dans la perception de la musique trois niveaux : le premier est la reconnaissance de la qualité musicale d'un stimulus auditif, le second concerne la discrimination des divers éléments de la musique, le troisième (sémantique) consiste en l'identification de l'œuvre entendue. La mémoire intervient à tous ces niveaux. D'une façon générale, comme pour la lecture verbale, elle nécessite la perception « du temps qui s'écoule ».

UNE ORGANISATION POSSIBLE DE LA MÉMOIRE MUSICALE

I. Mémoire élémentaire : mémoire de travail à court terme.
Elle est à l'œuvre dans l'écoute de la musique
1. Perception de la nature musicale des sons
2. Perception du temps musical et des rythmes
3. Perception des intervalles entre deux sons successifs de hauteurs différentes
4. Perception de la succession des sons qui forment une mélodie

II. Épisode du *Miserere* d'Allegri : mémoire de travail à moyen terme et à long terme.
(episodic buffer)
1. Encodage, stockage et restitution d'une plus ou moins longue séquence de musique, d'une mélodie ou de toute une œuvre
2. Improvisation et composition musicales

III. Constitution et exploitation d'un répertoire : mémoire procédurale.
Elle est en liaison avec les mémoires sémantique et épisodique.

IV. Connaissances théoriques, identification de l'œuvre : mémoire sémantique

V. Rappel d'événements musicaux : mémoire épisodique.

Cet encart nécessite quelques commentaires. Le premier est que, malgré le bien-fondé d'une conception modulaire de la mémoire, il est admis qu'un événement active à la fois tous ces sous-systèmes simultanément.

• Nous avons appelé « mémoire élémentaire » celle qui permet d'enchaîner les stimuli auditifs que nous percevons. Percevoir qu'un stimulus auditif est un son musical repose sur la prise de conscience de l'invariance de sa structure acoustique, organisée en ondes sonores d'un certain modèle, pendant une durée minimale.

De la même façon, pour prendre conscience et apprécier les diverses qualités d'un son (timbre, hauteur, intensité, durée), il faut un minimum de temps. La mémoire à court terme est indispensable afin de retenir et comparer les informations acoustiques qui se succèdent et qui sont intégrées par les aires auditives sous forme d'un tout composé de multiples parties obéissant à des caractéristiques spectrales (timbres) et temporelles (hauteurs et rythmes). Cette mémoire de travail à court terme est articulée avec la mémoire à long terme.

La perception du temps musical est la première phase de la perception des rythmes qui ne sont que le découpage en parties inégales du sentiment de durée.

Lors de l'écoute des œuvres musicales, l'appréciation du déroulement de l'œuvre et de sa structure requiert l'encodage et le stockage permanent des informations acoustiques.

Nous pensons que toutes ces possibilités d'analyse acoustiques dépendent de la mémoire à court terme ou à plus ou moins long terme.

• Nous croyons avoir démontré que la capacité de restituer ce que l'on vient d'entendre dont « l'exemple idéal » est l'épisode du *Miserere* d'Allegri est assurée par la mémoire de travail à long terme. C'est elle qui permet également de se souvenir de ce qui précède lors de l'improvisation ou bien de transcrire graphiquement au fur et à mesure ce que l'on vient de composer.

• Registre sémantique : nous avons montré que l'identification de l'œuvre entendue ou la simple impression de familiarité étaient une fonction assurée par l'hémisphère cérébral gauche, ce qui a été confirmé depuis par l'imagerie cérébrale comme nous le verrons. L'ensemble des connaissances théoriques et pratiques sur l'art musical entre dans le vaste cadre de la mémoire sémantique.

• Enfin, se rappeler des événements ayant trait à la musique relève de la mémoire épisodique.

Ce tableau proposé d'une organisation possible de la mémoire musicale nous oblige maintenant à répondre à la question : pour le neuropsychologue, la mémoire musicale est-elle (selon la conception de Fodor) un module cognitif spécifique ? Et si oui, de quelle mémoire s'agit-il ? Autrement dit, est-ce une mémoire musicale vraie répondant à des caractères objectifs de sa spécificité ou bien n'est-ce que la simple utilisation des divers sous-systèmes de la mémoire dans un domaine particulier ?

LES ARGUMENTS TIRÉS DE LA NEUROPSYCHOLOGIE EXPÉRIMENTALE

La neuropsychologie de la musique a bénéficié de nombreux travaux de recherche que l'on peut regrouper en quatre catégories : études purement neuropsychologiques ; études de patients ayant subi une exérèse d'un lobe temporal ; études faisant appel à l'imagerie cérébrale fonctionnelle ; cette partie sera abordée en bloc au chapitre VII, nous verrons en particulier comment H. Platel a pu, grâce à la caméra à positons, mettre en évidence la différence de traitement des mémoires sémantiques et épisodiques musicales et définir du même coup la réalité d'une mémoire musicale (Platel, 2000).

Diana Deutsch (1970) est à l'origine de travaux pionniers sur la mémoire de la perception des hauteurs tonales, base de la perception musicale. Un jugement de similitude de deux sons (la consigne est : pareil/pas pareil), séparés par un laps de temps de plusieurs secondes, est rendu très difficile par la présentation entre les deux stimuli d'une interférence mélodique ; par contre une interférence verbale ou de chiffres ne l'affecte pas. Elle conclut qu'il existe un système de mémoire auditive spécialisé dans la rétention de l'information tonale, argument en faveur d'une mémoire particulière qui n'est pas celle du langage : « Ce travail montre qu'il y a indépendance entre mémoire à court terme verbale et musicale » (Platel, 2000), idée qui a été défendue également par Samson et Zattore comme nous le verrons plus bas à propos des exérèses du lobe temporal. Les travaux de Semal et Demany (1993) vont dans le même sens, à savoir : une organisation modulaire de la mémoire musicale ; ils ont pu montrer l'indépendance des traitements en mémoire de travail des différentes composantes de la musique, en particulier l'absence d'interférence entre le maintien à court terme d'informations tonales et d'informations spectrales.

Une autre question est de savoir quelle est la place respective des informations mélodiques et rythmiques dans l'encodage et la restitution des mélodies. De nombreux travaux permettent de conclure que la voie mélodique est privilégiée dans la constitution d'un lexique musical, cette voie intervient plus que la mémoire du rythme dans la rétention mnésique des chansons et des airs.

ENSEIGNEMENTS TIRÉS DES RÉSULTATS D'EXÉRÈSES CORTICALES

L'étude neuropsychologique de patients épileptiques ayant subi une exérèse corticale dans un but thérapeutique a contribué à une meilleure localisation de la mémoire musicale. Cette méthode de traitement neurochirurgicale s'est développée beaucoup en Amérique du Nord. Elle s'adresse aux cas d'épilepsie rebelles aux traitements médicaux. Samson et Zattore, auteurs de la majorité des travaux sur le sujet, ont montré en 1988 que seuls les patients porteurs de lésions droites sont déficitaires dans la reconnaissance des mélodies. En 1991, Zattore et Samson ont étudié la reconnaissance d'une série de chansons identiques ou bien différentes des chansons initiales par la mélodie, les paroles ou les deux à la fois ; ils ont pu conclure que le lobe temporal gauche a un rôle majeur dans la reconnaissance des paroles chantées ou parlées. En revanche, seuls les patients qui avaient une lésion temporale droite échouaient pour reconnaître les mélodies sans paroles. La même année, les mêmes auteurs ont rapporté qu'une lobectomie temporale externe ou frontale ou fronto-temporale droite altérait la possibilité de rétention de la hauteur tonale de deux notes séparées par une séquence de six autres (ce que réussissent à 100 % les sujets normaux). L'excision de l'aire auditive primaire droite n'altère pas cette tâche, pas plus que l'excision gauche du lobe temporal. Ils attribuent un rôle prépondérant à la partie antérieure du lobe temporal droit dans la fonction de rétention tonale. Pour ces auteurs, l'encodage et la reconnaissance des mélodies sont traités par le lobe temporal et le cortex frontal droits, mais la mémoire des chansons (autrement dit, des mélodies avec paroles) échappe à cette règle : elles sont moins bien reconnues après lobectomie temporale gauche sans doute en raison de la présence des centres du langage de ce côté.

PRIMA LA MUSICA, E DOPO LE PAROLE

Ce fait quasi expérimental, rapporté par Samson et Zattore, a une grande importance pour expliquer les curieux troubles de mémoire dissociés dont peuvent être victimes les chanteurs lyriques. Alors qu'ils n'oublient presque jamais la mélodie, ils ont l'expérience de trous de mémoire pour le texte. Ce fait souligne la différence de traitement par le cerveau des mélodies sans paroles et des chansons. Les premières sont reconnaissables par leur « contour » (terme créé par Diana Deutsch et repris par Peretz) dont on sait qu'il est préférentiellement traité par l'hémisphère droit ; les secondes font appel à la mémoire verbale qui ressortit au lobe temporal gauche. On raconte qu'une grande chanteuse lyrique avait des oublis si fréquents des paroles du livret qu'elle « meublait » en adaptant le prénom de son mari à l'air qu'elle était en train de chanter. On peut donner de cette dissociation plusieurs explications neuropsychologiques :

1) Les deux hémisphères cérébraux ont une indépendance dans l'interdépendance, chacun ayant une relative supériorité pour une fonction. Le gauche est le seul à posséder des capacités phonologiques, le droit ne peut produire de la parole mais il gère les mélodies. Le corps calleux, qui unit les deux hémisphères, transforme la cohabitation en collaboration.

2) La primauté de la musique marque la différence entre le théâtre lyrique et le théâtre parlé : « Prima la musica, e dopo le parole » réplique le musicien Flamand dans la première scène de l'opéra de Richard Strauss *Capriccio* au poète Olivier qui venait d'affirmer le contraire. Dans ce temple appelé opéra, le culte de la voix, le soutien de l'orchestre, les prouesses des chanteurs sont au service de l'expression vocale musicale plus que de son contenu verbal. Il faut avouer que dans les tessitures très élevées l'intelligibilité perd de sa précision et que la prouesse dans les aigus fait oublier et excuser l'impossibilité de comprendre quel message sémantique est délivré par telle extraordinaire soprano ! En termes de neuropsychologie, nous dirons qu'il y a, chez le chanteur, un déséquilibre fonctionnel au profit de l'hémisphère droit, l'hémisphère de la mélodie mais non du langage. structure phonologique.

3) Dans le chant, le souvenir des mots peut être facilité par leur structure phonologique liée à la mélodie autant que par le canal lexico-sémantique, entendez : leur signification. Sur telle note de la mélodie, il y a le son A, sur telle autre le son U, etc., sons qui appartiennent aux mots du texte. Chaque mot a, en plus de sa valeur signifiante, une structure phonologique. Cela se vérifie quand des artistes chantent dans une langue étrangère qu'ils ne connaissent pas.

4) Une autre question se pose dans le théâtre chanté qui requiert à la fois mémoire verbale et mémoire mélodique : ces deux domaines sont-ils traités par un seul système ou par deux systèmes différents, ou si l'on préfère : existe-t-il un seul réseau neuronal commun à musique et paroles, ou bien le cerveau de l'homme possède-t-il deux réseaux neuronaux distincts ? Les travaux de Mireille Besson sont en faveur de la seconde hypothèse et constituent à notre sens une explication possible des troubles dissociés de la mémoire chez les chanteurs lyriques au détriment du verbal et au profit de la mélodie. M. Besson a enregistré les potentiels auditifs corticaux tardifs chez des sujets sains pendant la présentation de segments d'airs d'opéra enregistrés. La particularité de ces segments résidait dans la modification de la finale qui était inattendue et incongruente soit par une fausse note, soit par un mot différent du mot réel. Ces deux accidents faisaient apparaître un potentiel auditif cortical à des temps différents, négatif à 400 ms (appelé N400) pour le mot inopportun et positif à 600 ms (P600) pour la fausse note ; si le mot incongru est en plus chanté faux, on observe la succession de ces deux composantes. Ces résultats démontrent l'indépendance de deux traitements sémantiques et mélodiques et l'auteur conclut que, « lorsque nous écoutons de l'opéra, langage et musique ne seraient donc pas perçus comme une seule entité ».

SYNTHÈSE ET ILLUSTRATIONS : LA MUSIQUE SCULPTE LE TEMPS

De ce que nous venons de voir, nous pouvons conclure que : primo, percevoir des sons musicaux, les analyser, se rappeler et identifier les ensembles qu'ils forment, telles sont les trois fonctions de la mémoire musicale. Secundo, la mise en évidence des dissociations permet de penser que la mémoire musicale est une mémoire spécifique construite sur le modèle modulaire ; par exemple il existe bien une mémoire spécifiquement tonale indépendante d'une mémoire verbale. Tertio, l'hémisphère cérébral droit a un rôle prépondérant dans la mémoire musicale.

Nous illustrerons ces « conclusions avant la lettre » par plusieurs remarques concernant la perception du temps musical, le souvenir de l'œuvre que l'on vient d'entendre et les difficultés de se rappeler les timbres, enfin comment on peut envisager une adéquation entre les schémas actuels de la mémoire et la mémoire de la musique en particulier en ce qui concerne l'encodage.

La musique sculpte le temps. Elle est indissociable du temps qui s'écoule ; au moyen des sons, elle organise le temps. Quand il écrit, au fond de son stalag de Silésie, son *Quatuor pour la fin* du *temps* (et non *des* temps comme il est dit souvent), Olivier Messiaen nous donne à réfléchir sur le fait que la réalisation d'une telle prophétie apocalyptique : « Il n'y aura plus de temps », rendrait inutile le travail du compositeur. Ce fut, pour lui, l'occasion de rompre avec la « découpe » habituelle du temps musical mesuré et d'inventer des nouvelles valeurs de notes légèrement allongées ou raccourcies qui donnent l'impression que le temps ancien est révolu, qu'il n'y a plus de temps. Nous l'avons déjà souligné, le rythme n'est pas la succession régulière des notes (comme dans une marche ou très souvent dans les compositions de J.-S. Bach), mais au contraire la perception de l'irrégularité du tempo. Par exemple, le célèbre *Boléro* de Maurice Ravel est infiniment moins rythmé avec ses formules immuables qu'un allegro de Mozart.

Bien qu'il ne s'agisse pas d'une observation scientifique publiée mais d'une interview télévisée du grand pianiste Arthur Rubinstein, à laquelle j'ai eu le bonheur d'assister, son expérience d'une mémoire inconsciente du temps musical mérite d'être rapportée. La différence est d'ailleurs difficile à établir entre mémoire du temps et perception inconsciente du temps. Il racontait que si, tout en faisant autre chose, il chantonnait un morceau qu'il connaissait bien, puis qu'il s'arrêtait un certain temps, quand il se remettait à chanter, il ne reprenait pas la mélodie là où il l'avait quittée mais plus loin, à l'endroit où le voulait la partition jouée avec le bon tempo. Il avait pu le vérifier souvent. Certes, il ne s'agit plus de Mozart mais c'était tout de même Arthur Rubinstein ! Le temps musical est inséparable autant du souvenir des événements sonores qui viennent de se passer que de l'attente de ceux qui vont survenir, ceci est absolument capital, la perception de la musique est toujours une interrogation de l'avenir. De ce fait, elle est profondément dynamogène.

DE QUOI NOUS SOUVENONS-NOUS ?

Second sujet de réflexion : de quoi nous souvenons-nous après l'audition d'une œuvre ? Certains musiciens experts, utilisant leur mémoire de travail spécialisée à long terme, réussissent sans doute à encoder et à stocker dans son identité parfaite l'œuvre qu'ils viennent d'entendre et même à la jouer sans erreur ; ils représentent une infime minorité. Chez ceux qui savent peu la musique, seul un souvenir holistique est conservé de l'œuvre. Ce souvenir se résume à un état affectif : c'était triste, c'était fort, c'était rapide ; ou bien naissent et demeurent des associations visuelles tellement subjectives qu'on se demande souvent comment elles ont bien pu naître ! Un parent, pourtant cultivé, occupant un poste administratif important, mais ignorant tout de la musique, me déclara après une bonne interprétation des « papillons » de Schumann : je me représentais des hordes de cavaliers dans la steppe ! En réalité, seuls les familiers de la musique seront capables de garder de l'œuvre entendue des souvenirs segmentaires plus précis comme chanter les thèmes, se rappeler les effets expressifs, les variations du tempo, les crescendos, les impressions d'attente et de détente, les cadences. Parfois l'auditeur est touché par ce que l'on peut appeler des points forts. Au cours de l'audition de l'œuvre, ou après, il ressent une forte émotion qui persiste un certain temps, il ne se sent pas comme avant ; on pourrait dénommer ce changement « la révélation ».

LA DIFFICULTÉ DE SE RAPPELER LES TIMBRES

Si la mémoire des voix familières est une faculté commune à tous (on peut reconnaître son locuteur au téléphone sur une seule syllabe), la mémoire des *timbres* est en revanche très difficile, sauf de se souvenir que dans telle œuvre, à tel endroit survient un changement de timbre. Des musiciens ou des amateurs exercés pourront facilement se représenter intérieurement une mélodie ou même toute une œuvre, « l'ayant en eux », comme s'ils l'entendaient réellement ; cette faculté est infiniment plus rare pour les stimuli isolés, en particulier les timbres, déjà si délicats à décrire verbalement autrement que par des comparaisons. Si je cherche à évoquer le timbre de la trompette de Maurice André, je le revois lors de tel concert mais je « n'hallucinerai » pas le timbre isolément. Ce dont je me souviens, c'est plutôt le contexte (ce qui ressortit alors à la mémoire épisodique).

C'EST DE QUI ?

Dans l'ouvrage collectif *Penser les sons*, de McAdams et Bigand, Crowder (1994) met l'accent sur la différence qui existe entre images et mémoire auditives d'une part et entre mémoire et connaissance auditives d'autre part. Cette distinction est importante pour comprendre les rapports entre l'agnosie musicale ou perte de l'identification et l'amnésie musicale ou perte de la mémoire de la musique. Avec Eustache *et al.* (1990), nous avons observé un patient de trente et un ans, professeur de mathématiques, mélomane qui, à la suite d'un infarctus pariéto-temporal gauche, perdit la capacité d'identifier les airs musicaux. Même *La Marseillaise* n'était plus reconnue. Il n'existait aucun autre trouble perceptif de la musique. Le patient dénommait correctement les bruits non musicaux, il reproduisait bien les rythmes et reconnaissait les erreurs dans les mélodies familières. Il s'agit d'une agnosie de la musique et non d'une amnésie : le patient n'avait perdu que la capacité d'identification mais non de discrimination des sons.

Différents sous-systèmes de la mémoire à long terme peuvent s'appliquer à la musique. Ceci est vrai pour la mémoire procédurale qui comprend les habiletés perceptivo-motrices et cognitives mises en jeu dans l'exécution, les habilités perceptivo-verbales et cognitives à l'œuvre dans la lecture musicale. Cette adéquation vaut également pour la mémoire sémantique, mémoire du répertoire que l'on joue, ou simplement que l'on a déjà entendu souvent, sans être pour autant instrumentiste. C'est elle qui permet de répondre brillamment à la question : « C'est de qui ? » Si l'on connaît l'œuvre, la réponse est rapide. Si on ne l'a jamais entendue, force est-il d'analyser les quelques secondes d'écoute avant de répondre ! La mémoire sémantique prend dans ce cas l'aspect d'une compétence reposant sur des expériences passées et un long apprentissage culturel. Il n'est pas donné à tout le monde d'attribuer la paternité de quelques mesures à Teleman plutôt qu'à Bach, à Schubert plutôt qu'à Beethoven, à Schumann plutôt qu'à Brahms. Le caractère dansant influence le premier choix, la subtilité des modulations le second, la puissance du rythme le troisième.

Dans la reconnaissance des mélodies, il est difficile de séparer mémoire sémantique et mémoire épisodique. Halpern (1984) distingue dans la perception aussi bien que dans la reconnaissance des mélodies deux sortes d'associations sémantiques : perceptuelles, dont les attributs saillants sont purement musicaux (comme les intervalles, les durées, les timbres), et conceptuels, comme la date et le lieu de l'audition, les événements commémoratifs, exemples démonstratifs de mémoire épisodique. Nous avons classé l'épisode de Mozart à la Sixtine comme relevant de la mémoire de travail et non de la mémoire épisodique.

L'ENCODAGE MUSICAL DÉPEND DE LA STRUCTURE DE L'ŒUVRE

Il existe beaucoup de similitudes entre mémoire musicale et conceptions actuelles cognitives de la mémoire en général ; cependant, en faisant appel aux modèles cognitivistes, on donne difficilement une explication satisfaisante de l'encodage musical. L'enregistrement ou encodage des stimuli musicaux (tout comme celui du langage), peut se faire de trois façons : par l'audition, cas le plus fréquent, par la lecture d'un texte musical, ou encore à partir d'une image auditive spontanée, que nous appellerons représentation musicale (mélodie, séquence rythmée, accords). Laissons de côté, pour le moment, cette troisième éventualité pour ne discuter que des deux premières. Le grand acousticien Leipp avait proposé en 1980, très en avance sur son époque, un modèle de la mémoire auditive issu de l'intelligence artificielle (réf. p. 102-103). L'auteur distingue trois sortes de mémoires de l'information sonore : a) une mémoire instantanée qui n'excède pas quelques secondes, b) une mémoire transitoire qui va « photocopier » l'image sonore de telle façon qu'on puisse la rappeler, c) une mémoire mémorisante qui permet le stockage à long terme. Ce modèle n'est pas sans analogies avec des modèles actuels de la neuropsychologie cognitive, notamment en ce qui concerne la place de la mémoire de travail dans l'encodage.

Comment peut-on, aujourd'hui, envisager la nature de l'encodage dans l'écoute musicale ? La réponse que je propose pourrait s'énoncer ainsi : « L'attention focalisée opère pendant l'écoute musicale des segmentations et des regroupements aboutissant à des séquences traitées en mémoire à court terme qui au bout de quelques minutes sont reprises par la mémoire à long terme. Il y aurait donc toujours déroulement simultané et interactions des deux processus mentaux : court terme et long terme, avec un léger décalage si l'on admet que c'est l'encodage en court terme qui commence, et qu'à la fin seul le long terme reste en action. Ce schéma laisse persister toutefois une incertitude. Si le concept de mémoire de travail est pertinent pour la musique, quelles sont ses capacités ? Les limites de l'empan (7 à 9 items) sont-elles d'une fixité absolue quel que soit le mode du stimulus ou bien existe-t-il un empan musical spécial ? Dans ce cas, quel est l'équivalent de ces items ? S'agit-il des notes entendues ou de groupements de notes ?

Nous pouvons faire l'hypothèse que c'est la structure du discours musical lui-même qui place les bornes des segments à encoder et que nous appellerons « séquence primaire ». C'est sans doute ce que pensait D. Deutsch quand elle évoquait la théorie de la forme à l'origine des regroupements, ce qui constitue un élément de réponse à nos interrogations. La forme d'une séquence fait que nous lui attribuons implicitement un début et une fin. La durée de telles séquences ne devrait pas excéder les possibilités de la mémoire de travail (1 à 2 minutes). Toutes les séquences des épisodes encodées dans le court terme ne seraient donc pas de longueur égale, leurs débuts et leurs terminaisons correspondraient à des limites thématiques ou rythmiques ayant acquis une valeur de cellule structurale. Ainsi, des figures acoustiquement caractéristiques, avec leurs harmonies, leur tempo, resteront-elles solidement fixées et maintenues telles qu'elles ont été entendues avant de passer dans le long terme. La nouvelle conception de la mémoire de travail « allongée » de Baddeley (2000) est un important progrès pour comprendre l'encodage musical, nous lui ajouterons non pas un bémol mais un plus (autrement dit un dièse !) : les limites du segment encodé dans le court terme sont modulables selon la structure du discours musical. Il se pourrait qu'il en soit de même dans le discours verbal.

Deux exemples tirés des sonates pour piano de Mozart illustrent cette conception : le thème de la célèbre *Marche turque* (qui n'est autre que le finale de la *10ᵉ sonate en la majeur* K 331) comprend neuf mesures (exemple 1). Dans les quatre premières, la même formule rythmique se répète quatre fois en s'élevant du même intervalle à chaque fois. Quelles seront les limites du segment encodé ? Une seule formule rythmique ou l'ensemble des neuf mesures, soit quarante-quatre notes ? Second exemple (exemple 2) : l'allegro de la *12e sonate en fa majeur* (K 332) est une sorte de descente rapide de six mesures que les Massin (1970) qualifient de « ruissellement rapide » ! Elle comprend soixante-six notes réparties en six mesures. L'oreille perçoit des groupes de six du fait du dessin mélodique en marche harmonique descendante. L'empan est-il constitué par tout le thème, un groupe ou un certain nombre de notes seulement ?

1. Mozart, *Sonate en la pour piano* K 331, allegretto alla Turca

2. Mozart, *Sonate en fa majeur pour piano* K 332, allegro assai

Ainsi, malgré des questions assez théoriques restant en suspens, il est vraisemblable que l'encodage musical par voie auditive se fasse dans un court terme allongé débordant nécessairement sur la mémoire à long terme et que la longueur du segment encodé soit conditionnée par la structure et la « découpe » auditive de l'œuvre. En somme, nous pensons que les bornes du court terme peuvent varier selon la structure de l'œuvre elle-même. La lecture musicale procède, elle aussi, par un encodage en mémoire de travail de séquences mémorisées, ensuite dans le long terme. Cette mémoire à court terme évoque chez le musicien la représentation sonore en « langage intérieur » des symboles qu'il lit, facilitée en cela par le jeu des amorçages perceptifs comme la suite logique du déroulement du morceau voulue par les règles de l'harmonie ou le dessin des phrases musicales. De même, dans l'improvisation, une forme mineure et éphémère de création, le musicien doit-il garder en mémoire ses thèmes et son plan rapidement élaborés afin de construire son œuvre, au fur et à mesure qu'il la produit. Le rôle de la mémoire de travail allongée et modulable et de son passage dans le long terme est encore plus considérable dans la composition. On peut être un bon improvisateur sans être un bon compositeur si la mémoire fait défaut pour transcrire sur le papier ce que l'on vient d'imaginer. Nous verrons combien Mozart pouvait compter sur sa mémoire dans sa manière très particulière de composer.

En conclusion, les découvertes de la neuropsychologie cognitive concernant la mémoire ont permis de mieux comprendre la façon dont on retient la musique. En revanche, la mémoire musicale garde une spécificité dans les domaines de la rétention tonale, de la mémoire des mélodies, de la perception et le souvenir possible d'un temps musical à la base du rythme. Il existe donc bien une mémoire musicale, bâtie sur le modèle modulaire. De plus, elle fait appel à une forme spéciale d'encodage dont on peut dire que c'est la structure de l'œuvre musicale elle-même qui délimite les frontières des segments encodés dans une mémoire à court terme exempte de rigidité. Enfin, là sans doute plus qu'ailleurs, l'art de l'interprète est le produit de la mémoire procédurale.

Retour à l'épisode du Miserere *d'Allegri-Bai*

Est-il besoin de préciser que l'exploit de Mozart est tout à fait différent d'une simple dictée musicale dans laquelle l'auditeur écrit sur son cahier de musique ce qu'on lui fait entendre, généralement deux mesures par deux mesures ? Ici Mozart n'a rien noté. L'exploit repose sur son extraordinaire capacité d'encodage d'une œuvre inconnue de lui, qui dure quinze minutes. Cette opération intellectuelle fait appel nécessairement à une mémoire de travail à court terme mais également à long terme, seule capable de restituer intégralement et de façon rigoureusement identique ce qui a été encodé et stocké, ce que n'aurait pas permis la seule mémoire épisodique. Essayons d'analyser, à la lumière de tout ce que nous venons de voir, comment on peut imaginer les processus mnésiques à l'œuvre chez Mozart lors de « l'épisode du *Miserere* d'Allegri ».

La première question qui se pose est celle de l'encodage purement mental d'une œuvre qui dure quinze minutes.

Dans son ouvrage *À la recherche de la mémoire*, Schacter cite plusieurs cas de sujets capables de réaliser des encodages dépassant très largement le sacro-saint empan de sept à neuf items. Il faut remarquer qu'il s'agit de performances de chiffres et que, dans d'autres domaines, ces sujets n'avaient pas une mémoire exceptionnelle. Un certain Bubbles B., joueur professionnel de Philadelphie, qui passait sa vie à faire des paris, répétait immédiatement à l'endroit et à l'envers toutes les séries de vingt chiffres qu'on voulait bien lui fournir. Deux étudiants d'une université américaine passionnés de course à pied s'exercèrent pendant plusieurs mois dans le laboratoire de psychologie de l'université à « élargir » leurs capacités d'encodage jusqu'à cent chiffres. Tous les deux, avec une remarquable vivacité, utilisaient des moyens mnémotechniques basés sur les chiffres de leurs temps et de leurs performances sportives ; par contre, leur empan de lettres ne dépassait pas sept, montrant bien que pour les chiffres ils devaient utiliser à la fois le court terme et le long terme, ou bien encore une mémoire de travail à long terme. Schacter appelle ce type de performance mnésique l'encodage élaboré. Il mentionne le cas, assez différent, des acteurs qui savent leur rôle en temps voulu sans un vrai apprentissage, mais plutôt en utilisant les indices de motivations et les objectifs de leurs personnages. Un ami, étudiant en médecine, Jean-Jacques L., amateur plein de talent dans la troupe de son université, maîtrisait parfaitement au bout dix jours le rôle principal (en alexandrins) d'une pièce de Regnard : *Le Légataire universel*. Il ne consacrait à l'apprentissage de son texte que les heures des repas. Tout en mangeant, il tournait négligemment les pages de son petit classique Larousse, posé devant son verre. Dans la vie quotidienne, il était devenu véritablement son personnage : il s'exprimait comme Géronte, prenait des postures et des mimiques de vieillard. Curieusement, il n'avait pas plus de mémoire que d'autres pour ses études universitaires ! L'adolescent Mozart a-t-il encodé l'œuvre d'Allegri comme les coureurs à pied de Schacter, ou comme le tenant du rôle de Regnard ? Autrement dit, pendant ce quart d'heure d'écoute, le jeune Wolfgang était-il « hyperattentif » à la structure de l'œuvre, analysant en détail sa composition ? Ou bien au contraire l'a-t-il écoutée sans une spéciale concentration, sans chercher à analyser ce qu'il entendait mais transporté par le mysticisme du lieu et la beauté des voix ? Ou bien a-t-il exploité des moyens mnémotechniques comme celui d'associer certaines parties du *Miserere* à des repères visuels (pourquoi pas des éléments des fresques de Michel-Ange ?) à l'instar des orateurs antiques qui imaginaient des « palais de la mémoire » avec diverses pièces dans lesquelles ils déposaient les idées qu'ils allaient développer ? Existe-t-il des exploits musicaux comparables à l'épisode de la chapelle Sixtine ? Henson (1977) rapporte que peu de temps avant la première du *Songe d'une nuit d'été* ; Mendelssohn oublia la partition dans un fiacre ; il la récrivit le soir même de mémoire ; ce n'est pas diminuer son mérite que de souligner qu'il l'avait intégralement en tête. Henson (*ibid.*) raconte également les prouesses du grand violoniste Georges Enesco : après avoir entendu une seule fois la Sonate de Maurice Ravel jouée pour lui par Menuhin, il saisit son violon et la joua de mémoire sans une erreur (d'après Menuhin, 1962).

« Construire la vaste base de connaissances pour étayer la supermémoire d'un expert qualifié, écrit encore Schacter, ne se fait pas en un jour. Dans toute une série de domaines, cela prend une dizaine d'années d'études approfondies, de pratique et de préparation avant de parvenir à un niveau d'expertise reconnu au plan international. La base de connaissance qui est construite durant cette décennie fournit le socle d'une forme d'encodage élaboré très raffiné et puissant qui permet aux spécialistes d'extraire l'information clé de façon efficace et de lui donner du sens en l'intégrant au savoir préexistant. » À la chapelle Sixtine, quand il entendit le *Miserere* d'Allegri, Mozart avait quatorze ans, il avait commencé la musique vers quatre ans, cela fait bien dix ans d'études le compte est bon, Schacter avait raison !

Il est difficile de ne pas tenir compte des extraordinaires capacités de la mémoire musicale de Mozart pour tenter d'aborder d'un point de vue neuropsychologique la question de son génie. Les chapitres suivants montreront que sa fécondité en « idées musicales », qui en quasi-permanence « habitaient sa conscience », n'aurait servi à rien s'il n'avait pas eu la faculté d'encoder durablement celles qu'il avait retenues pour les assembler dans l'œuvre en cours, construite intégralement de façon mentale, ce qui ne signifie nullement que ses motivations et le contexte affectifs n'aient pas joué dans ce processus. Le génie de Mozart n'a-t-il pas été admirablement servi par ses capacités mnésiques exceptionnelles ?

CHAPITRE II

Une oreille au demi-quart de ton près

Trompettiste « de cour et de campagne » auprès de l'archevêque de Salzbourg, Andréas Schachtner avait des talents multiples : il était également violoniste, violoncelliste et, ce qui nous intéresse d'avantage, écrivain (Landon, 1990). C'était un grand ami de la famille Mozart. Un jour de 1763, il avait alors trente-deux ans, il trouva Wolfgang, qui n'en avait que six, en train de s'essayer sur son petit violon et qui lui déclara : « Monsieur Schachtner, votre violon est accordé un demi-quart de ton plus bas que le mien, quand vous l'avez accordé la dernière fois que j'ai joué dessus. » « J'en ris d'abord, rapporte l'instrumentiste, mais le papa, qui connaissait l'extraordinaire sensibilité et la mémoire des sons de l'enfant, me pria d'aller chercher mon violon et de voir s'il avait raison. Je le fis, et c'était exact. » Nous voilà ramenés au chapitre précédent au sujet de l'extraordinaire mémoire musicale de Mozart ! Mais il y a plus : l'incroyable finesse d'oreille d'un si jeune enfant, qu'il conservera toute sa vie.

En 1799, la sœur de Mozart, devenue baronne von Berchtold zu Sonnenburg, recueillit de ceux qui, comme Schachtner, l'avaient bien connu des souvenirs sur son frère et les adressa à l'éditeur Breitkopf et Härtel. Des extraits figurent dans un petit livre plein de charme de J.G. Prod'homme : *Mozart raconté par ceux qui l'ont vu*. On peut y lire : « Dans la musique la plus compliquée il remarquait la plus petite dissonance et disait tout de suite quel instrument avait fait la faute, et même quelle note il aurait dû faire. Pendant une exécution musicale, il s'irritait au plus petit bruit. Bref, tant que durait la musique, il était tout musique ; dès qu'elle avait cessé, on revoyait l'enfant. »

L'*Augsburger Intelligenz-Zettel* du 19 mai 1763 relate les prouesses des enfants Mozart. Concernant Wolfgang : « J'ai également vu et entendu, écrit le chroniqueur, qu'on lui faisait entendre des notes jouées dans une autre pièce, tantôt en bas, tantôt en haut du clavier, et sur tous les instruments possibles, et qu'il donnait immédiatement le nom de la note jouée. Oui, en entendant le son d'une cloche ou d'une horloge, ou même d'une montre de poche, il était immédiatement capable de dire quel son il avait entendu... » (correspondance, VII/21). Ce genre de numéro sera d'ailleurs annoncé avant les exhibitions auxquelles les deux enfants auront désormais à se prêter ; les gens qui se piquent de culture musicale ayant de tout temps été fascinés par la possession de l'oreille absolue.

L'existence de cette particularité, poussée à l'extrême chez Mozart, laisse à penser qu'il ne percevait pas le monde sonore comme tout un chacun, seulement d'un point de vue qualitatif, mais qu'il y associait immédiatement des données quantitatives : la place exacte des sons sur l'échelle des hauteurs. Quand nous entendons un bruit, la première réaction est de l'identifier, ou tout au moins de savoir ce qu'il signifie, c'est un moyen d'être renseigné sur notre monde environnant ; parfois il nous envahit, chargé de souvenirs et d'une tonalité affective indéfinissable. La plupart des humains n'ont pas la faculté de distinguer un bruit d'un son musical et de reconnaître à quelle note il correspond. Pour ceux qui ont ce don, percevoir un son, c'est percevoir une note, c'est-à-dire lui assigner une place précise sur l'échelle des hauteurs. Chez de tels êtres d'exception, l'univers est une profusion de sons qui, eux-mêmes, font naître des images mentales plurisensorielles, teintées d'impressions affectives particulières. Ainsi, le pas d'un cheval sur le pavé devient un motif de fugue, le bruit d'un verre qui se brise : des notes cristallines d'une soprano, le hurlement du vent dans les arbres : le thème d'une mélodie. Ne dit-on pas que Mozart remarqua un jour que son fils Franz-Xavier-Wolfgang avait pleuré dans la même tonalité que le morceau qu'il jouait sur son piano-forte ? Ce qui lui aurait fait dire (selon Niemtschek, *in* Prod'homme) : « Cet enfant sera un Mozart. » De tout cela on pourrait déduire que Mozart, doué d'une oreille véritablement exceptionnelle, n'avait qu'à retranscrire sur ses portées les sons musicaux qui lui parvenaient. Erreur ! Certes, il était sensible à la nature, au charme du jardin qu'il louait dans les environs de Vienne, ou à la fraîcheur de celui du comte Cobenzl avec sa forêt et sa grotte. Novello a recueilli de la bouche même de Constanze Mozart que Wolfgang « aimait *particulièrement* les fleurs [...] qu'il aimait *extrêmement* la campagne et admirait *passionnément* tout ce qui était beau dans la nature, goûtait les petites excursions et qu'ils passaient beaucoup de leur temps en dehors de la ville ». Malgré cela, on ne trouve chez l'auteur de *La Flûte enchantée* que très peu de musique imitative, du style cher aux vieux maîtres français ou même à Joseph Haydn, si ce n'est précisément les roucoulades que Papageno tire de sa flûte de Pan [1], ou certaines danses et contre-danses comme *Le Canari* (K 600 – n° 5), *La Bataille* (K 535) ou encore la célèbre sérénade appelée *Cor de postillon* (K 320).

En revanche, la nature inspirait sans doute chez le compositeur, contemporain de Rousseau, l'allégresse qui vivifie ses thèmes et ses cadences, ses harmonies et ses timbres, ses rythmes et ses nuances. Tout cela, il l'entendait en lui-même avec les hauteurs exactes des sons ; aussi connaissait-il d'emblée l'effet qu'ils produiraient à l'audition, sans être obligé de recourir au contrôle d'un clavier pour composer.

Percevoir les hauteurs, reconnaître les contours

L'inégalité règne parmi les hommes quant aux possibilités discriminatives de l'oreille. Il n'est pas, pour autant, possible de faire la part de l'inné et de l'acquis dans cette faculté, et parler d'agnosie musicale congénitale est audacieux ! Cette disparité devient difficulté quand on doit examiner un patient atteint d'un trouble singulier : la perte de la capacité de percevoir les sons musicaux ou « amusie » ; en effet, il est indispensable de savoir préalablement quelles étaient les capacités musicales antérieures. Wertheim et Botez ont fait précéder leur plan d'investigation des fonctions musicales d'une classification des individus en quatre catégories. Attardons-nous sur la quatrième, où figurent « les personnes qui manquent de musicalité élémentaire (qui n'ont jamais été capables de reproduire une mélodie simple, de chanter, de siffler plus ou moins correctement) ». Le compositeur Jean-Philippe Rameau publia dans le *Mercure de France* dédié au Roy d'octobre 1752 des « Réflexions sur la manière de former la voix et d'apprendre la musique et sur nos facultés en général pour tous les arts d'exercice ». C'est un remarquable article, dont la lecture reste très profitable aujourd'hui. Il explique comment il apprit à chanter à un homme de vingt-cinq ans « qui ne pouvait prendre l'unisson ni l'octave d'aucun son... il ne savait pas ce que veut dire plus haut ou plus bas ». Rameau ne désespéra pas et lui donna des leçons d'intonation pendant plusieurs mois, pensant que musique et harmonie étaient « *tout aussi naturelles que de marcher, de courir* ». Il lui demanda de crier librement de plus en plus vite et de plus en plus fort, et lui fit remarquer que sans s'en rendre compte il émettait des intervalles de quintes ; il lui fit entonner l'octave puis tous les intervalles, ce que l'élève fit correctement au bout de trois mois. Ce jeune homme confia à Rameau qu'il n'avait jamais prêté la moindre attention à la musique. L'illustre compositeur, qui fut un théoricien et un pédagogue remarquables, pensait que l'apprentissage de la musique devrait commencer par la formation de la voix chantée et que la théorie musicale, domaine fort complexe, devrait être enseignée dans un second temps. Au début du XXe siècle, on aurait considéré ce jeune adulte comme un cas d'idiotie musicale, terme horrible créé par Wartzen, mais qui, replacé dans le contexte nosologique de l'année 1903, s'explique assez bien, puisque toutes les anomalies mentales (et l'amusie devait être considérée comme telle) étaient attribuées à des prétendues dégénérescences du cerveau – on aimerait savoir sur quelles preuves. La première catégorie de la classification de Wertheim et Botez concerne les personnes dites musicales, qu'on appellerait de nos jours les amateurs éclairés, mais sans aucune connaissance théorique ou instrumentale ; dans la seconde catégorie figurent les musiciens par profession (beaucoup d'artistes de variété) mais qui n'ont pas fait d'études musicales, en particulier qui ignorent la notation. La troisième catégorie est celle des professionnels ou des dilettantes ayant une vaste culture dans leur spécialité.

La hauteur, le timbre, l'intensité, la durée sont les quatre qualités d'un son musical, mais elles n'ont pas un degré égal d'appartenance spécifique à la musique. Les deux dernières sont des attributs d'autres catégories sensorielles, par exemple un stimulus, qu'il soit gustatif, tactile, visuel ou auditif, peut être plus ou moins intense et durer plus ou moins longtemps, on peut trouver des analogies entre les nuances sonores et celles d'un tableau, entre timbre et couleur ; relisez le sonnet des voyelles d'Arthur Rimbaud (A, noir ; E, blanc ; I, rouge...) et « Correspondances » de Baudelaire (« Les parfums, les couleurs et les sons se répondent... », Beck, 1941).

La hauteur est vraiment le constituant spécifique du son musical. Son substratum physiologique n'est autre que le traitement par le système nerveux central des potentiels nerveux prenant naissance dans l'oreille interne sous l'effet des vibrations du tympan, ébranlé lui-même par les vibrations de l'air. Les sons ne peuvent pas se propager dans le vide : l'espace sidéral est silencieux puisque vide et la musique spatiale n'est que fantasmagorique. La perception de la hauteur dépend de la fréquence des ondes sonores caractéristiques du son. Est-ce à dire que les bruits ou les sons verbaux, qui font partie des deux autres catégories de stimuli auditifs, ne sont pas eux aussi le résultat de l'ébranlement du tympan par des ondes sonores ? Ils le sont en effet, mais leurs ondes sonores respectives sont ou bien continuellement changeantes comme celles du langage, ou bien anarchiques comme celles des bruits ; on dit qu'elles sont apériodiques. Au contraire le son musical possède un certain « *invariant* ». Même si l'invariance de sa structure vibratoire ne dure qu'un bref laps de temps, quelques fragments de seconde, le son musical est périodique et la fréquence de cette périodicité détermine sa hauteur. Cette opposition entre le son musical, périodique, et le son non musical, non périodique, peut paraître « ringarde » ; il ne s'agit pas d'une opposition esthétique mais acoustique et pour ma part je ne vois pas d'obstacle de principe à faire entendre pendant dix minutes le bruit d'un hélicoptère dans une œuvre musicale appelée pour cette raison *Hélicoptère* : on est libre de ne pas aimer Stockhausen et de quitter la salle !

La capacité d'attribuer à un son une place sur l'échelle sonore est la condition sinon obligatoire, tout au moins fort utile pour accéder au monde de la musique. Savoir reconnaître lequel de deux sons est le plus grave ou le plus aigu est un test toujours de mise pour recruter des enfants apprentis musiciens. Qu'appelle-t-on « avoir de l'oreille » ? Dans la langue populaire, c'est être capable de discriminer les plus petites différences dans la perception des timbres, de l'intensité, mais surtout de la justesse, autrement dit les hauteurs relatives des sons musicaux.

Les instrumentistes à clavier ne peuvent être accusés de jouer faux puisqu'ils font naître sous leurs doigts des sons préfabriqués et non créés par eux ; ils peuvent, heureusement, marquer de leur personnalité leurs émissions. Si le piano, l'orgue ou le clavecin sont désaccordés, la responsabilité de l'interprète n'est qu'à moitié engagée. Les instrumentistes à cordes et les chanteurs, en revanche, sont exposés en permanence aux problèmes de la justesse. Selon le lieu où ils se produisent, ils ne s'entendent pas toujours de la même façon, ils doivent donc avoir une représentation parfaite de leur échelle des hauteurs. « Un concert est comme un match de tennis, écrivait Ernst Bacon (cité par Pierce), à la différence près que l'adversaire n'est pas de l'autre côté du filet, mais qu'il est soi-même. » C'est à y bien réfléchir une notion particulièrement difficile à définir que la justesse. En utilisant une définition *a contrario* on peut dire que la sensation de justesse s'en va quand les sons musicaux entendus perdent leur similitude parfaite entre eux mais également avec la représentation de l'échelle des hauteurs que nous avons, plus ou moins, en nous-mêmes et que nous avons acquise (plus ou moins bien) depuis notre enfance. Un défaut de justesse est facile à apprécier quand le son provient de plusieurs sources, de plusieurs instruments, mais de minimes écarts sont plus difficiles à percevoir quand le son ne vient que d'une source, d'un instrumentiste solo ou d'un chanteur. En dernier ressort, la justesse est donc l'adéquation parfaite des sons entendus avec la représentation de l'échelle des hauteurs qu'on s'en fait. Mais alors, qu'en est-il de cette échelle ? Constitue-t-elle une représentation universelle ? Est-elle uniquement « sensorielle » ?

La représentation des hauteurs commune aux pays occidentaux est aujourd'hui la gamme tempérée moderne dont il n'existe que deux modes : le majeur et le mineur. On peut même dire que la gamme mineure n'est qu'une variante de la gamme majeure : elle n'en diffère que par la présence de l'intervalle de tierce mineure formé sur le premier degré, plus court d'un demi-ton que la tierce majeure[2]. La structure de ces deux types de gammes, majeur et mineur, est toujours la même quelle que soit la note sur laquelle elle commence (la tonique) ; l'emplacement des tons et des demi-tons est immuable. Il n'en était pas de même des anciens « tons d'église » nés du plain-chant qui prenait lui-même ses racines dans l'Antiquité grecque. Le plain-chant, art essentiellement vocal, comprenait huit modes qui n'étaient ni majeur ni mineur. Comme ils ne contenaient ni dièse ni bémol, chaque mode avait son originalité et aussi son style, par exemple le premier mode, de ré, issu du mode dorien, était empreint de gravité alors que le troisième, de mi, était mystique. Le miracle des « tons d'église » en usage du XVe au XIXe siècle, tels que les ont utilisés les Couperin, Delalande, Grigny, est qu'ils ont réussi une synthèse entre les vieux modes du plain-chant et une harmonisation polyphonique de style classique avec modulations, cadences, accords[3].

Dans ces anciennes tonalités, régnait une certaine fantaisie. N'oublions pas qu'il s'agit d'un art liturgique *vocal* et que toute l'organisation de la mélodie se faisait autour de la « dominante » Certaines tonalités avaient des dominantes hautes, d'autres des dominantes graves. Toutes ces gammes modales ont été remplacées, dans notre monde occidental tout au moins, par nos deux seules gammes modernes : majeure et mineure. Il faut reconnaître qu'elles paraissent parfois bien... « monotones » (*stricto sensu*), ce qui explique que les compositeurs aient voulu sortir du carcan de la tonalité. En fait, c'est également la monotonie et surtout l'extrême complication du système qui ont tué les anciens modes. Pour des raisons de commodité et de simplification, chaque église ne chantait plus que dans une ou deux tonalités, d'où l'obligation de transposer et d'utiliser des signes conventionnels : les dièses et les bémols, pour pouvoir garder aux tons transposés leur « pattern » originel. Ajoutons à cela que la paresse et les mauvaises habitudes eurent tôt fait de rendre égales toutes les valeurs de notes. Au risque de choquer les admirateurs du plain-chant, dont je suis, je dois avouer que je ne regrette pas certains offices incompréhensibles « braillés » par des chantres avinés, qu'on aurait cru sortis de *L'Enterrement à Ornans* de Courbet. Si Luther a rejeté le latin au profit de la langue populaire et de la musique moderne, l'Église catholique en a gardé l'usage jusqu'à 1960 environ. Les compositeurs qui écrivaient de la « musique d'église » avaient le choix entre le style moderne et les anciens modes. En France, la rupture s'est opérée vers 1850. Benoist, le premier professeur d'orgue du conservatoire de Paris, écrivait encore en 1830 comme Couperin et ses devanciers ; son illustre élève César Franck rompit définitivement avec le passé et n'utilisa que les tonalités modernes. Quand on connaît la hauteur de son inspiration et la richesse de ses harmonies, on ne peut que s'en réjouir. Il faut remarquer que les habitudes concernant le type de musique utilisée dans les églises étaient très variables d'un pays à l'autre et quelquefois même au sein d'un même pays. L'Autriche a fait entrer beaucoup plus tôt que la France les gammes et les tonalités modernes dans les églises. À ma connaissance, ni Haydn ni Mozart n'ont utilisé d'autres systèmes que la musique tonale moderne dans leur abondante production liturgique ; le langage musical de leurs messes est le même que celui de leurs opéras.

Qu'il s'agisse de musique moderne, tonale, ou de musique ancienne, modale, les deux sont constituées uniquement de tons et de demi-tons. Cette constatation a-t-elle été à l'origine des travaux de psychologie expérimentale réalisés chez le bébé qui tendent à prouver que chez l'enfant l'oreille est déjà organisée pour détecter des tons et des demi-tons ? Le chapitre VI envisagera cette question. Ces travaux concernent surtout des Occidentaux ; qu'en serait-il chez des enfants des autres continents ?

Si l'on s'assied le soir dans un petit café de village au cœur de l'Anatolie, on a parfois la chance de faire connaissance avec la vraie musique turque traditionnelle qui utilise des gammes tout à fait surprenantes. Cette musique, et d'une façon générale toute la musique islamique, dont elle est le « prototype », nous donne le meilleur exemple d'utilisations d'intervalles beaucoup plus petits que notre demi-ton occidental. Bien que strictement monodique, elle n'est nullement monotone du fait de l'existence d'une cinquantaine de modes ou *mokam*, ce que permet la diversité des gammes utilisées. La gamme turque n'est pas faite de douze demi-tons comme la nôtre, mais de cinquante-quatre hauteurs différentes que tout chanteur professionnel doit pouvoir, s'il veut être engagé, exprimer et donc percevoir. L'espace compris entre deux notes voisines comme do et ré (soit 1 ton) est divisé en neuf intervalles d'un comma. En pratique, chanteurs et instrumentistes utilisent quatre hauteurs différentes qui ont chacune un nom et un symbole graphique (fig. 6) dans l'intervalle d'un demi-ton. Il apparaît clairement que cette musique au charme quelque peu envoûtant n'est pas tempérée : le do dièse est séparé du ré bémol par un comma. La transposition et les modulations sont cependant possibles mais l'exécution sur un piano moderne est hors de question. Les voix et les petits instruments à cordes appelés *viola* traduisent sans les trahir les subtilités de ces micro-intervalles. La transmission de cette musique s'est faite depuis des générations de façon purement orale. Actuellement, elle est enseignée dans les conservatoires et les écoles de musique du pays ; elle possède ses principes de notation et un vaste répertoire. Quant aux différents *mokam* (que nous traduirons par modes), ils ont chacun des caractéristiques structurales, affectives et même... thérapeutiques : pour bien s'endormir, pour lutter contre le mal de tête, pour bien s'éveiller ! Jamais la polyphonie n'a réussi à pénétrer dans cet univers musical ; si l'on chante à plusieurs voix, c'est toujours strictement le même air, mais à des hauteurs différentes selon les tessitures de chacun. Le soutien d'instruments à corde et de percussions est habituel mais les accords sont considérés comme d'impurs mélanges de bruit insupportables, qui ne font pas partie de cette culture. Que faut-il penser des « turqueries » dont Mozart ne dédaignait pas, selon le goût de l'époque, agrémenter ses compositions ? Ce sont beaucoup plus des parodies

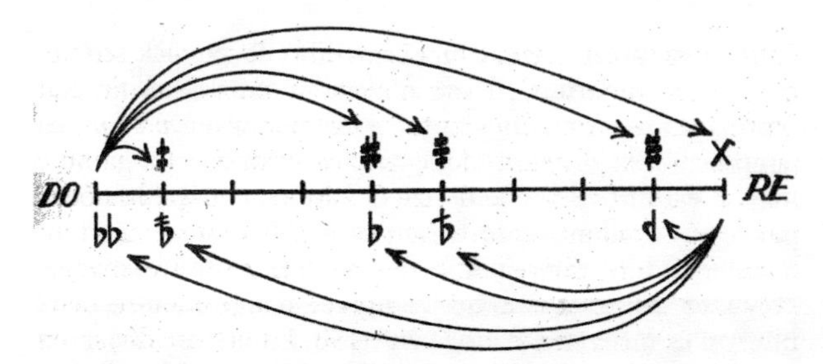

FIGURE 6. – *La division du ton dans la musique turque*

Dans la musique occidentale, le ton (par exemple : l'espace de do à ré) est divisé en deux demi-tons, tous égaux, plus petite unité chantable ou jouable, comprenant chacun quatre commas et demi.

Dans la musique turque, les chanteurs et les instrumentistes distinguent les commas et peuvent produire, dans un ton, quatre sons de hauteur « intermédiaire » représentés sur ce tableau au-dessus de la ligne par des intervalles ascendants (dièses) et au-dessous par des intervalles descendants (bémols). Chaque intervalle a un symbole et un nom : fazla (F) pour le premier, mot qui signifie « davantage » fait seulement d'un comma !

(D'après Özkan I.H., *Türk Mûsikîsi nazariyati ve usûlleri, Kudüm Velveleleri*, Ankara, Otûken et Istanbul nesriyat A.S., 1998.)

rappelant *Le Bourgeois gentilhomme* que des pastiches. Comment pourrait-il en être autrement puisque cette musique ne peut être jouée sur les instruments accordés selon le tempérament en usage au XVIIIe siècle ?

Si actuellement la musique turque est écrite et bien codifiée[4], comme pour toutes les musiques traditionnelles, ce qui s'est transmis c'est la façon de la chanter. La représentation des hauteurs est autant une représentation motrice qu'une représentation auditive, c'est-à-dire la mémoire du programme moteur de la contraction des différents muscles présidant à l'émission vocale. La théorie motrice du langage de Liberman et Mattingly (1985) peut-elle s'appliquer au chant ? Pour ces auteurs, le développement du langage chez l'enfant se fait non seulement par voie auditive à l'écoute de la voix de la mère, mais également en imitant la motricité qu'elle met en jeu en parlant.

C'est évidemment beaucoup plus difficile pour le chant, nous en reparlerons. Il est admissible de concevoir une représentation corticale de la motricité laryngée mise en jeu pour l'émission de chaque note de différentes hauteurs, mais il est difficile de penser que l'apprentissage du chant par le petit enfant ne se fasse pas par la reproduction du modèle auditif fourni par le chant de la mère. À l'inverse de cette musique subtile comprenant cinquante-quatre intervalles différents dans l'octave, les ethno-musicologues ont fait connaître des gammes africaines possédant beaucoup moins de degrés que la gamme occidentale moderne.

En résumé, la notion de justesse n'est possible que parce que nous possédons dans notre oreille interne et dans notre cerveau des dispositifs extrêmement sensibles qui nous permettent de déceler de très minimes différences de hauteur des sons, mais la notion de justesse n'est définie que par rapport aux autres par rapport à une culture. Nous autres Occidentaux, nous trouvons que les musiques turque ou arabe ou celle des Mélanésiens sont fausses. Il s'agit d'un acquis culturel, c'est notre éducation qui a façonné notre oreille.

Une mélodie est constituée par la succession d'intervalles, autrement dit de sons placés à des hauteurs différentes. On pourrait supposer que la reconnaissance d'une mélodie se fasse par la reconnaissance des intervalles qui la constituent. En fait, il s'agit d'un processus plus complexe.

Comment, en l'absence de paroles, reconnaît-on une mélodie ? Sans aucun doute par son allure mélodique et rythmique globale, holistique comme on dit, bien plus que par l'analyse des intervalles successifs. Souvent on est aidé par une formule rythmique mémorable, comme le début de la *Sonate en la mineur*, K 310, composée en 1778 à Paris (exemple 3) ou le premier mouvement si pathétique de la *Symphonie en sol mineur*, K 550 (exemple 4). Toutefois, les mélodies sont souvent pauvres en éléments rythmiques caractéristiques. En fait, reconnaître une mélodie, c'est reconnaître son « contour » ou « dessin mélodique », formé par la succession de lignes montantes

3. Mozart, *Sonate pour piano en la mineur,*
K 310, début : allegro maestoso

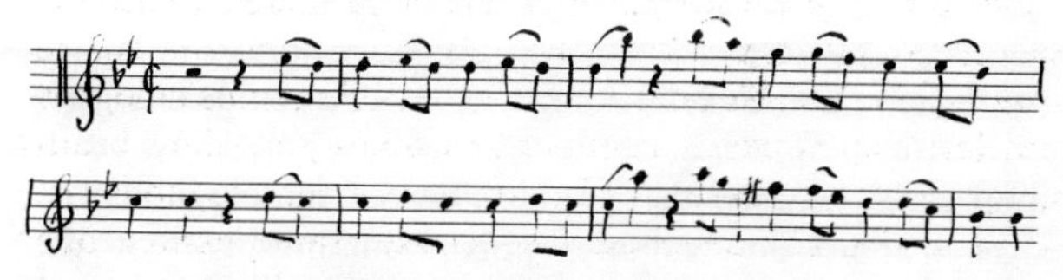

4. Mozart, *Symphonie en sol mineur,*
n° 40 K 550, début : molto allegro

et descendantes plus ou moins amples, plus ou moins abruptes. Contour et rythmes ne sont pas les deux seuls éléments de reconnaissance ; s'y ajoutent divers attributs comme le genre (une lente mélopée, ou au contraire un mouvement vif et piquant, une marche ou une plainte...), le tempo, le style d'une époque (classique, baroque, romantique ou contemporaine).

Dans les simples ritournelles, la ligne mélodique ne dessine souvent qu'une double pente montante puis descendante. Il en est ainsi dans l'air *Ah, vous dirais-je, Maman* sur lequel Mozart a écrit de nombreuses variations en 1778. En général, cette ligne comprend plusieurs montées et descentes et plusieurs points culminants. Parcourons la célèbre ariette de Chérubin, n° 11, au second acte des *Noces de Figaro* (qui, bien qu'elle débute par : *Voi che sapete,* fit le charme des salons d'autrefois sous le nom de *Mon cœur soupire*). Durant trois mesures, le dessin mélodique s'élève par paliers dont les trois notes « de crête » sont séparées par un ton (exemple 5), puis elle se repose en D (sur une harmonie de fa majeur, la dominante). Le point culminant est atteint à la mesure F puis on revient brusquement à la tonique. La mélodie en G imite un ton plus bas, comme à regret le motif E pour

5. Mozart, *Les Noces de Figaro*, K 492, acte 2 : ariette de Chérubin.

finalement redescendre par des tierces mineures successives d'abord descendantes puis montantes comme des marches d'escalier. Elle revient prestement au si bémol, la tonique (K), non sans un dernier regard en arrière (K) avant de répéter cette note (L). Ce dessin montant avec des petites redescentes après chaque palier puis descente rapide après le point culminant se retrouve dans beaucoup de mélodies des siècles classiques tant allemandes que françaises. Un tel dessin procure à l'auditeur une impression de tension ascendante parfois véhémente vers un paroxysme, suivie d'une détente plus rapide. Cette formule « tension-détente » est une des composantes fréquentes du « langage musical ». Finalement n'est-elle pas une des caractéristiques de l'âme humaine ?

La notion de « contour », proposée par Diana Deutsch (1977), utilise une métaphore visuelle que l'on peut comparer à la ligne des crêtes d'une chaîne de montagne. Les amoureux des sommets savent bien qu'ils les reconnaissent moins par leur hauteur, difficile à apprécier selon le point de vue, que par leur ligne de crêtes, par exemple la longue arrête légèrement inclinée du sommet du Mont-Blanc. Nous verrons dans le paragraphe suivant qu'une activation du cortex visuel a pu être mise en évidence au cours d'épreuves de discrimination de hauteurs des sons par des méthodes d'imagerie fonctionnelle cérébrale. Si Diana Deutsch (1977) a inventé la notion de contour musical, c'est incontestablement Isabelle Peretz (1990) qui l'a approfondie par des études neuropsychologiques de patients cérébrolésés ; elle a montré que la hauteur et le contour n'étaient pas perçus par le même hémisphère cérébral. La perception du contour se ferait plutôt par l'hémisphère droit, celle des hauteurs plutôt par l'hémisphère gauche. Ces résultats ne sont pas sans rappeler les travaux de Cohen et Dehaen sur l'implication des deux hémisphères cérébraux dans les opérations mathématiques : l'hémisphère gauche représente un système complet de manipulation des nombres, l'hémisphère droit a des fonctions plus partielles un peu différentes tournées plutôt vers la manipulation des quantités.

Nous allons maintenant approfondir ce qu'apportent les données des techniques modernes sur la perception des hauteurs et de la justesse et en profiter pour rappeler les origines très lointaines des connaissances dont elles sont issues.

Du monocorde de Pythagore à la caméra de Cyceron

Si, en partant du premier do, nous frappons sur le clavier du piano les quintes successives (do-sol ; sol-ré ; ré-la, etc.), au bout de douze quintes, à condition de reprendre plus bas car le clavier n'est pas assez étendu, on croit que l'on retombe sur un do. En fait ce n'est pas un do mais un si dièse, seconde note de la dernière quinte frappée : mi dièse-si dièse. De la sorte, nous avons fait entendre toutes les notes de la gamme. Sur le piano, le do et le si dièse : c'est la même touche ; on dit qu'il y a « enharmonie » effaçant la petite différence d'un comma qui existe entre les deux notes. Le piano moderne est un instrument dit tempéré, « bien tempéré » pour reprendre l'expression de Jean-Sébastien Bach qui exigeait de pouvoir jouer sur son clavecin ses vingt-quatre préludes et fugues écrits dans toutes les tonalités, ce qui nécessite que toutes les gammes soient structurées de la même façon afin que les transpositions soient possibles d'une tonalité à une autre. Les intervalles entre les notes peuvent être des tons ou des demi-tons mais ils sont tous semblables dans leur catégorie. En vérité, cette notion d'un tempérament « strictement égal », autrement dit l'octave divisée en douze demi-tons rigoureusement identiques, est une notion moderne en usage depuis le XVIIIe ou même seulement le XIXe siècle. Elle ne s'est pas faite en un jour, on ne sait toujours pas comment Bach et Mozart accordaient leurs instruments, toléraient-ils une certaine inégalité ? Il est indéniable que beaucoup de compositions de jeunesse de Bach, comme la célèbre *Toccata et fugue en ré mineur* écrite alors qu'il devait avoir dix-sept ans, sont injouables sur un orgue non tempéré en raison de l'impression de fausseté et de la perception de battements.

Pour découvrir l'origine de cette fameuse gamme non tempérée, il faut remonter bien loin dans l'Antiquité, rien moins qu'au VIe siècle avant notre ère. On se souvient plus de Pythagore à cause de son fameux théorème sur les triangles rectangles que de ses travaux sur la gamme. Mathématicien, physicien, philosophe et fondateur de la secte qui porte son nom, il n'a, comme Socrate, laissé aucun texte écrit. Tout ce que nous savons de lui, ou de ses disciples, qui vivaient de façon ascétique et communautaire, c'est à Aristote et à Platon que nous le devons. Pour les pythagoriciens, les nombres et la musique étaient un moyen d'accès à une représentation de l'univers. Platon pensait de même et sa conception cosmogonique des sons, appelée théorie des sphères, eut cours jusqu'au Moyen Âge. Les planètes émettraient des sons (inaudibles aux humains) provoqués par leur rotation et répondant à des relations numériques entre elles, basées sur le principe des harmoniques. De l'ensemble de ces vibrations émane un accord unique et universel. Platon n'était pas un théoricien de la musique mais il fit du système musical de Pythagore, qu'il avait découvert lors d'un voyage en Sicile, auprès de ses adeptes, quatre cents ans après sa mort, un modèle mathématique de la représentation de l'univers. On en trouve la description dans *Timée*. Pythagore et ses disciples ne firent pas que de spéculer dans des réflexions philosophiques, ils furent les premiers acousticiens expérimentalistes et sans doute les premiers à s'intéresser aux sons musicaux. Pour ce, ils utilisent un outil très simple : le monocorde, une corde tendue sur un résonateur en bois, capable d'émettre un son quand on la pince. Ils découvrent que si la corde est divisée en deux parties égales par un chevalet, le son émis est le même que sans le chevalet mais plus aigu ; c'est l'octave qui correspond à 1/2. En faisant varier la position du chevalet, ils établissent un rapport inversement proportionnel entre la longueur de la corde et la hauteur du son émis : 3/2 pour la quinte, 5/4 pour la tierce. Ils aboutissent à la division de l'octave en intervalles délimitant ce qu'on appelle à présent « les notes » ou « degrés ». Pythagore n'alla pas plus loin. Ce n'est que beaucoup plus tard que la nature vibratoire des sons a été découverte. Pierce (1983) nous informe que 1636 a vu la parution de deux ouvrages fondamentaux dans ce domaine : le premier, de Galilée, est le *Discours sur les deux principaux systèmes du monde* dans lequel l'auteur explique qu'il existe une relation entre hauteur et fréquence et donc entre fréquence et longueur de la corde vibrante ; dans le second, *L'Harmonie universelle*, un correspondant de Descartes, le Père Mersenne, a mis en équation la fréquence des vibrations d'une corde en fonction de sa longueur et de sa tension. D'autre part, le frottement d'une corde de violon à l'aide d'un archet permet d'entendre « au-dessus » de la fondamentale d'autres sons plus aigus mais beaucoup moins intenses : les harmoniques dont l'ordre nous est donné par la nature : l'octave, la quinte ou 12e, l'octave au-dessus, la tierce ou 17e, la superquinte ou 19e, la 7e, la 9e. Si l'on utilise une gamme pythagoricienne, l'audition simultanée de la fondamentale et d'un ou plusieurs harmoniques donne l'impression d'un seul son non parasité par des battements, alors qu'un simple accord constitué des mêmes notes émises dans une gamme rigoureusement tempérée fait toujours entendre deux sons distincts.

La nécessité d'un tempérament égal tient au fait que la

gamme de Pythagore appelée gamme naturelle ou gamme des physiciens ne permet pas de transposer : elle est donc inutilisable dans notre musique occidentale. Elle est faite de 5 tons de 204 « cents » (centième du demi-ton tempéré) chacun et de 2 demi-tons diatoniques de 90 cents chacun, soit au total 1 200 cents. La difficulté d'utilisation naît de la différence d'étendue entre les demi-tons diatoniques qui mesurent 90 « cents » et les demi-tons chromatiques mesurant 104 (les premiers sont situés entre 2 notes de noms différents comme mi et fa et les deuxièmes entre 2 notes de même nom comme ré-ré dièse). Dans la musique moderne, l'enharmonie, en quelque sorte, « unifie » l'étendue des deux catégories de demi-tons, mais intentionnellement des instrumentistes à cordes dont l'oreille est particulièrement exercée ne jouent pas de la même façon un si bémol et un la dièse ou un si dièse et un do naturel.

Au cours des siècles, on a cherché un compromis entre gamme des musiciens et gamme des physiciens en essayant d'aménager la gamme de Pythagore tout en se rapprochant du tempérament égal. Le tempérament le plus employé au XVIIIe siècle fut le « mésotonique », tempérament inégal dont le but était d'obtenir de belles tierces justes (c'est-à-dire sans battements) ; de ce fait, on rognait un peu sur les quintes qui étaient plus petites que de nos jours. Certaines tonalités sont éclatantes comme ut, ré, fa majeurs mais beaucoup sont désagréables comme mi et mi bémol. Nous ne savons pas quel tempérament Mozart préférait, son esprit curieux et sa vaste culture musicale permettent de penser qu'il en a employé plusieurs, dont certains basés sur le mésotonique qui prévalait encore à son époque ; nous savons en revanche qu'il jouait sur des instruments accordés avec un diapason différent, nous en reparlerons. Selon Stowell (*in* Landon, 1997), le diapason le plus couramment utilisé au temps de Mozart était 414 Hz, soit un demi-ton plus bas que l'actuel diapason.

Si nous avons débattu assez abondamment de la question des différentes gammes et des tempéraments, c'est pour montrer que le souci de l'expression et le génie créatif l'ont emporté sur le désir de suivre la nature et le pittoresque des modes anciens et des gammes non tempérées. En ce sens, Bach en exigeant un tempérament lui permettant d'écrire dans tous les tons et d'autre part... Franck et Boëly, préférant les tonalités modernes aux traditionnels « tons d'église », se sont montrés des hommes de progrès. En revanche, le souci d'authenticité justifie pleinement de recourir de nos jours à des instruments anciens accordés selon leurs modalités propres afin de rendre à la musique baroque toute sa splendeur, dans les tons pour lesquels elle a été écrite. L'interprète doit, dans de telles situations, demeurer très vigilant. Je me rappelle avoir donné un concert sur un orgue accordé à l'ancienne au cours duquel, dans les pièces du XVIIe siècle comme Nicolas de Grigny, je devais lever le doigt sur tous les la bémols qui donnaient en fait des sol dièses. Pour me consoler, « Vous avez tout le répertoire du... XVIe siècle », me dit le chaleureux organiste ! C'est en partie pour pallier ces difficultés de justesse que l'usage du « tremblant » a été si développé dans l'orgue à l'époque classique. Il permettait dans une certaine mesure d'atténuer les frottements et les battements, ce qui a conduit Hector Berlioz à comparer le son du roi des instruments... à un chœur de vieilles femmes !

Cyceron avec un « y » n'est pas l'orateur, ce n'est pas non plus une « coquille » qui aurait échappé à la vigilance du correcteur. Il s'agit du Cyclotron à usage médical implanté à Caen et de l'équipement en caméras à positons qu'il contient. Cet appareil permet soit de quantifier le métabolisme, soit de mesurer le débit sanguin en un endroit très précis du corps, en l'occurrence : le cerveau. À ce fleuron de l'imagerie fonctionnelle cérébrale est venue s'ajouter récemment l'imagerie par résonance magnétique fonctionnelle (IRMf). Utilisée en neuropsychologie – car elle peut avoir beaucoup d'autres usages –, la caméra à positons, ou PET-scan, permet deux démarches : soit d'établir des corrélations clinico-métaboliques, par exemple la comparaison de scores cognitifs avec la répartition de zones d'hypométabolisme sur le cortex cérébral, soit de réaliser des épreuves d'activations, c'est-à-dire la mise en évidence d'élévations du débit sanguin cérébral cortical pendant des tâches cognitives par rapport à des chiffres de base. Cette question du « chiffre de base » nécessite une précision. Il ne s'agit pas du chiffre de repos absolu, mais de l'état métabolique du cortex dans une circonstance voisine mais cependant différente, afin que, par soustraction, on n'enregistre que ce qui « ressortit » spécifiquement à la tâche étudiée. Par exemple, dans une épreuve auditive de discrimination des hauteurs, les activations dans les aires auditives, obligatoirement présentes, vont s'annuler, et ne va être enregistré que ce qui revient à ce que l'on cherche. Les variations du débit sanguin cérébral sont calculées après injection d'eau marquée dans la circulation sanguine par la mesure de la radioactivité cérébrale. Le principe du PET-scan est différent de celui de l'IRM fonctionnelle qui exploite les différences électro-magnétiques du sang circulant en fonction de la charge des globules rouges en oxyhémoglobine ou carboxyhémoglobine ; malheureusement, cet appareil est d'une utilisation délicate dans la neuropsychologie de l'audition en raison des bruits très intenses qu'il émet et de la durée de l'examen, ce qui oblige à des « acrobaties » techniques comme de faire les activations par événements entre les phases de bruit parasite. Les études de la perception de la musique et de ses composantes en caméra à positons sont fort peu nombreuses.

Le protocole construit par Hervé Platel (1997) comprend quatre épreuves requérant par conséquent quatre consignes différentes à propos de l'audition de la même séquence sonore enregistrée. Ces consignes orientent l'attention du sujet vers la recherche d'une impression de familiarité de ce qu'on lui présente, ou bien la détection de différences dans la hauteur des notes, ou de différences de timbres et de rythme. Limitons pour l'instant notre propos à la perception des hauteurs. L'attention portée aux changements de hauteurs active spécifiquement l'hémisphère cérébral gauche (fig. 7) : cunéus et précunéus (aires 18 et 19), gyrus frontal supérieur (aires 8 et 9), gyrus temporal supérieur (aire 22). Ce travail ne concerne que les sons monodiques et non les accords. L'activation occipitale gauche (région corticale impliquée dans la vision) lors de la perception des hauteurs des sons a été interprétée comme une représentation visuelle de la hauteur des sons sur une échelle sonore, un clavier ou encore ou sur la touche d'un instrument à cordes.

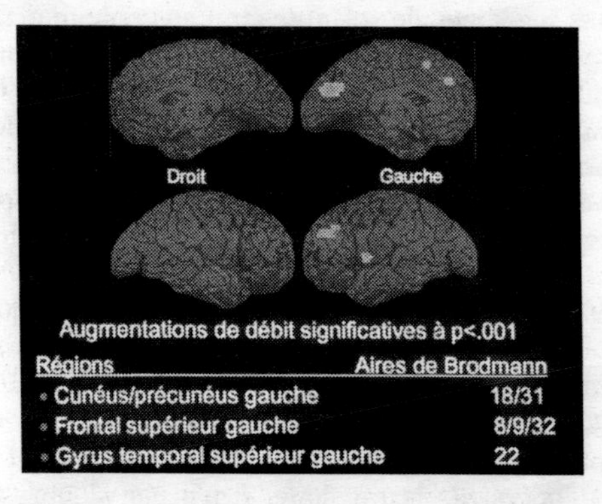

FIGURE 7

L'attention portée aux changements de hauteur des sons active des aires visuelles occipitales gauches (aires 18 et 19 de Brodmann), ce qui s'explique par une représentation non seulement auditive mais aussi visuelle des sons (par exemple sur un clavier ou sur une échelle). Cette activation est marquée par une élévation du débit sanguin cérébral régional décelable par la caméra à positons, ou PET-scan.

D'après les études cliniques, les psychologues de la musique avaient émis l'hypothèse que les processus d'identification d'une œuvre entendue avaient un rapport avec l'hémisphère cérébral gauche (Lechevalier, 1985). Le PET-scan a permis de localiser avec précision sur le cortex cérébral les différents éléments de la perception de la musique.

Mésaventures d'un chef de chœur et perplexité du neuropsychologue

Monsieur P.C. a dû attendre de faire valoir ses droits à la retraite pour se consacrer exclusivement à sa passion : le chant choral. Bien que n'ayant pas fréquenté de conservatoire, cet ingénieur de soixante-cinq ans chante depuis son enfance. Il a acquis grâce à de nombreux stages un niveau musical suffisant pour devenir « chef de chœur ». Il dirige plusieurs chorales et son emploi du temps comprend trois répétitions par semaine. Il n'a pas l'oreille absolue mais il a tout de même une très bonne oreille et peut facilement détecter lors de l'exécution d'une œuvre le moindre dérapage vocal.

Le 10 février 1999, à 21 heures 30, brusquement, pendant une répétition, il a l'impression que plusieurs de ses choristes chantent faux. La polyphonie perd sa netteté et il ne peut plus distinguer les différentes voix tout en ayant parfaitement conscience qu'il entend bien et que ce qu'il entend est de la musique. Il n'a par ailleurs aucune autre gêne et il rentre chez lui normalement. Le lendemain matin, il écoute un de ses disques favoris, il ne reconnaît pas l'air. Il s'aperçoit alors qu'il ne peut plus chanter, « ayant perdu la maîtrise des hauteurs et la représentation auditive de la note ». La perception du langage et des sons de l'environnement est normale ; en revanche, la musique est perçue comme laide et désagréable. Deux jours plus tard, il consulte un oto-rhino-laryngologiste qui ne trouve aucune anomalie, en particulier pas de surdité. Le 15 février, il est hospitalisé dans un service de neurologie. L'examen clinique est normal mais les examens cliniques et biologiques détectent des facteurs de risques vasculaires. Le scanner cérébral montre un infarctus cérébral touchant la région postérieure du lobe temporal droit, ce qu'a confirmé l'imagerie par résonance magnétique faite au treizième jour de l'évolution. L'angiographie cérébrale révèle une occlusion de l'artère carotide interne droite à son origine. L'échographie cardiaque n'a pas décelé d'anomalie. Un traitement d'héparine à dose efficace a été institué, relayé par des antiagrégants plaquettaires.

Dans la semaine du 25 juin de la même année, le patient subit des examens et des tests destinés à explorer ses capacités musicales. Il se trouve amélioré notamment pour trouver le titre de ce qu'il entend mais il chante toujours incontestablement faux. Il peut solfier quatre mesures très simples mais la dictée musicale est très difficilement réalisable : il ne réussit que les deux premières mesures de la *Sonate pour piano en ut majeur* (appelée facile) de Mozart, qu'il dit cependant bien connaître ; dès la troisième mesure il déclare « être complètement perdu ». Dans un test qui consiste à dire si deux accords de trois sons qui ne différaient que par une note sont « pareils ou pas pareils », il fait quatre erreurs sur dix paires d'accords présentés ; même proportion d'erreurs pour dire si les accords entendus sont majeurs ou mineurs. Deux épreuves de discrimination des hauteurs sont parfaitement réussies. La reproduction des rythmes est bonne ; en revanche la discrimination des timbres est difficile. L'identification des mélodies familières entendues est bonne. La discrimination de deux mélodies inconnues n'est pas parfaite, il ressent une gêne pour effectuer la tâche.

L'étude des potentiels auditifs évoqués corticaux (inférieurs à 300 millisecondes) ne montrait aucune anomalie. Il en était de même dans des épreuves d'identification ou de discrimination de phonèmes. La perception du langage ainsi que l'identification des bruits de l'environnement étaient parfaites. Comme dans tous les cas d'origine vasculaire, dont nous reparlerons au chapitre VII, l'évolution fut favorable. À un an de l'accident initial, le patient a pu reprendre ses activités de direction musicale.

Les mésaventures de ce chef de chœur laissent le neuropsychologue perplexe ! La localisation de la lésion dans l'hémisphère droit semble de prime abord en contradiction avec les conclusions d'Hervé Platel. Il faut faire entrer dans la discussion un certain nombre de

paramètres : les sujets examinés en PET-scan étaient des étudiants indemnes de toute lésion cérébrale ; ils n'avaient aucune connaissance ni aucune pratique musicales. Les capacités cognitives étudiées étaient des fonctions élémentaires spécifiques : hauteur, rythme, timbres, familiarité, en cherchant à mettre en évidence l'activation caractéristique de chacune d'elles et en masquant ce qui leur était commun. Quelle était la nature du trouble chez notre patient, musicien averti ? Il s'agissait d'une amusie de perception, c'est-à-dire une perte de la signification des sons entendus, les cas semblables que nous avons eu l'occasion d'observer, dont nous ferons état au chapitre VII, sont plutôt en relation avec une lésion du lobe temporal droit chez le droitier, ce qui est en accord avec notre observation.

L'oreille : un analyseur de fréquences

Il est bien utile d'avoir deux oreilles, car cette bilatéralité permet de localiser les sons dans l'espace. Un son venu de la gauche est reçu en priorité par l'oreille gauche quelques millisecondes plus tôt que par l'oreille droite. C'est vers les noyaux et les voies acoustiques controlatérales que chaque oreille projette majoritairement (mais pas exclusivement) ses stimuli, et cela depuis le tronc cérébral jusqu'aux corps genouillés médians et aux aires auditives situées dans le lobe temporal. Ainsi, selon le lieu de l'origine du son, une oreille est informée avec un minime retard par rapport à l'autre, retard qui se répercute sur toutes les structures stimulées dans le système nerveux central. Chez nos congénères, il existe une petite aire corticale spécialisée dans cette fonction localisatrice, située à la partie tout à fait postérieure du planum temporal (aire TpT de Galaburda, selon Mesulam, 1998).

Il semble que l'homme soit inférieur à certains animaux, notamment les rapaces, pour localiser les sons. La chouette effraie est paraît-il la championne. Beaucoup d'animaux sont favorisés par la mobilité des pavillons de l'oreille, que nous n'avons pas.

Le conduit auditif externe, ouvert largement à l'extérieur, reçoit « l'air vibrant ». Si je ne peux me vanter d'avoir vu dans le ciel les voix des dix commandements comme les Hébreux quand Moïse redescendit du mont Sinaï, du moins ai-je vu, une seule fois dans ma vie, les vibrations du son dans le ciel. Le matin du 7 juin 1944, fuyant Caen en flammes sous une petite pluie fine, nous fûmes obligés de traverser les lignes de défense allemandes entre d'énormes pièces d'artillerie, qui dans un vacarme assourdissant, d'une fréquence d'ailleurs assez uniforme, pilonnaient les côtes où soldats anglais et canadiens débarquaient. Le soleil perça soudain la grisaille et un grand arc-en-ciel apparut qui prit vite une allure apocalyptique : sa courbe semblait hachée en tranches multicolores qui se déplaçaient vers l'extérieur, comme des ondes sur une eau calme. Selon un physicien consulté, les vibrations de l'air dues aux déflagrations, qui n'étaient autres que les ondes sonores, mobilisaient les particules d'eau en suspension dans l'atmosphère, responsables de la décomposition de la lumière en ses couleurs primaires.

DE L'ORGANE DE CORTI À LA PERCEPTION DE LA MUSIQUE

Le rôle des cellules sensorielles internes est de transformer les vibrations liquidiennes en potentiels nerveux. Cette transformation tient du merveilleux ! Recevant des signaux sonores complexes et constamment changeants, l'organe de Corti va opérer une analyse de leurs fréquences, agissant comme s'ils étaient le support matériel de la théorie des transformés de Fourier d'après laquelle les phénomènes vibratoires les plus complexes peuvent être décomposés en plusieurs sinusoïdes de diverses fréquences. L'acousticien Helmholtz écrivait en 1868 dans son *Traité physiologique de la musique* : « Tout mouvement vibratoire de l'air dans le conduit auditif, correspondant à

À L'ENSEIGNE DES TROIS OREILLES (fig. 8)

I. L'oreille externe

Formée par le conduit auditif externe, ouverte largement à l'extérieur par le pavillon de l'oreille, elle reçoit « l'air vibrant », dont les variations de pression sont transmises au tympan. La membrane tympanique, à la fois souple et résistante, située au fond du conduit auditif externe, sépare oreilles externe et moyenne. Voir en annexe une note sur l'anomalie congénitale du pavillon de l'oreille chez Mozart et son fils Franz.

II. L'oreille moyenne

Remplie d'air, elle est constituée par la caisse tympanique qui contient les osselets et s'ouvre dans l'arrière-nez par un canal : la trompe d'Eustache (c'est la cause des baisses de l'acuité auditive lors des catarrhes).

La membrane tympanique transmet ses vibrations à la chaîne des osselets formée du marteau avec son manche au contact du tympan, de l'enclume et de l'étrier dont la sole est solidaire d'une autre membrane obstruant la fenêtre ovale et séparant oreilles moyenne et interne. Ces trois osselets sont articulés entre eux. Ils ont un triple rôle : transmission des vibrations, amplification, amortissement des à-coups sonores grâce au jeu de plusieurs petits muscles agissant par voie réflexe.

La biomécanique des osselets a été très étudiée à des fins thérapeutiques dans les surdités de transmission, dans lesquelles la conduction par voie osseuse est relativement conservée.

III. L'oreille interne

Elle se moule dans le labyrinthe osseux, creusé dans le rocher de l'os temporal et comprend l'appareil vestibulaire, organe de l'équilibration, qui ne sera pas traité ici, et la cochlée, dévolue à l'audition.

La cochlée est un conduit qui s'enroule en spirale comme un colimaçon. Son diamètre diminue de la base à l'apex. Sa structure interne est uniforme : à la coupe (fig. 8), ce conduit présente trois étages séparés par deux membranes, la membrane de Reissner en haut, la membrane basilaire en bas. *L'étage supérieur ou rampe vestibulaire* communiquerait avec l'oreille moyenne par la fenêtre ovale si elle n'était pas obstruée par une membrane qui fait subir au liquide présent dans cette rampe les variations de pression que lui transmet l'étrier.

FIGURE 8. – *Schémas de l'oreille*

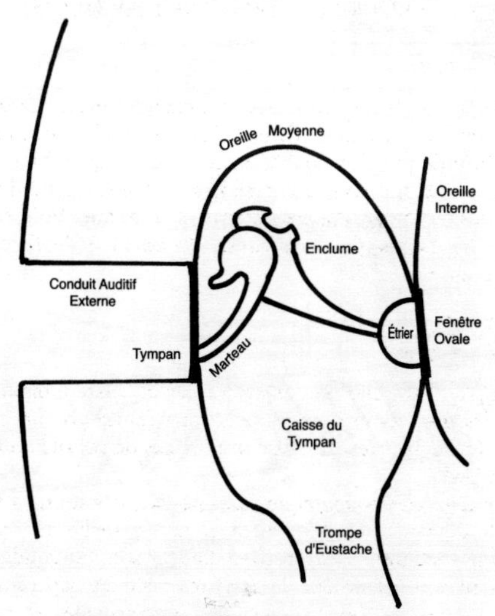

FIGURE 8A. – *Oreilles externe et moyenne*

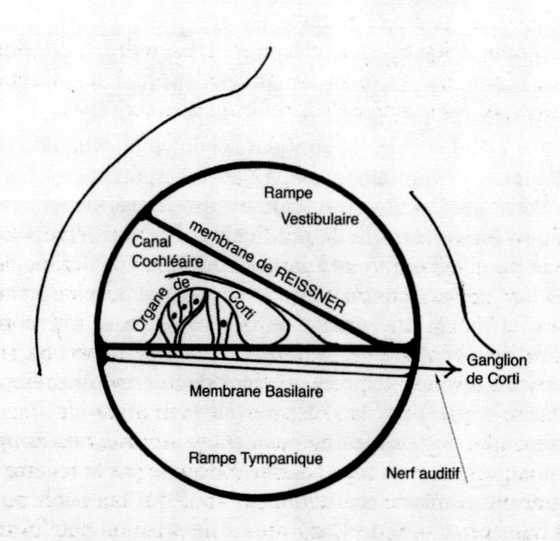

FIGURE 8B. – *Coupe d'un tour de spire de la cochlée*

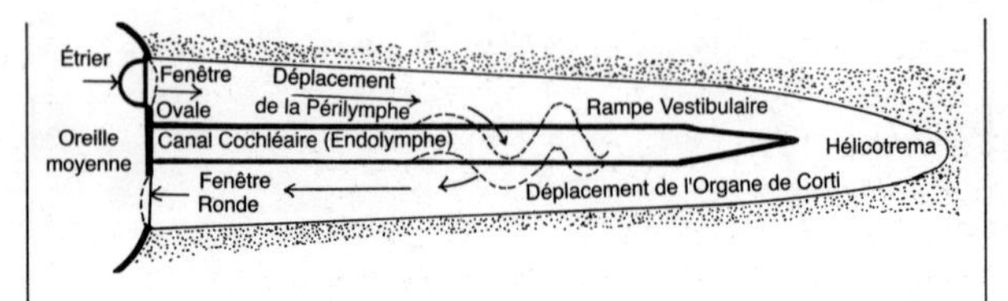

FIGURE 8C. – *Stimulation des cellules ciliées par les déplacements de l'endolymphe*

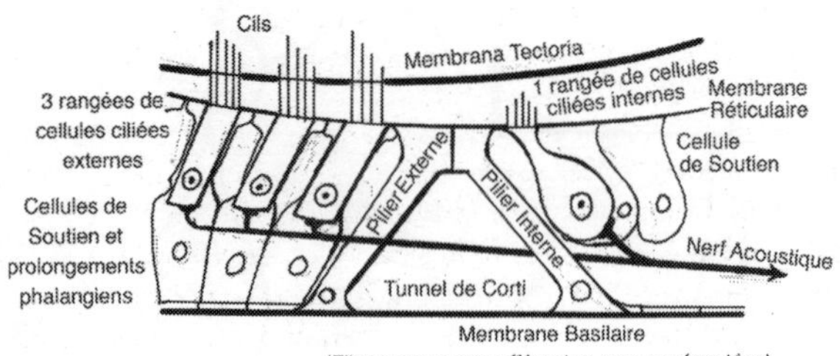

FIGURE 8D. – *Schéma de l'organe de Corti*

L'étage moyen ou canal cochléaire a pour plancher la membrane basilaire qui est également le plafond *de l'étage inférieur ou rampe tympanique* ; celle-ci s'ouvre dans la caisse du tympan par la fenêtre ronde obstruée elle-même par une membrane.

Seul le canal cochléaire contient l'endolymphe, liquide riche en ions calcium et en protéines, pauvre en ions potassium. Le liquide présent dans les deux autres canaux est la périlymphe dont la composition est l'inverse de la précédente. Ces trois étages communiquent entre eux à l'apex et à la base du tube cochléaire.

Ces liquides périlymphatique et endolymphatique étant incompressibles, la membrane souple de la fenêtre ronde en se gonflant plus ou moins vers l'oreille moyenne sert de système tampon pour compenser les à-coups de pression reçus deux étages plus haut (dans le canal vestibulaire) par la fenêtre ovale (fig. 8).

L'organe de Corti est intimement solidaire de la membrane basilaire sur laquelle il repose et qui se déforme selon les impulsions liquidiennes transmises par les rampes vestibulaires et tympaniques. Il est formé du tunnel de Corti, bordé de chaque côté de cellules sensorielles, ciliées, internes et externes, mélangées à des cellules de soutien. Les fibres nerveuses qui naissent des cellules sensorielles internes véhiculent les messages sonores et se regroupent dans le ganglion de Corti situé au centre de la spirale. Les neurones ganglionnaires donnent naissance au nerf cochléaire (ou auditif, 8e paire des nerfs crâniens) ; il chemine dans le rocher avant de pénétrer dans le tronc cérébral. Les cellules ciliées externes sont contractiles, elles enverraient des messages non sensoriels aux centres auditifs du système nerveux central et, excitées par leurs fibres efférences venues des noyaux olivaires du bulbe rachidien, elles peuvent modifier la cinétique de la lame basilaire et avoir un rôle d'amplification du signal.

un son musical, peut toujours, et toujours d'une seule manière, être considéré comme la somme d'un certain nombre de mouvements vibratoires pendulaires, correspondant aux sons élémentaires du son considéré. » Comment se fait cette analyse ? Les cils des cellules sensorielles internes baignent dans le liquide endolymphatique, mais leurs extrémités sont recouvertes par une sorte d'auvent, la *membrana tectoria*, qui freine la mobilité de leur extrémité et du même coup augmente leur déplacement quand leur base est mobilisée. La stimulation des cils peut se faire de trois façons : ondulation (ou « ride ») de la membrane basilaire provoquée par les variations de pression du liquide dans la rampe vestibulaire et leur propagation dans la rampe cochléaire, excitation directe des cils par le liquide endolymphatique, phénomène ionique entre ce liquide et le milieu intracellulaire des cils aboutissant à la naissance des potentiels nerveux. L'excitation des cellules sensorielles est transmise aux neurones du ganglion de Corti où elles provoquent des modifications spatio-temporelles dans leurs activations aboutissant à des représentations quasiisomorphes.

Le fonctionnement de la cochlée obéit aux lois de la tonotopie et de l'isotonie. L'existence de la tonotopie a d'abord été mise en évidence, en alliant l'art à la science, par des scientifiques-musiciens chez un petit crabe. Hensen (cité par Helmholtz) eut l'idée de jouer du cor d'harmonie à... des crustacés, non pas pour voir comment ils réagissaient globalement, mais pour examiner au microscope les déplacements des différents cils auditifs qu'ils possèdent sur leur carapace, en plus de leurs organes propres à l'audition. Il put observer l'amplitude de leurs déplacements en fonction de la hauteur de la note, et remarqua des différences prouvant que l'animal percevait les fondamentales aussi bien que certains harmoniques au moyen de cils bien définis. Helmholtz ne rapporte pas quel était le répertoire préféré de l'animal. De même (si l'on peut dire), chez l'homme, chaque cellule ciliée répond préférentiellement à une fréquence. Les sons graves sont traités par les cellules de l'apex, les sons aigus par l'extrémité opposée ou base du canal. Helmholtz démontra que le train d'ondes acoustiques complexe qui arrive dans la cochlée à l'occasion de n'importe quelle stimulation auditive se propage de l'apex à la base excitant au passage de proche en proche les cellules ciliées selon leurs fréquences respectives, ce qui aboutit à des représentations spatiales successives qui constituent le principe de la tonotopie. La représentation tonotopique va se continuer jusqu'au point extrême des projections sensorielles, les aires auditives corticales des lobes temporaux. C'est le principe de l'isotonie. Ainsi, une cellule ciliée répondant à un la 3 de 440 hertz par seconde va envoyer dans une fibre précise du nerf auditif des potentiels spécifiques de cette fréquence qui vont eux-mêmes faire relais avec un neurone spécialisé pour cette fréquence, même dans le cortex temporal.

Le nerf auditif opère un véritable codage des composantes des signaux sonores aussi bien des hauteurs, de la composition spectrale que de l'intensité et de la durée. Les représentations des activités des neurones du ganglion de Corti vont donner naissance à des potentiels d'action eux-mêmes distribués en représentations, qui se propageront dans le nerf auditif sous forme d'ondes de dépolarisation électriques, ces trains d'ondes vont se transmettre à travers les relais complexes des étages successifs du tronc cérébral jusqu'aux corps genouillés médians puis, de là, vers le cortex du lobe temporal à qui incombe leur analyse. Le nerf auditif est composé d'un groupement de fibres nerveuses de différents diamètres entourées de gaines de myéline plus ou moins épaisses ; or, la vitesse de conduction de l'influx nerveux étant directement proportionnelle au diamètre de la fibre, certaines fibres ont des seuils liminaires bas et des vitesses de conduction rapides ; d'autres, fines et peu myélinisées, ont des vitesses de conduction faibles. De ce fait, les potentiels sont complexes, étalés dans le temps et changeants.

OTOÉMISSIONS, « COCKTAIL-PARTY EFFECT » ET ATTENTION AUDITIVE

L'examen de l'audition a bénéficié récemment de l'étude des otoémissions. On avait remarqué depuis longtemps que l'oreille laissait parfois sortir non pas « de confuses paroles » comme dans « Correspondances » de Baudelaire, mais des sons doux et flûtés. Ces otoémissions sont le résultat d'une excitation des cellules ciliées externes ; le tympan devient alors un émetteur de sons provenant de l'oreille interne et renforcés par la chaîne des osselets. Les otoémissions sont de deux types. Il en est des spontanées, fréquentes chez l'enfant, et d'autres provoquées par un stimulus acoustique. Ce phénomène a été à l'origine d'applications cliniques importantes : il est possible de faire naître des otoémissions en envoyant un signal sonore dans le conduit auditif externe. Leur présence et leur analyse renseignent sur l'état des cellules ciliées et permettent de déceler précocement des surdités chez le petit enfant.

Il y a bien longtemps, Efron (1983) s'intéressait à l'attention auditive et en donnait comme exemple un phénomène « sociologique », connu des habitués des réceptions mondaines, qu'il appela *cocktail-party effect* : même au milieu du brouhaha qui règne dans ce genre de réunion, il est possible d'entretenir une conversation privée avec un interlocuteur privilégié sans être gêné par le bruit ambiant. Effron faisait de cette capacité une fonction du pôle temporal. Une analogie vient tout de suite à l'esprit avec la capacité du chef d'orchestre à écouter simultanément tous et chacun en dirigeant. Mozart, même dans un tutti, savait déceler la plus petite erreur. Les études modernes sur la cochlée ont incité à envisager que les cellules ciliées externes (responsables des otoémissions) avaient un rôle important dans l'attention sélective auditive (voir Giard, 2000), notamment dans les processus de transduction. Certains noyaux olivaires et du corps trapézoïde situés dans le bulbe rachidien pourraient constituer un maillon primordial d'un système *top down* d'origine cérébrale situé dans les régions cingulaires antérieures. L'analyse de la qualité des otoémissions montre qu'elles peuvent être influencées par des événements extérieurs : par exemple, une tâche visuelle diminue leur amplitude ; leur particulière abondance chez les musiciens, signalée par Chouard, serait le témoin de leur plus grande faculté d'attention auditive. L'exemple des capacités attentionnelles des chefs d'orchestre me semble plus en faveur de la théorie sélective défendue par Deutsch et Deutsch (1963) que d'une théorie restrictive d'un « goulot d'étranglement », limitant les capacités de traitement de l'information.

UTILITÉ ET ENSEIGNEMENTS DES IMPLANTS COCHLÉAIRES

Le recours à des implants cochléaires chez les sourds profonds dont l'oreille interne est détruite mais non le nerf auditif, préconisé par Chouard et Mc Leod dans les années 1970 à 1980, consiste à « envoyer directement aux fibres nerveuses les informations sonores transformées en signaux électriques interprétables par le nerf » (Chouard, 2001). Anne-Lise Giraud *et al.* (2001) ont étudié par caméra à positons la réorganisation du cortex auditif après implantation cochléaire thérapeutique et ont montré que

« ce n'est qu'après réhabilitation complète que l'ensemble du système du langage retrouve une participation normale au traitement des sons de la parole présentés oralement ». En revanche, avant ce stade, ces auteurs ont constaté des différences dans l'organisation fonctionnelle de la région temporale gauche et le recrutement de régions non impliquées habituellement dans le langage.

La querelle de l'oreille absolue

Avant l'arrivée du chef d'orchestre, le premier violon parcourt les rangs de ses collègues en leur jouant un la sur lequel ils s'accordent, instant béni, communion sonore que seuls les vrais amateurs ne rateraient sous aucun prétexte ; puis ce la unanime et secourable s'estompe jusqu'au silence recueilli, interrompu par l'arrivée toujours preste du *conductor*, comme disent les Britanniques. Les musiciens ont pris consciencieusement leur référence commune en matière de la hauteur du son. S'il s'agit d'une exhibition plus modeste, le pianiste donne discrètement le la ou un accord au chanteur ou à l'instrumentiste qui, munis de ce viatique, vont pouvoir affronter leur public. Ils mettent en jeu ce qu'on appelle « l'oreille relative ». C'est le même préambule qui permet de réussir les dictées musicales.

Avoir l'oreille absolue, ce n'est pas que cela. Selon Henson (1977) : « La hauteur absolue ou hauteur parfaite est la capacité d'identifier un son musical sans l'aide d'un son de référence », à moins que vous ne préfériez cette autre définition un peu plus fouillée de Zattore (1989) : « capacité à identifier en dénommant les notes la hauteur d'un grand nombre de sons musicaux et à produire la hauteur exacte d'une note sans recourir à une note de référence ». Ce fascinant pouvoir a donné lieu à de nombreux et détaillés travaux. Ceux qui sont doués de l'oreille absolue vraie dénomment *immédiatement* et sans l'aide d'aucun repère sonore n'importe quels sons musicaux qu'ils entendent, et ce jusqu'à des records de soixante à soixante-dix bonnes réponses consécutives d'après van Noorden. En revanche (*ibid.*), ces sujets font de fréquentes erreurs d'octave et de discrimination des timbres. Ils écrivent sur la portée la bonne note mais pas exactement à sa place par rapport à l'octave requise. À côté de cette « superforme », toutes les variétés existent dont le trait commun est le non-recours à une référence sonore précédant le test. Certains ne possèdent le don que pour un instrument, le piano chez le patient de Zattore, d'autres ne donnent les bonnes réponses que dans un certain registre. L'oreille absolue peut varier dans le temps avec la prise de médicaments, les périodes menstruelles, des maladies (épilepsie) ou tout simplement l'âge. Le terme de *quasi absolute pitch* sert à qualifier une moindre perfection du don. Un grand interprète internationalement connu nous déclarait récemment : « Quand j'avais quinze ou seize ans, j'avais une oreille absolue... vraiment absolue ; maintenant, avec le retour aux instruments accordés à l'ancienne, je ne suis plus si sûr de moi. » Il demanda qu'on lui frappât des notes sur le clavier qu'il dénomma sans faute mais en faisant remarquer que l'instrument était accordé vraiment très bas : ce qui est vrai. On a distingué une oreille absolue passive et active. La première est celle que l'on a décrite, la deuxième consiste à chanter une note sans référence sonore préalable. Chez les instrumentistes à cordes, l'oreille absolue s'acquiert progressivement ; au faîte de leur carrière, ils accordent presque tous leur instrument sans autre référence de hauteur que leur « diapason intérieur ». Il faut ajouter que depuis que la tonalité du téléphone est invariablement en France un la 3, l'apprentissage de l'oreille absolue peut s'améliorer chaque jour.

L'oreille absolue est-elle innée ou acquise ? Certains plaidaient pour l'inné sur le fait qu'on l'avait constatée chez des enfants de trois ans, et qu'il existait des cas familiaux, mais ces deux arguments ont été jugés insuffisants. La tendance actuelle est de considérer l'oreille absolue comme un état acquis, favorisé par la pratique très précoce d'un instrument de musique. D'après une étude de Sergeant et Roche (1973) portant sur mille musiciens professionnels, parmi ceux qui ont appris leur instrument avant l'age de quatre ans, quatre-vingt-quinze pour cent possèdent l'oreille absolue tandis que ceux qui ont commencé leur entraînement entre douze et quatorze ans ne possèdent cette faculté que dans la proportion de cinq pour cent.

Peu d'études cliniques ont été consacrées à l'oreille absolue. Le patient rapporté par Wertheim et Botez (1961), violoniste de quarante ans droitier, perdit l'oreille absolue à la suite d'une hémiplégie droite peu marquée, avec aphasie mixte modérée ; il se mit à entendre une quarte au-dessus, ne pouvant plus faire de dictées musicales ni reconnaître des mélodies. En revanche, il restait capable de caractériser les intervalles, de solfier, d'imiter les rythmes sans les nommer. La nature et la topographie de la lésion ne sont pas connues, on peut supposer qu'il s'agit vraisemblablement d'un infarctus sylvien de l'hémisphère cérébral gauche. Zattore, en 1989, a voulu montrer l'inverse, à savoir qu'une lésion temporale gauche n'entraînait pas la perte de l'oreille absolue. Son patient était indemne de lésion vasculaire mais il avait subi une exérèse thérapeutique de la partie antérieure du lobe temporale gauche englobant le noyau amygdalien, l'uncus et deux centimètres de l'hippocampe ; il est très important de souligner que le gyrus de Heschl et donc le planum temporal étaient respectés (fig. 5) ; âgé de dix-sept ans ce patient était atteint depuis l'âge de dix-huit mois d'une épilepsie dite « partielle complexe » rebelle aux thérapeutiques médicamenteuses. Étudiant le piano depuis de nombreuses années, puis l'harmonie, il était capable de dénommer immédiatement et sans effort les notes qu'on lui jouait sans qu'il les voie mais il ne pouvait le faire avec d'autres instruments. Il écrivait sur la portée la note avec son symbole adéquat. Curieusement, avant l'opération il décalait l'ensemble de ses réponses d'un demi-ton au-dessus ou au-dessous ; il prenait alors des médicaments antiépileptiques et faisait de nombreuses crises. Retesté huit jours puis un an après l'acte chirurgical, son identification des notes était parfaite, mais il conservait de légères difficultés en mémoire verbale. Cette observation prouve seulement que l'exérèse de la partie antérieure du lobe temporal gauche ne fait pas disparaître l'oreille absolue. Comme nous allons le voir à présent, c'est justement dans la partie respectée par l'opération que semble siéger le générateur de l'oreille absolue, ce que va confirmer l'imagerie cérébrale.

La recherche de Schlaug *et al.* (de l'Université de Düsseldorf, 1995) est encore plus convaincante en faveur de l'hémisphère gauche. Elle a consisté à mesurer *in vivo* chez trente musiciens et trente non-musiciens, au moyen de l'imagerie par résonance magnétique nucléaire, la surface du planum temporal, c'est-à-dire la partie de la face supérieure de la circonvolution temporale supérieure, en arrière du gyrus de Heschl (fig. 5). Normalement, il existe une asymétrie concernant le planum temporal : en raison de la présence des centres du langage dans l'hémisphère dominant chez le droitier, le gauche est plus vaste que le droit. Parmi les trente musiciens, les onze doués de l'oreille absolue ont une asymétrie très fortement significative, tandis que le degré de l'asymétrie est le même chez non-musiciens et musiciens sans oreille absolue. Les auteurs attribuent un rôle prioritaire à la région temporale postérieure et supérieure et spécialement au planum temporal dans la perception de la musique et l'oreille absolue. Ils discutent le caractère inné de l'asymétrie (qui apparaît à la 29e semaine de la vie fœtale) mais aussi le rôle de la plasticité cérébrale jusque vers la 7e année.

Tout porte à croire que des réseaux de neurones impliqués dans l'oreille absolue sont organisés dans les aires auditives primaires, dans le planum temporal gauche et dans les aires postéro-latérales du cortex frontal gauche, voisine de l'aire de Broca.

L'oreille absolue implique trois localisations et donc trois opérations mentales intriquées : a) la perception de la

UNE BRILLANTE EXPLICATION

Une nouvelle contribution de Robert Zattore *et al.* (1998) portait sur vingt musiciens dont une moitié avait l'oreille absolue (AP) et l'autre sans pouvoir y prétendre avait néanmoins une bonne oreille relative (RP). Les résultats de ce travail peuvent se résumer en trois points :

1) L'imagerie par résonnance magnétique confirme dans les groupes AP et RP une asymétrie plus prononcée du planum temporal, au profit du gauche, par rapport à un groupe témoin sans aptitude musicale ; il existait une corrélation positive entre la taille du planum et les performances de dénomination des notes présentées.

2) La mesure du débit sanguin cérébral par caméra à positons a mis en évidence dans les deux groupes (AP et PR) la même élévation du débit sanguin cérébral dans les aires corticales auditives lors de l'écoute de deux notes formant un intervalle.

3) Seuls les musiciens du groupe AP présentaient une élévation du débit sanguin cérébral très significative dans le cortex frontal, postérieur dorso-latéral *uniquement* gauche, proche de l'aire de Broca, dévolue à l'expression du langage. Les auteurs ont constaté dans le groupe RP lors d'une épreuve d'écoute d'intervalles pour dire s'ils étaient majeurs ou mineurs des activations corticales frontales bilatérales.

Ils concluent que les sujets avec oreille relative utilisent dans ces épreuves de discrimination des hauteurs leur mémoire de travail (localisée dans le cortex frontal) alors que les musiciens possédant l'oreille absolue n'utilisent pas ce genre de mémoire dont ils n'ont pas besoin. Ils mettent en jeu un circuit reliant la partie postérieure du planum temporal avec les aires 6 et 8 proches de l'aire de Broca. Je me permets d'ajouter : de la même façon que lorsque l'on entend un mot, on peut l'épeler immédiatement. Si j'entends « maison » je dis : « m-a-i-s-o-n ». Si on me joue « do-sol », je peux dire, sans avoir besoin de réfléchir, les mots « do-sol ». Un Anglo-Saxon dirait « C-G » puisque dans les pays anglo-saxons les notes sont désignées par des lettres dont la première correspond au la ; au regard de la faculté d'oreille absolue, ce n'est pas nécessairement la même chose. Les noms traditionnels des notes de la gamme sont des phonèmes qui ont une spécificité lexico-sémantique, comme autant de prénoms dont la seule fonction est de désigner (et de caractériser) des notes, alors que les lettres sont utilisées à des fins multiples dans les classifications. Au moment où il commence à parler, l'enfant vivant dans un milieu musical dense apprend, en même temps, à donner des noms aux membres de son entourage, aux objets qu'il voit, aux sons qu'il devient capable de différencier. De ce fait, l'oreille absolue est considérée comme plus fréquente dans les pays utilisant les noms des notes que des lettres.

hauteur du son par l'appareil auditif périphérique et central ; b) la dénomination par les aires corticales impliquées dans l'expression verbale (aire de Broca) ; c) la mise en jeu des voie associatives entre ces deux aires. D'autre part, l'oreille absolue ne pourrait se passer de la mémoire ; sur des arguments que l'on ne peut développer ici, Zattore *et al.* (1998) pensent que les sujets AP ne font pas appel à la mémoire de travail de la même façon que les sujets qui ne la possèdent pas. Peut-être utilisent-ils un autre type de mémoire à court terme ? De plus, la dénomination exacte du son perçu met en jeu une mémoire des faits très anciens qu'on peut rattacher à la mémoire sémantique. L'oreille absolue a-t-elle son équivalent dans d'autres domaines ? Je pense que de répondre, verre à dégustation en main, c'est un « château canon » de 1985 ou un « cheval blanc » de 1979 (pour rester dans les saint-émilion) relève... d'une opération cognitive assez semblable.

La querelle de l'oreille absolue est née du « flottement du diapason » et de l'interprétation baroque. En matière de hauteur des sons, il n'existe pas comme pour les mesures de longueur un mètre étalon déposé au pavillon de Breteuil à Sèvres. En 1882, le facteur d'orgues Aristide Cavaillé-Coll donnait dans un devis, comme officiel en France, le chiffre de 435 vibrations à la seconde dans une température de 15 degrés. Le même auteur dans un mémoire présenté à l'Académie des sciences en 1859 dresse l'historique du diapason depuis le XVIIIe siècle. Il rapporte les chiffres de 410 en 1710, 430 un siècle plus tard et propose *in fine* 444. Le musicologue Saint-Arroman (1988) nous apprend qu'au XVIIe siècle, le diapason officiel était le ton de la chapelle du Roi à Versailles ; le ton des couvents de religieuses était un demi-ton plus haut ; celui de la musique de chambre et des concerts était un demi-ton plus haut que le ton de chapelle, le ton d'opéra un ton plus bas que celui de la chapelle du Roi.

Dans notre rapport sur la perception de la musique de 1985, nous posions déjà la question : « Quelle est la note de référence chez les détenteurs de l'oreille absolue ? »... On serait tenté de répondre de façon en apparence absurde « absolue par rapport à quoi » ? Un an plus tôt, notre ancien collègue à l'hôpital Broussais, musicologue et chirurgien, Gérard Zwang (1984), avait fait paraître un article dans la *Revue musicale* soutenant que le retour aux diapasons anciens blesserait [acoustiquement] ceux qui avaient l'oreille absolue, aphorisme qui a donné lieu à d'âpres polémiques... qui durent encore. Avec le recul du temps, clarté et clairvoyance ont mis un peu de sérénité dans ce débat que nous proposons de résumer de la façon suivante. L'oreille absolue est une capacité physiologique (devant donc être étudiée comme telle), particulière à certains individus, généralement des musiciens qui ont été initiés à la musique depuis leur plus jeune âge. Actuellement, on pense que cette capacité est acquise. Aucun argument ne prouve qu'il s'agisse d'un don inné. Les détenteurs de l'oreille absolue ont donc une représentation intérieure de la hauteur des sons, une faculté d'identification, qui leur permet d'y faire référence *sans délai* et sans comparaison avec un autre son, de manière en quelque sorte « réflexe ». Cette représentation interne qu'on pourrait appeler leur « diapason interne » est celle qu'ils ont acquise depuis leur plus tendre enfance, c'est-à-dire, communément, le diapason moderne à 440 Hz pour le la 3. À ma connaissance, s'il existe des classes de musique baroque, ce dont tout le monde se réjouit, on n'enseigne pas aux jeunes enfants le solfège dans les conservatoires autrement qu'avec le diapason moderne.

Quel était le diapason interne de Mozart qui, comme tout le monde le sait, avait une oreille « super-absolue » ? Sans craindre de se tromper, on peut répondre que c'était sûrement celui qu'il avait entendu *le plus souvent* chez lui quand il avait deux ou trois ans au milieu de son papa, de Nannerl, du bon Monsieur Schachtner, l'ami de la famille, alors que sa mère lui préparait, dans la cuisine sentant bon, des tartines de confiture.

Chanter faux, chanter juste

Quand le certificat d'études primaires marquait le terme de la scolarité pour la majorité des petits Français, l'obligation de savoir chanter *La Marseillaise* était une épreuve redoutée par plus d'un. Tout le monde sait ce que veut dire « chanter faux », mais l'unanimité ne s'est pas faite sur l'origine innée ou acquise de cette imperfection ni sur sa cause ; doit-on en donner une explication organique, fonctionnelle ou psychologique ? L'interrogation de la littérature spécialisée reste pauvre sur le sujet (Amy de la Bretèque ; Le Huche et Allali ; Paperman, Vincent et Dumas). À notre connaissance, il n'existe pas, dans le jardin des racines grecques ou latines, de terme technique pour désigner cette particularité. Le trouble concerne électivement *l'ajustement tonal des hauteurs* des sons musicaux. On peut le résumer à une inadéquation entre la hauteur du son émis et ce qu'elle devrait être.

Sous le vocable « chanter faux », Paperman, Vincent et Dumas distinguent : 1) la difficulté à réaliser l'unisson, c'est-à-dire à produire un son unique à plusieurs voix, 2) la difficulté à reproduire une hauteur tonale donnée, 3) la difficulté à reproduire les intervalles d'une suite de notes (en répétition ou de mémoire), 4) ils ajoutent : l'instabilité tonale qui empêche de garder une hauteur tonale constante même sur un temps assez court (permanence de la hauteur).

Théoriquement, l'anomalie ainsi définie pourrait être due soit à un défaut de perception auditive, soit à un trouble de l'émission des sons, soit à une impossibilité de se représenter les hauteurs de sons sur une échelle sonore. De la première catégorie font partie les surdités congénitales qui s'accompagnent toujours d'une mutité et d'une impossibilité de chanter ; une surdité acquise prive le sujet des références extérieures pour prendre l'unisson, mais très souvent les patients s'ils savaient chanter auparavant gardent en mémoire une bonne représentation interne des notes et restent capables de chanter à peu près juste. Une anomalie de l'émission peut venir perturber la production correcte des hauteurs en particulier au cours des dysphonies ou des dysarthries, les premières n'étant qu'un trouble de la voix dû à un dysfonctionnement d'origine laryngo-pharyngé, les secondes : un trouble lié à une perturbation organique du système nerveux central. Une autre cause possible, et heureusement rare, n'est autre que l'impossibilité de se représenter les hauteurs des sons musicaux sur leur échelle dans le cadre des agnosies auditives et plus exactement des amusies de perception, dues généralement à des lésions du cortex temporal. En fait, toutes ces causes organiques en rapport avec une lésion périphérique ou centrale sont infiniment plus rares que le trouble fonctionnel banal appelé « chanter faux » qui se résume à une altération de la production de la voix, trouble progressif qui n'apparaît pas à l'occasion d'une maladie organique et demeure parfaitement isolé. De ce fait, il appartient au domaine des orthophonistes comme Le Huche et Allali qui en ont une grande expérience, et auxquels nous faisons référence. L'acquisition de la justesse vocale se fait entre trois et sept ans par apprentissage au contact des personnes de l'entourage. Comme pour un accent régional, l'enfant reproduit ce qu'il entend. Chanter faux n'est pas un trouble congénital, inné, c'est un trouble acquis, mais cet apprentissage peut être plus ou moins laborieux. Si l'enfant manque d'attention et s'il est catalogué « chantant faux », il n'ose plus chanter du tout et la difficulté ne fera qu'augmenter pour rejoindre l'état de l'élève de Rameau dont nous avons parlé plus haut. Parfois un traumatisme familial grave, décès ou séparation des parents, interrompt tout ce qui concerne musique et chant dans la famille, enfin, une inhibition ou une attitude délibérée peuvent être en cause. Le Huche et Alalli citent le cas d'un fils de professeur de musique qui, par opposition, chantait désespérément faux et sans goût ! Le trouble de l'émission reste isolé : généralement, ces enfants et ces adultes ont une bonne oreille, ils identifient correctement les airs, distinguent bien les sons plus aigus ou plus graves.

Cette conception est une « invite » à la rééducation dont les trois temps sont : apprendre à écouter, y prendre du plaisir, apprendre à reproduire ce qu'on entend. Le premier temps commence par une analyse de reconnaissance des qualités acoustiques d'un son musical : timbres, rythmes, nuances en s'aidant de l'expression corporelle. Il est suivi de l'apprentissage de la reproduction des unissons, accompagné d'un enregistrement de la voix qui sera présenté ensuite au sujet, puis progressivement, on passe à la reproduction des intervalles, enfin des mélodies.

Paperman, Vincent et Dumas ont construit un questionnaire relatif à la justesse de la voix qu'ils ont fait passer à 93 sujets non sélectionnés (45 hommes et 48 femmes). Des premiers résultats publiés retenons que 89 % de l'ensemble des sujets perçoivent que quelqu'un chante faux ; 58 % déclarent ne pas chanter juste. Il est intéressant de noter que sur 54 personnes qui pensent chanter faux, 16 répondent aux critères définis préalablement d'une bonne justesse, 5 chantent faux et 9 « plus ou moins faux ». Chez les 56 sujets ayant eu une pratique musicale passée ou actuelle, la conviction de chanter juste est de 63 % contre 23 % dans l'autre groupe. Enfin parmi les 56 sujets avec une telle pratique, il n'y en a que 2 qui chantent plus ou moins juste ou faux contre 12 dans l'autre groupe.

À notre connaissance, la difficulté d'ajustement de la hauteur tonale de la voix dans sa forme habituelle telle que nous venons de l'envisager n'a pas fait l'objet d'études de psychologie expérimentale ou de paradigmes utilisant l'imagerie fonctionnelle cérébrale qui d'ailleurs n'est pas réalisable chez l'enfant sain.

De l'oreille de tout le monde à l'oreille de Mozart : les quatuors dédiés à Joseph Haydn

Dans le but de travailler l'écriture musicale, un jeune étudiant alla trouver un professeur d'harmonie : « Entendez-vous bien ? » lui demanda l'enseignant. « Qu'entendez-vous par là ? » aurait dû répondre l'élève s'il avait été doué pour la repartie. Bien entendre, ce n'est pas seulement être capable de faire des dictées musicales, encore moins avoir une bonne acuité auditive, c'est aussi pouvoir se représenter intérieurement les accords consonants et dissonants, le mouvement des voix dans une polyphonie, les timbres, les rythmes, et même de construire mentalement en l'entendant réellement dans sa tête, sans s'aider d'un instrument, une mélodie avec son accompagnement et les variations auxquelles elle peut donner lieu. Est-il besoin de souligner que Mozart possédait tout cela comme personne d'autre que lui ? Ce générateur de musique perpétuellement en action qu'était son cerveau lui permettait d'halluciner toutes les notes, même les plus disparates, les plus éloignées les unes des autres, les plus chromatiques, tous les intervalles qu'il voulait et de puiser dans sa sonothèque personnelle des sons nouveaux, des audaces sonores inédites, des combinaisons encore vierges de toute exécution. Il fait partie de ces génies qui, comme Beethoven, Chopin, Wagner, Debussy, Stravinski, Messiaen, furent des créateurs de sons.

Désirant faire un retour sur l'homme Mozart pour terminer ce chapitre, je l'avais tout d'abord intitulé : « Un génie, travailleur acharné » ; j'ai préféré, finalement, revenir sur ses extraordinaires capacités, qu'on est en droit d'appeler « cognitives », et montrer, à propos des quatuors dédiés à Joseph Haydn, comment le compositeur a pu les mettre à profit, grâce à un labeur obstiné, qui selon ses propres termes lui a causé une grande fatigue.

Pourquoi avoir choisi spécialement l'exemple de ces

chefs-d'œuvre de la musique de chambre ? Tout d'abord, parce qu'ils ne font pas partie, comme les opéras ou les dernières symphonies, des œuvres les plus populaires de Mozart, ensuite parce qu'ils mettent en évidence une richesse d'invention et ce que peuvent produire des capacités de *représentation d'images auditives* poussées à leur plus haut degré ; ils démontrent, de plus, un travail de recherche presque expérimental de la part du compositeur. D'un point de vue plus terre à terre, ces quatuors sont, avec seulement leurs quatre portées, d'une lecture beaucoup plus facile que les grandes partitions lyriques ou symphoniques et quiconque sachant lire la musique peut les écouter en suivant le texte puis en jouer des fragments au piano pour mieux les analyser. Le vieil enregistrement-vinyle que je possède (par le Quatuor de Budapest), a été pendant des années écouté avec recueillement par les dédicataires de ce livre.

On a beaucoup écrit sur ces six quatuors, notamment les excellents commentaires des Massin, de De Wyzewa et de Saint-Foix. L'œuvre forme un tout extrêmement attachant pour les raisons que voici : 1781 marque un changement dans l'écriture de Mozart qui vient de découvrir Bach, Handel et le style fugué, ce qui l'a poussé à écrire une œuvre si travaillée, mélange des genres galant et sévère ; ensuite il y a l'émouvante dédicace à Joseph Haydn, « à faire venir les larmes aux yeux ». Que ceux qui considèrent l'auteur de *Don Juan* comme une sorte de « mutant quasi autiste » la méditent ! Enfin quelques extraits de ces quatuors nous donneront une idée des représentations purement mentales des hauteurs de notes et des intervalles dont Mozart était capable.

En 1782 est mort Jean-Chrétien Bach, le Bach de Londres que Wolfgang avait rencontré quand il était enfant et qu'il admirait tant. Est-ce par lui qu'il a découvert les œuvres de son père : Johann Sebastian Bach, mort en 1750 ? N'est-ce pas plutôt par la fréquentation du baron van Swieten, grand amateur viennois, qui voua un véritable culte à Bach et Händel, au point d'organiser chez lui tous les dimanches matin des concerts consacrés entièrement à ces deux compositeurs ? Nous pouvons le penser, car on est en droit de se demander comment Jean-Chrétien parlait de Johann Sebastian. Converti au catholicisme au moment de son mariage avec une Milanaise alors qu'il était organiste du Dôme, le fils fut rejeté de façon absolue et définitive par les autres membres de la famille qui le considérèrent comme un étranger. L'art de Jean Chrétien Bach s'était d'ailleurs fort éloigné de celui de son père. L'écriture polyphonique et fuguée, chère au vieux cantor, avait fait place au style galant chez le Bach de Londres, le créateur de la sonate classique. C'est donc bien au contact du baron van Swieten, ancien ambassadeur de l'empereur d'Autriche près du roi de Prusse, à qui Bach le vieux dédicaça l'*Offrande musicale*, que Mozart découvrit une écriture qui ne lui était pas familière : le canon et la fugue. Certes, adolescent, il avait suivi à Bologne les leçons de contrepoint de Martini mais il ne viendrait à l'idée de personne de comparer la valeur musicale des œuvres laissées par le padre avec celle des deux « géants de la fugue ». Un autre argument en faveur du rôle personnel du baron est d'ordre chronologique : la visite que Mozart fit à Leipzig et la mémorable audition qui lui fut offerte à Saint-Thomas du motet *Singet dem Hern ein neues Lied* n'auront lieu que le 22 avril 1789. Huit ans plus tôt, avec son énergie habituelle, il avait déjà recopié et transcrit des fugues du cantor ou des membres de sa famille. Lui-même en 1782 s'est essayé, non sans difficultés, à la grande fugue. Il écrivit cette année-là un *Prélude et fugue en ut majeur* (K 394) pour piano, comblant les vœux de Constanze qui s'était entichée de ce style. Mozart a maintenant vingt-six ans, il va trouver dans les grands développements contrapuntiques de Bach et Händel un nouveau langage plein de richesse pour son œuvre à venir.

En septembre 1785 paraissent à Vienne les six quatuors dédiés à son ami Joseph Haydn, son aîné de vingt-quatre ans, avec cette dédicace que nous ne pouvons pas laisser dans l'ombre. Comme l'ont écrit Jean et Brigitte Massin (à qui nous empruntons cette traduction) : « C'est une page magnifique dans l'histoire de la musique que celle de l'amitié qui unit Wolfgang Mozart à Joseph Haydn. »

À mon cher ami Haydn.

Un père ayant résolu d'envoyer ses fils dans le vaste monde estima qu'il devait les confier à la protection et à la direction d'un homme très célèbre alors, qui, par une heureuse fortune, était de plus son meilleur ami.

C'est ainsi, homme célèbre et ami très cher, que je te présente mes six fils. Ils sont, il est vrai, le fruit d'un long et laborieux effort, mais l'espérance, que plusieurs amis m'ont donnée, de le voir, au moins en partie récompensée, m'encourage, me persuadant que ces enfantements me seront un jour de quelque consolation.

Toi-même, ami très cher, au dernier séjour que tu as fait dans cette capitale, tu m'as manifesté ta satisfaction. Ce suffrage de ta part est ce qui m'anima le plus ; c'est pourquoi je te les recommande, avec l'espoir qu'ils ne te sembleront pas indignes de ta faveur. Qu'il te plaise donc de les accueillir avec bienveillance et d'être leur père, leur guide, leur ami ! Dès cet instant, je te cède mes droits sur eux, et te supplie en conséquence de regarder avec indulgence les défauts que l'œil partial de leur père peut m'avoir cachés, et de conserver malgré eux ta généreuse amitié à celui qui l'apprécie tant.

Car je suis de tout cœur, ami très cher,
Ton bien sincère ami.

Il n'est pas question d'analyser ici les six quatuors, mais seulement de souligner, par quelques exemples, combien ils démontrent ce que peut être la représentation « interne » de la musique quand elle atteint un niveau si élevé et particulièrement la représentation des hauteurs sur l'échelle sonore. Pour Mozart, le meilleur chemin pour aller d'un point à un autre (ou si l'on préfère d'une note à l'autre) n'est pas le plus court ! Bien au contraire, il est très rare chez lui que la ligne mélodique ne soit pas surchargée d'altérations qui, comme les méandres de la Seine, modifient d'une façon inattendue son cours sans en changer vraiment la direction. Nous pourrions citer de nombreux exemples d'emploi fréquent du chromatisme qui figure dès l'exposé des thèmes (premières mesures du *Quatuor en sol majeur*, K 387). Est-ce l'influence de l'art vocal avec ses ports de voix et ses nombreuses appogiatures, ou peut-être la persistance *sous une autre forme* des ornements si prisés au siècle précédent ? Les altérations sont si fréquentes que parfois elles introduisent une sorte d'ambiguïté voulue dans la tonalité qui ne va s'affirmer que progressivement. Il en est ainsi dans le thème du *Quatuor en mi bémol* (K 428) qui confine à l'atonalité, d'autant plus que les quatre instruments jouent à l'unisson (exemple 6). Le début de l'*Ut majeur* (K 465) qui lui valut l'appellation « Les dissonances » est également significatif (exemple 7). Que viennent faire le la bémol, le mi-bémol, le do dièse, le fa dièse et jusqu'au ré bémol dans la tonalité de do majeur qui ne comprend normalement ni dièse ni bémol ? Pas autre chose que de créer un climat d'incertitude comme l'a fait J.-S. Bach dans le petit choral de l'Avent *Viens maintenant, Sauveur des païens* et comme le fera un siècle plus tard... Claude Debussy. Le musicologue Fétis est resté peu glorieusement célèbre pour avoir cru devoir corriger le début, selon lui fautif, au regard des règles de l'harmonie du quatuor des dissonances ! Il a l'excuse de n'avoir pas été le seul à penser de la sorte : des instrumentistes contemporains de Mozart affirmaient que la partition était truffée d'erreurs et refusaient de la jouer. D'autres comme Gerber (cité par Stone *in* Landon) trouvaient qu'« il est difficile à une oreille non exercée de le suivre [l'auteur] dans ses compositions. Même une oreille exercée doit entendre ces pièces à plusieurs reprises ». Goethe (qui se prénommait aussi Wolfgang) ne s'exprimait pas autrement à propos de *L'Enlèvement au sérail* (voir Landon, *Dictionnaire Mozart*, p. 543). L'usage du chromatisme et des libertés prises avec la sacro-sainte tonalité

6. Mozart, *Quatuor en mi bémol*, K 428, début : allegro ma non troppo

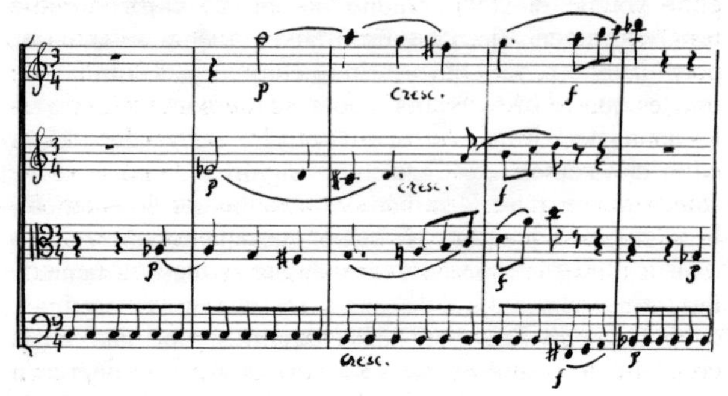

7. Mozart, *Quatuor en ut majeur* (« Les dissonances »), K 465, début : adagio

obligea le compositeur à « assumer », dans les voix qui accompagnent les thèmes ou dans les modulations, des « relations de bon voisinage musical » qui non seulement s'adaptent à toutes ces audaces mais, bien plus, les font chanter, s'y joignent, dialoguent avec elles, dans des péripéties sonores où l'on redécouvre souvent la polyphonie serrée du vieux Bach. Écoutez bien le finale du *Quatuor en sol majeur* (K 387), vous entendez un thème quasiment religieux en valeurs longues, comme celui de la grande *Triple Fugue en mi bémol* de Bach, puis une série de canons et de fragments de fugues chromatiques, se lançant dans une course effrénée de modulations, pour tout d'un coup s'arrêter net sur une mesure muette, silence tout à fait exceptionnel à l'époque, comme si ce n'était pas raisonnable d'aller plus loin : « Maintenant, il faut rentrer à la maison ! Finissons vite et bien [5] ! »

À l'image des développements mozartiens, et à leur sujet, on pourrait continuer des heures ces commentaires, mais c'est à la neuropsychologie qu'il nous faut revenir maintenant et, à travers elle, ou plutôt à partir d'elle, voir si elle apporte quelques éléments de compréhension au mystère de la création chez Mozart. Au plan des facultés de représentation du compositeur, le style si dense, si chromatique, si polyphonique, les libertés dans le cours tonal de l'œuvre démontreraient, s'il en était besoin, ce que pouvait être chez Mozart la richesse géniale de son imagerie musicale, c'est-à-dire sa faculté d'halluciner tous les sons possibles, de les organiser et de les garder intacts en mémoire sans l'aide d'un instrument. Jamais on ne soulignera trop les fabuleuses capacités de la mémoire musicale, doublées d'une faculté d'anticipation, de Mozart. Il est difficile de ne pas en tenir compte parmi les facteurs de son génie.

L'heure n'est pas venue d'étudier les processus de la créativité du compositeur. Nous voyons d'ores et déjà qu'il ne s'agit nullement chez lui d'une représentation explicite de ses sentiments personnels. Là est la différence fondamentale avec un Beethoven ou un Schubert qui, à l'aube du romantisme, conservent néanmoins encore des points communs avec le style mozartien. Est-ce à dire que la musique de Mozart n'est que l'expression inconsciente de son monde intérieur, mais quel est ce monde ? Dans une autre optique, peut-on soutenir qu'il ne fut qu'un sublime architecte, un génial « créateur de formes », de tous styles et d'une extraordinaire variété ?

CHAPITRE III

Peut-on parler d'« intelligence musicale » ?

L'intelligence, tout le monde sait ce que c'est, tout le monde est capable d'en parler, toujours en assortissant son propos d'une notion quantitative. On classe les écoliers depuis l'école primaire comme les athlètes sur le stade. Dans l'esprit des promoteurs de ces méthodes de classement, il s'agissait moins de privilégier les meilleurs que d'aider les moins bons par des mesures pédagogiques appropriées. Que mesure-t-on au juste ? Sont-ce les meilleurs résultats obtenus aux examens ou les capacités de raisonnement et de créativité ? Ne serait-ce pas plutôt l'étendue des connaissances acquises, correspondant au niveau de savoir qu'un enfant doit posséder en moyenne à un âge donné ? Au reste, les aptitudes cognitives sont-elles appréciables, détachées de leur contexte affectif et social ? Ce qui voudrait dire qu'il existe chez tout un chacun une sorte de noyau dur, dispositif commun de base, qu'on appelle l'intelligence et dont l'égalité selon les individus ne serait pas le trait dominant. Soit, mais plus que la quantité, la notion de qualité retiendra davantage notre attention. Il y a des formes diverses d'intelligence non seulement selon une certaine « tournure d'esprit », mais également en raison des compétences conférées par l'exercice pendant de nombreuses années d'un savoir dans un domaine particulier. C'est de cela qu'il sera question maintenant à propos de la musique et surtout à propos du musicien qui sert de fil conducteur à nos différents chapitres.

Unicité ou diversité de l'intelligence

Le titre de ce chapitre (qui m'a été suggéré, et que je n'aurais peut-être pas eu le courage d'écrire) me met dans la situation d'un conte de fées où un malin génie impose à des héros le choix entre l'exploration de deux routes tout aussi périlleuses partant du même carrefour. La première est semée d'embûches à éviter, de problèmes à résoudre et d'énigmes à décrypter, dont la victorieuse issue ouvre les portes successives de la connaissance. La deuxième est plus courte mais le temps que l'on met à la parcourir paraît fort long car elle baigne dans de sublimes harmonies musicales, dont les rythmes et les timbres changent perpétuellement. Ici, l'épreuve est unique : pour que ce voyage prodigieux puisse continuer, le voyageur va devoir créer lui-même cette musique au fur et à mesure qu'il avance. Le génie, qui, bien qu'il vécût dans des temps très anciens, était l'ancêtre des cognitivistes, réfléchissait depuis des siècles à la question suivante : les vainqueurs de la route de la connaissance générale seront-ils les meilleurs dans l'épreuve de la deuxième route, et que dire de ceux-ci, seront-ils également excellents dans la première ? Il y aurait dans ce cas une intelligence universelle ; cela est-il possible ? Ou bien les innombrables talents ne sont-ils réunis que par leur... diversité ? Si le malin génie réfléchit pendant si longtemps à la façon dont il pourrait répondre à son interrogation, c'est qu'après avoir observé soigneusement les résultats de l'épreuve, il avait envisagé successivement plusieurs possibilités. La première est que les meilleurs de la route de la connaissance avaient été mauvais dans la route des créations musicales (il nomma ce groupe Ab), ce qui amena le génie à se demander si les échecs dans un domaine aussi spécialisé que la musique ne venaient pas du fait que les autres connaissances au regard de celle-ci étaient si autrement considérables en nombre et en diversité et si utilisées quotidiennement dans la vie courante qu'elles occupaient presque tout le travail du cerveau, ne laissant plus qu'une toute petite place à l'art des sons ; mais, se dit-il, si cela est vrai pour la musique, pourquoi ne le serait-ce pas également pour d'autres domaines spécialisés comme les différents arts, les sciences ? Cette réflexion amena le génie à prendre en considération ceux qui triomphent sur les deux tableaux (groupe que nous appellerons AB). Ceux qui deviennent des maîtres dans les arts, la poésie, les sciences, pensa-t-il, ne serait-ce pas parce qu'ils sont bons également dans la route de la connaissance et qu'ils ont été capables de mettre au service de leur art, implicitement, ce dont ils font montre explicitement dans la réussite des épreuves codifiées de la première route. Le malin génie se trouva bien malin d'avoir eu cette pensée mais sa satisfaction ne dura pas. Après tout, se dit-il, des triomphateurs de la deuxième route qui échouent aux épreuves de la première, il y en a (appelés groupe aB), c'est peut-être que le développement exclusif de leur art a mis en sommeil chez eux les aptitudes qu'ils avaient autrefois mais qui se sont adaptées maintenant à l'exercice de leur talent, à moins, se dit-il, qu'ils n'aient jamais eu d'autres aptitudes que celles de leur art ?

UNE DIFFICILE DÉFINITION

D'aucuns trouveront peut-être que cette dialectique est bien infantile et qu'il serait plus simple d'ouvrir quelques bons livres de psychologie au chapitre « Intelligence ». Savent-ils qu'un tel chapitre manque dans beaucoup d'estimables ouvrages ? Cette absence a pour causes le flou du concept et son caractère polysémique. Le traité de William James, auquel on reconnaît la primeur des traités de psychologie à visée scientifique, ne consacre pas un chapitre spécial à l'intelligence, alors que les éléments qui l'influencent comme la mémoire, l'attention, sont traités séparément. Alfred Binet apporta au début du XXe siècle un changement radical dans la façon de voir les choses et fut le précurseur d'une nouvelle science : la psychométrie. Ne lui prête-t-on pas cette boutade : « L'intelligence, c'est ce que mesure mon test » ? Dans les faits, le but de cet auteur et de son collaborateur, le docteur Simon, était avant tout pédagogique, il s'agissait de créer des classes spéciales pour enfants déficients mentaux. Leur test mesurait le niveau de développement intellectuel ou âge mental de l'enfant par rapport à un âge mental de référence (de 3 à 15 ans, plus l'adulte). Malgré tout, cette échelle et les suivantes furent considérées comme des outils destinés à mesurer l'intelligence plus qu'à comprendre ce qu'elle était. Ayant connu un succès immédiat aux États-Unis, le Binet-Simon fut exprimé par Stern en quotient intellectuel, c'est-à-dire le rapport de l'âge mental (multiplié par 100) sur l'âge réel. On parle du quotient intellectuel en termes de « QI performance et QI verbal ». Il est indéniable que les tests de niveau rendent de grands services pour quantifier un retard de développement de l'intelligence chez l'enfant, ou une dégradation des fonctions intellectuelles chez l'adulte ; on utilise dans ce cas les tests de Wechsler et leurs nombreuses variantes doublées de batteries de tests spécialisés adaptés au déficit étudié et dûment étalonnés. Le Wechsler est une épreuve composite et, à ce titre, ses différentes composantes donnent un aperçu de quoi est faite l'intelligence, aussi bien en ce qui concerne les opérations (calcul, compréhension, mémoire, manipulation des symboles, classement d'images, représentation d'objets) que les informations et le vocabulaire acquis. Ainsi, un neuropsychologue d'expérience, ayant à sa disposition des tests adéquats, peut avec une quasi-certitude faire en moins d'une heure le diagnostic d'une démence débutante et en préciser le type. Ce que l'on mesure, c'est non seulement une différence des performances intellectuelles par rapport à une population témoin appariée pour l'âge et les conditions socio-culturelles, mais encore des déficits sélectifs dans des domaines cognitifs variés. Quel que soit son patronyme, finalement, le test est un instantané, ce n'est qu'un coup de sonde en un temps donné ; c'est pourquoi l'aspect développemental, déjà présent à l'origine du Binet-Simon, a suscité des recherches spécifiques dont celles de Piaget (1966) constituent le prototype.

Dans le langage courant, intelligence signifie « comprendre vite et bien » ou comme le dit un manuel : « étymologiquement, savoir lire entre les lignes » ou encore détenir un savoir et les facultés pour en assimiler d'autres. Pour Auguste Comte, « l'intelligence est l'aptitude à modifier sa conduite conformément aux circonstances de chaque cas » ; on parle de nos jours de la flexibilité de l'esprit, si utile, dans les débats... en particulier politiques. Savoir rebondir, même sur une idée en totale contradiction avec ce que l'on vient de soutenir, n'est pas donné à tout le monde ! Ainsi nous sommes amenés à faire entrer dans un essai de définition le concept de la « difficulté à vaincre par l'invention d'une action appropriée ». Burloud, célèbre professeur de philosophie de l'Université de Rennes, a proposé cette réflexion : « Situation ou problème, problème théorique ou pratique, partout où il y a intelligence, il y a une difficulté à surmonter, une difficulté pour laquelle nous ne disposons d'aucune habitude, d'aucun automatisme préétabli et dont la solution doit être trouvée par un acte *sui generis*. » Cette solution ne tombe pas du ciel par miracle, elle suppose une capacité d'analyse de la situation, une appréciation de l'importance respective de ses divers éléments, une synthèse qui ne sera autre que la représentation du problème et de sa solution. L'intelligence est éminemment créatrice, elle engendre l'outil et son mode d'emploi : la technique. Selon le domaine concerné, on a voulu la diviser en catégories : sociale, pratique, abstraite. C'est peut-être par crainte d'un excès de morcellement que Charles Spearman a postulé qu'une « analyse factorielle » de l'intelligence devait distinguer un facteur général, le fameux *facteur G*, ou facteur d'intelligence générale, et des facteurs spécifiques ou facteur S variables selon les individus, les talents, les aptitudes. Spearman proposa de prendre en compte la capacité du sujet à découvrir les relations entre une série de dessins de formes abstraites pour mesurer les mécanismes généraux de l'intelligence (*progressive matrices* de Raven). À l'inverse, Guilford, professeur de psychologie à l'Université de Californie-Sud, s'attacha surtout aux multiples « facettes » de l'intelligence qu'il convient de prendre en compte.

Depuis son individualisation au XIXe siècle en tant que science distincte de la philosophie, la psychologie est passée par plusieurs étapes. Utilisant d'abord l'introspection au début du XXe siècle, elle s'attacha ensuite à l'étude des comportements (behaviorisme). La psychologie cognitive née dans les années 1960 a pour ambition d'analyser les mécanismes des processus mentaux. Ses méthodologies sont multiples, elles ont été tout d'abord purement psychologiques, préférant aux grandes statistiques l'étude de cas individuels ou de séries limitées. Il s'agit par exemple de mettre en évidence chez des patients des déficits neuropsychologiques spécifiques et de les comparer avec des sujets témoins, ou encore de soumettre des sujets sains à des tâches codifiées afin de voir à quelles activations cérébrales elles donneront lieu. L'imagerie fonctionnelle cérébrale permet dorénavant l'étude *in vivo* de telles correspondances.

MUSIQUE ET FONCTIONS EXÉCUTIVES

L'objectif « localisationniste » a toujours fasciné ceux qui se sont intéressés au cerveau comme ce curieux personnage, le médecin allemand installé à Paris, François-Joseph Gall (1758-1828) l'inventeur de la phrénologie, qui dressa au milieu du XIXe siècle une carte des fonctions cérébrales (voir Lanteri-Laura, 1970). Il plaça l'intelligence dans les lobes frontaux, parce que, pensait-il, les myopes, qui sont des gens plus doués que les autres, ont les yeux exorbités du fait de la pression exercée par des lobes frontaux anormalement développés ! Je ne sais pas si Bouillaud adhéra à cette hypothèse « psycho-ophtalmologique », toujours est-il que l'illustre professeur de clinique médicale fit sienne la théorie de la localisation frontale de l'intelligence. Beaucoup d'arguments tirés de la clinique neurologique ou de la pathologie expérimentale lui donnèrent raison. Il s'agit d'ailleurs plus exactement des lobes préfrontaux situés en avant de la circonvolution frontale ascendante (ou aire 4 de Brodmann).

Dès 1870, l'observation de Phineas Gage publiée par Harlow, deux ans plus tôt (et relatée par Damasio en 1994), attirait l'attention sur les modifications de la personnalité entraînées par un grave traumatisme frontal démontrant, en quelque sorte *a contrario* ce à quoi pouvait servir la partie antérieure du cerveau. Durant l'été de 1848, les lobes frontaux de cet excellent chef d'équipe, poseur de voies de chemin de fer dans le Vermont, furent traversés de bas en haut par une barre à mine projetée accidentellement par l'explosion de sa charge de dynamite. Pendant les douze ans que dura sa survie, ses amis assistèrent à un changement complet de Gage. L'indifférence, l'indécision, la grossièreté, l'obstination dans l'erreur leur ont fait dire que « Gage n'est plus Gage ». D'autres exemples tirés de la pathologie sont fournis par les atrophies frontales dégénératives dont le prototype est la maladie de Pick qui se traduit par des troubles du comportement, des activités stéréotypées, un rétrécissement des centres d'intérêt et un état d'excitation niaise (la moria) ; en revanche, la motricité, la mémoire et le langage sont peu atteints, tout au moins au début. Les tumeurs ou les infarctus frontaux peuvent donner un tableau assez comparable. Ainsi, comme c'est souvent le cas en médecine, la description des symptômes déficitaires regroupés sous le nom de « syndrome frontal » précéda celle de la fonction du lobe frontal dont le mérite revient à Luria, médecin, professeur à l'Institut de psychologie de Moscou[1] (1902-1977).

Certes, Alexandre Romanovitch Luria n'est pas le seul chercheur à avoir étudié les fonctions du cortex frontal.

Denny-Brown aux États-Unis y contribua lui aussi largement chez l'animal ; en France, François Lhermitte, Jean Cambier enrichirent la sémiologie par la description de nouveaux signes cliniques, mais l'œuvre du psychologue soviétique fut si riche et si novatrice qu'on ne peut lui refuser la primauté dans cette étude à laquelle il consacra sa vie. À l'aide d'observations très méticuleuses portant en particulier sur la résolution de problèmes arithmétiques élémentaires (Luria, 1967), il montra qu'une des principales fonctions du lobe frontal était d'*éviter* les comportements automatiques dont le sujet ne pouvait pas s'extraire et qu'il appela : « cycles d'activités réflexes » (Luria, 1965). Influencé nécessairement par l'école pavlovienne et les réflexes conditionnés, il dépassa largement une psychologie seulement expérimentale. C'était un chercheur éclectique, formé à la physiologie autant qu'à la... psychanalyse bien que ne l'exerçant plus. Sans doute mesura-t-il les limites et les dangers des théories de ses maîtres, en réservant une place importante au langage, aux influences génétiques et sociologiques. Est-il besoin de souligner que dans le monde politique de la Russie soviétique, et tout marxiste qu'il était, il décrivit les fonctions des aires cérébrales garantes du refus et de la liberté ! Dire *non*, c'est choisir et c'est une capacité primordiale des fonctions intellectuelles, mais il ne faudrait pas croire que le lobe frontal n'a qu'un rôle d'inhibition, ou si l'on préfère de « self-control » ; bien au contraire, il apparaît à présent que, parmi ses multiples fonctions, la plus importante est sans doute la fonction d'exécution et de planification de l'action. Luria a postulé que pour chaque activité complexe les lobes frontaux appliquaient une stratégie en quatre phases : l'analyse des données, la programmation d'un plan, l'exécution du programme en découlant, la confrontation du résultat avec les données initiales. On pourrait ajouter l'inhibition des distracteurs éventuels, la programmation du geste dans l'espace et le temps, l'adaptation de la réponse à la situation en cas de changement imprévu, sans oublier ce qui revient à la mémoire à court terme : l'administrateur central de la mémoire de travail n'a-t-il pas été localisée avec certitude dans le cortex frontal ?

À la suite des travaux de Luria, des « affinements » ont été apportés notamment par Shallice et son école (Burgess et Shallice, 1996) qui proposèrent une organisation des séquences d'action en « schémas » hiérarchisés dont le premier niveau comprend les réponses automatiques à des situations familières ; le second niveau concerne les activités semi-automatiques ; le troisième niveau ou système superviseur est dévolu électivement aux lobes frontaux et permettrait de faire face aux situations nouvelles en choisissant une stratégie plutôt qu'une autre. Garnier *et al.* (1998), constatant qu'en dépit de quotients intellectuels souvent élevés et de la normalité de nombreux tests les patients atteints de syndrome frontal pouvaient être très gênés dans « la façon d'organiser leur vie familiale et professionnelle », ont montré l'intérêt des tests à visée écologique et surtout des tests utilisant une stratégie à définir, par exemple faire décrire au patient le trajet de sa maison à l'hôpital et vice-versa.

La volonté, l'attention, le maintien de la finalité du but, la prise en considération et la comparaison de tous les éléments d'un ensemble, l'appréciation de leur importance respective, la possibilité d'établir des relations entre ces parties, l'inhibition des interférences ou si l'on préfère des distracteurs, l'évitement des automatismes, font partie des qualités de la vie psychique de l'homme qui ressortissent au domaine des lobes frontaux. On ne sera pas surpris que le cortex frontal soit relié par des voies d'associations avec toutes les régions du cortex cérébral. Il l'est également avec des structures sous-corticales comme le noyau dorso-médian du thalamus et la partie haute du tronc cérébral ; en revanche les noyaux gris centraux appelés striatum et pallidum n'envoient pas d'efférences directes vers le cortex cérébral, ils font partie de circuits sous-corticaux.

La littérature neuropsychologique d'aujourd'hui tient

compte du fait que si l'action dépend étroitement des lobes frontaux, elle est concernée également par d'autres structures, aussi préfère-t-elle employer le terme de « fonctions exécutives » de préférence à celui de « fonctions frontales » et de « syndrome dysexécutif » plutôt que de « syndrome frontal ». Cette nouvelle terminologie a en outre le mérite de ne pas orienter trop exclusivement l'étude neuropsychologique de l'action vers des seules références anatomiques. Les fonctions exécutives sont les processus cognitifs qui organisent des mouvements, des idées, des actions simples en comportements complexes dirigés vers un objectif (Lezack, 1982, 1995). Du point de vue cognitif, les trois processus psychologiques du lobe frontal sont la planification, la flexibilité mentale et le contrôle des interférences. Une action doit obéir à un objectif, elle nécessite une détermination et une organisation séquentielle des différentes étapes nécessaires, sorte de plan d'exécution ; une fois l'action accomplie, le résultat sera comparé avec le but recherché. Telles sont les différentes étapes de la planification. Quant à la flexibilité, on peut résumer en disant que c'est la possibilité de changer un comportement selon une circonstance imprévue ; de façon plus approfondie, c'est l'adaptation temporelle de l'action et ses modifications éventuelles dans les cas de contrainte ; elle implique la possibilité de déplacer son attention focalisée si besoin est. La résistance aux interférences causées par les stimulations extérieures non pertinentes est un des aspects les plus connus de la fonction d'inhibition du lobe frontal. Au cours de certaines atrophies dégénératives du cortex frontal, le patient est fréquemment « désinhibé », ne pouvant se détacher des stimulations extérieures variées qui deviennent les thèmes de son discours.

Il n'y a pas d'action sans l'établissement d'un programme moteur, programme dont le support anatomique est constitué par l'élaboration d'un réseau neuronal. Decety et Grezes (1998), de l'Université de Lyon, ont démontré que la simple idée d'une action entraînait une activation dans le cortex cérébral, identique à celle de cette action réellement exécutée. Le cortex frontal comprend une partie dorso-latérale et une partie orbito-latérale. Pour Grafman (1995), le cortex frontal serait le siège des MKU *(mangerial knowledge units)* qui correspondent à la représentation de plans, schémas, thèmes et modèles mentaux. On peut faire l'hypothèse qu'ils ont comme supports une infinité de réseaux neuronaux. Le cortex frontal dorso-latéral présiderait aux fonctions de planification et à la mémoire de travail, alors que le cortex orbito-latéral tiendrait sous sa dépendance la fonction de flexibilité mentale. De très nombreux neurotransmetteurs interviennent dans le cortex frontal, la dopamine a un rôle majeur dans les fonctions exécutives.

Il faut considérer la création artistique comme une succession d'actions élaborées selon des programmes. À ce titre, elle fait intervenir sans doute non seulement le cortex frontal mais tout l'ensemble du cerveau. La création musicale, étant l'organisation d'espaces sonores, laisse à penser qu'elle implique des aires corticales concernées par l'audition, aires auditives primaires et secondaires, des aires visuelles et d'autres concernées par la représentation de l'espace et les activités constructives (praxies) qui ont un rapport avec le cortex pariétal. Nous n'avons envisagé que les fonctions cognitives au sens habituel du terme mais il faut compter avec les motivations et l'affectivité, discuter leurs liens avec les structures limbiques, nous placer devant la difficile question des rapports de l'œuvre avec son créateur. La question du rôle respectif des deux hémisphères cérébraux sera abordée au dernier chapitre.

On peut imaginer que des compétences, fruits d'un apprentissage prolongé, de l'exercice d'une profession et d'une motivation durable appelée « passion », puissent donner à l'intelligence un profil particulier, et de ce fait hypertrophier des facteurs spécifiques ou facteurs S. Ces compétences utilisent-elles les outils généraux de l'intelligence (facteur G) ou bien font-elles appel à des processus spécifiques avec leur logique, leur fonctionnement propre. Dans la première hypothèse, les réussites dans le domaine de la compétence vont de pair avec le degré de l'intelligence générale, dans la seconde hypothèse des dissociations seraient possibles. Ceci conduit à s'interroger sur la nature de ces soi-disant facteurs S : ne sont-ils que le résultat d'une expertise dans un domaine particulier ? un cadre spécialisé dans lequel peuvent s'exercer les qualités de l'intelligence générale comme elle pourrait le faire dans beaucoup d'autres domaines ?

Mozart est-il un exemple d'intelligence dissociée ?

Si l'intelligence est à la fois un tout et un ensemble fait de plusieurs éléments, on peut imaginer que leurs importances respectives ne soient pas égales chez tous les individus. Peut-on parler dans ce cas de développement disharmonieux de l'intelligence ? Par un cruel paradoxe, Mozart, l'incarnation du génie musical, le maître absolu de l'harmonie, n'a pas échappé au jugement des hommes au sujet de son intelligence, de son comportement, de la façon de mener ses affaires. Hocquard dans son remarquable livre *Mozart ou la voix du comique* va jusqu'à poser le problème d'une dichotomie entre le génie qu'il fut dans son art et l'homme ordinaire qu'il a été dans sa vie.

LE MUSICIEN LE PLUS DOUÉ ET LE PLUS ATTAQUÉ

On peut se demander pourquoi l'auteur de *La Flûte enchantée* a été l'objet de jugements aussi durs ? Beaucoup d'artistes ou de savants qui ont laissé leur nom dans l'histoire de l'humanité comme Michel-Ange, Shakespeare, Wagner, Caravage, Tchaïkovski, Verlaine, Ravel, Proust, Einstein ont eu leurs zones d'ombre ou leur profil psychologique particulier sans qu'ils aient été jugés si sévèrement. On en vient à se demander si l'extrême facilité de Mozart, sa carrière d'enfant prodige hors du commun ne le marquèrent pas, aux yeux de ses contemporains, d'une exigence de perfection si élevée et si absolue, quasi surnaturelle, qu'ils furent déçus de ne pas la reconnaître sous les traits de sa personnalité. Au fond, la question est celle-là : qu'aurait-on voulu qu'il soit ? Un mondain, un causeur disert, un flatteur, un homme de cour, un carriériste habile et adulé, un riche notable, en somme l'image d'un « homme arrivé » qui aurait comblé de bonheur et de reconnaissance ses concitoyens. À travers la vie de Mozart, plane un certain parfum messianique, il ne fut pas celui qu'on aurait souhaité qu'il fût : le divin Mozart ! Un film peut-être estimable sur le plan cinématographique mais détestable sur le plan historique a eu au moins le mérite de tordre le cou à cette image lénifiante, mais il a donné du musicien une vision si grotesque et si caricaturale, en habillant son génie sous les traits d'un galopin (âgé de... vingt-six ans) scatologique et excité, atteint d'une espèce de tic d'aboiement ! que pour ma part je n'y vois que trahison du véritable personnage. Des témoignages de ses contemporains nous dépeignent Mozart comme un homme ordinaire : au physique, selon Niemtschek, son premier biographe (cité par Prod'homme), « il n'avait rien de remarquable. Il était petit, son visage était agréable, mais il n'annonçait nullement au premier abord, si on excepte ses grands yeux ardents, la grandeur de son génie ». Son opinion sur le compositeur, rapportée dans ses mémoires édités en 1844, a fait plus pour le passage à la postérité de la romancière Karoline Pichler que son œuvre littéraire vouée semble-t-il à l'oubli éternel. « Mozart et Haydn, que je connaissais bien – écrit la fille très aristocratique du conseiller aulique Sals von Greiner –, étaient des hommes dans la fréquentation de qui ne se manifestait nulle intelligence supérieure et chez qui on ne rencontrait presque aucune sorte de culture, de préoccupations savantes et élevées. Des dispositions d'esprit banales, de plates plaisanteries et, chez le premier, une vie frivole, c'était là tout ce que l'on trouvait dans leur fréquentation », et la dame de plume d'ajouter : « Et pourtant quelles profondeurs, quel monde de fantaisie, d'harmonie et de mélodie et de sentiment gisaient cachés sous *cette insignifiante coquille* ! Par quelle révélation intérieure leur est venue cette faculté qui leur permette de produire des effets aussi puissants et exprimer à l'aide de sons des sentiments, des idées et des passions de telle sorte que chaque auditeur soit contraint de les éprouver et soit touché au plus profond de son cœur ? » L'insignifiante coquille ne rappelle-t-elle pas le cliché de la fleur sublime poussée sur du fumier ? Comme pour illustrer son jugement d'ensemble, l'aimable dame rapporte qu'alors qu'elle était en train de jouer du piano devant Mozart, qui fréquentait chez ses parents à Vienne, elle était alors très jeune (Hocquard situe la scène en 1786), il se mit à improviser merveilleusement sur le thème du morceau puis « tout à coup, il en eut assez, se leva et commença à faire comme à l'accoutumée, des tours stupides : sauter sur la table et par-dessus les dossiers, miauler comme un chat et faire mille culbutes ». Je ne résiste pas au plaisir de citer la piquante remarque de John Stone (1997) à qui je dois la relation de cet épisode Pichler : « Le génie de Haydn et de Mozart n'est pas plus paradoxal que l'obscurité posthume où Karoline Pichler malgré ses quartiers de noblesse n'a pu empêcher les quatre-vingt-dix volumes de son œuvre complète de sombrer. »

On a beaucoup monté en épingle les aspects scatologique et érotique de la personnalité de Mozart. Langage oral, langage écrit, ont fait les délices de chroniqueurs en mal de sensationnel. Il est vrai que le langage des Mozart n'était pas châtié. Maria-Anna, mère de Wolfgang, restée à Salzbourg ne se privait pas d'insérer des plaisanteries grivoises dans les lettres qu'elle adressait à Leopold. De tels propos scatologiques faisaient partie semble-t-il des habitudes langagières de l'Autriche et de l'Allemagne du Sud à cette époque. Ne faisons pas les dégoûtés ! C'était bien la même chose en France quand Molière divertissait le roi avec les histoires de clystères et quand, cent ans plus tard, des foules venues des beaux quartiers de Paris se pressaient pour assister aux exploits sonores du « pétomane » dont Roger Vitrac a fait le personnage central de sa pièce *Victor ou les enfants au pouvoir* (1928). Les comptines que chantaient nos grand-mères qui remplissaient de joie complice leurs petits-enfants ne tournaient-elles pas souvent autour de semblables thématiques ? Des traces d'humour de ce genre viennent tout naturellement sous la plume de Mozart. S'agit-il vraiment de propos érotiques ? Qu'on ne voie aucune perversité dans les termes scatologiques et anatomiques employés souvent par les Mozart, ils jaillissent dans une sorte de jubilation verbale hilarante que n'aurait certainement pas désavouée notre bon maître François Rabelais. Parfois cependant, Wolfgang dépasse les bornes. Dans un post-scriptum d'une lettre à son père de 1777, il énumère, comme en confession, les rimes scatologiques qu'il a faites, poussé par Lise Cannabich en rentrant de chez elle, mais, précise-t-il, il ne s'agit que de pensées, de paroles et pas d'actions, et il termine en demandant... l'absolution, non sans ajouter qu'il recommencera après. Leopold réagira vigoureusement, sans doute plus pour le caractère sacrilège de cette résolution que pour le genre particulier des rimes. Il faut reconnaître que Mozart se laisse parfois emporter dans une excitation verbale diffluente truffée de mots grossiers parfois incompréhensibles dont Hocquard a très justement noté les rapports que l'on pourrait y trouver avec le surréalisme. Il en veut pour preuve les textes des célèbres canons écrits en diverses langues composés sans doute avec des amis et destinés à être chantés... en petit comité.

Les relations et la correspondance de Wolfgang avec sa cousine germaine Maria Anna Tekla, dite « la Bäsle », fille du frère de son père Franz-Aloys Mozart de Augsbourg, appartiennent à un autre registre. Wolfgang fit sa connaissance lors d'un voyage avec sa mère dans cette ville en 1777, il avait alors vingt et un ans. Contre l'avis de son père, il lui rendit visite en revenant de Paris. Par la suite, il lui adressa des lettres franchement érotiques ou même pornographiques et scatologiques. Il est possible qu'une relation d'affection mutuelle se nouât entre le cousin et sa cousinette qui se transforma par la suite en une liaison charnelle. Cinq de ses lettres ont été conservées malgré l'embarras des fils du compositeur qui avaient souhaité les détruire à sa mort. Elles figurent dans la dernière version de la correspondance. On s'en est beaucoup trop gaussé, jusqu'à laisser supposer que Mozart était un être anormal incapable de refréner ses instincts : d'un côté l'image du génie, de l'autre, celle du cochon. Après tout, ces lettres témoignent du tempérament ardent et viril de Mozart, de son imagination verbale débordante, mais également de son bon goût car les rares gravures de ladite cousine font montre de sa grande beauté. Il faut ajouter que la réserve n'était pas son fort, et qu'elle s'est montrée par la suite passablement volage.

Même si elles sont teintées d'érotisme, les missives de Mozart à sa femme, quand il était loin d'elle, ne contiennent aucune trace de semblables propos ni la moindre vulgarité. Elles dénotent au contraire des marques de délicatesse, de tendresse et de respect. Certaines comme celle des « baisers envoyés » sont très poétiques. De cela on parle beaucoup moins que des lettres à « la Bäsle », comme si les excès de langage et la scatologie constituaient l'essentiel de la personnalité de Mozart. Que lui reproche-t-on encore ? Son comportement, son insouciance, sa culture médiocre, son intelligence ?

Personnalité et intelligence

Quel était donc cet homme « ordinaire », cet exemple de personnalité soi-disant coupée en deux ? La psychologie américaine moderne a mis à la mode la théorie des personnalités multiples. Mozart en est-il un cas ? Plusieurs de ses biographes se sont déjà penchés sur cette question.

Même des critiques musicaux sérieux n'ont pas su éviter les clichés faciles de la coexistence chez le même personnage de deux êtres différents : « le génie et le minable ». Dans le commentaire larmoyant figurant sur la pochette des quatuors dédiés à Joseph Haydn on peut lire sous la plume du critique Henry-Jacques : « Penché sur le monde merveilleux qui l'habite, le musicien ne fait attention qu'à ses projections intérieures, écoute le chant que lui seul perçoit, tout en connaissant en tant qu'homme *une existence qui n'est le plus souvent qu'un haillon jeté sur son génie.* » On pourrait en dire autant de l'existence de Molière qui apparaît si bien dans le film d'Ariane Mnouchkine. Au demeurant, quelle était la condition des musiciens à cette époque en Autriche et en Allemagne du Sud ? Haydn a longtemps porté la livrée des valets de son maître le comte Esterhazy de qui il fut de longues années le compositeur soumis, astreint à un emploi du temps strict et traité comme un simple employé. Tout autre était la fierté de Mozart qui eut toujours conscience de son génie. Son employeur, le mesquin prince archevêque de Salzbourg Hieronymus von Colloredo, modèle d'autoritarisme borné, ne manquait cependant pas de goût pour la musique ; apparemment il ne manquait pas non plus de sadisme. Son adhésion aux idées des philosophes des Lumières et son désir de faire entrer le style profane à la cathédrale heurtaient l'auteur de la *Messe du couronnement* qui détestait Voltaire et resta toujours une synthèse de traditionalisme, notamment religieux, et de modernisme. Quitter à tout prix l'archevêque devint l'obsession du compositeur, mais sans fortune, recouvrer la liberté allait faire de lui un « demandeur d'emploi » qui devra refuser des postes prestigieux mais contraignants, ne lui laissant pas le loisir de composer, comme celui d'organiste de la chapelle royale de Versailles qu'on lui offrit en 1778.

Sans vanité aucune mais conscient de ses capacités et du rang qui lui était dû, Mozart ne supporta jamais d'être humilié ; dans une lettre à son père, il s'offusqua d'être placé à table avec les domestiques quand il fut reçu dans la demeure viennoise de Colloredo en 1778, mais, tout de même, précise-t-il, « avant les cuisiniers ».

Nullement calculateur ni cabotin, il ne craignait pas de remettre les gens à leur place avec un trait d'esprit bien envoyé ; malheureusement, de cette façon, on ne se fait pas que des amis. À un collègue prétentieux qui critiquait devant lui Joseph Haydn, il répondit : « Même en additionnant votre talent et le mien, on n'aurait pas réussi à faire aussi bien que lui. » S'il n'était ni flatteur ni intrigant, il ne fut jamais très diplomate non plus, ni même simplement « prudent », ce qui n'altérait pas, comme le note Einstein, sa clairvoyance. À Paris, il s'aperçut vite que le baron Grimm était un roublard qui ne l'aiderait qu'avec des belles paroles et les portraits qu'il a laissés de certains de ses contemporains révèlent des dons d'observation qui évoquent La Bruyère.

L'écrivain américain Saul Bellow ouvre son recueil d'essais *Tout compte fait* par un texte pétillant d'intelligence, intitulé tout naturellement *Mozart : une ouverture* puisqu'il vient juste après la préface. Dans cet ensemble de réflexions, la mobilité est présentée comme un trait caractéristique de la personnalité du musicien, ce que confirment d'autres musicologues. Onze fois en dix ans, selon Einstein, Mozart et sa famille ont changé de logement ; quant au nombre de lieux parcourus en voyage, ils sont incommensurables. Nous avons déjà mentionné l'agitation constante de Mozart. Nissen le décrit ne tenant pas en place, allant et venant sans cesse, jouant de ses mains en toutes circonstances. Peut-être cette mobilité lui fut-elle un état nécessaire pour composer, c'est-à-dire pour élaborer mentalement ses œuvres qu'il n'avait plus qu'à recopier à sa table de travail. Un autre aspect psychologique est son caractère fantasque, imprévisible et changeant qui s'inscrit dans son besoin irrésistible de bouger.

On a beaucoup écrit sur les difficultés financières de Wolfgang et de Constanze, accusant celle-ci d'être mauvaise ménagère et dépensière. Les musicologues ne sont généralement pas tendres à son égard, Einstein par exemple ne se prive pas de lui décocher des flèches empoisonnées sans beaucoup les justifier. Au sujet des finances du couple, Andrew Steptoe (*in* Landon) apporte des précisions intéressantes. À l'inverse de son père qui avait un salaire fixe comme vice-maître de chapelle, Wolfgang ne recevait pas de revenus réguliers, il les tirait de diverses sources occasionnelles : leçons, concerts privés par souscription, édition et vente de ses œuvres. Les principales rentrées étaient fournies par les créations d'opéras, mais dans le monde des directeurs de théâtre, des librettistes, des acteurs, on imagine que Mozart ne devait pas être sinon un bon commerçant, du moins un homme d'affaires avisé. À partir de 1787, néanmoins, il obtiendra un poste de « musicien de la chambre impériale » qui lui procura un traitement fixe. Les dépenses du couple étaient sans doute importantes, étant obligés à un certain train de vie pour « recevoir » la société à la mode de la capitale impériale et leurs amis. Mozart dormait peu, il aimait les divertissements nocturnes et la danse. Pour faire face à ces dépenses, il fallait emprunter, si bien qu'à la mort de son mari, Constanze eut des dettes à rembourser. Elle se révéla efficace, digne et intelligente malgré son chagrin et son désarroi qui étaient réels.

Saul Bellow était à l'évidence entiché de « l'homme Mozart ». Après avoir analysé son caractère, il renonce à en trouver une explication. « L'énigme de son caractère, écrit-il, nous dépasse. Elle se dissimule derrière sa musique, et nous n'en atteindrons jamais le fond. » Quelques faits me semblent devoir être rappelés pour tenter de percer ce mystère. Quand Bellow dit que le caractère de Mozart se dissimule derrière sa musique il veut dire sans doute que la musique occupait en permanence sa conscience et que c'est en l'interrogeant que l'on connaîtra la vraie personnalité du musicien. Permettez-moi de reproduire cette lettre charmante qu'il adressa à son père en 1777 pour sa fête :

Papa chéri

Je ne sais pas écrire en vers : je ne suis pas poète. Je ne puis distribuer les phrases assez artistiquement pour leur faire produire des ombres et des lumières : je ne suis pas peintre. Je ne puis non plus exprimer par des signes et une pantomime mes sentiments et mes pensées : je ne suis pas danseur, mais je le puis par des sons : je suis musicien. Demain donc pour votre fête autant que pour votre jour de naissance, je vous jouerai tout un compliment sur le piano chez les Cannabich.

Quand il n'avait pas la plume à la main, Mozart entendait comme s'il les percevait réellement (phénomène dont sont coutumiers beaucoup de musiciens) des thèmes et des harmonies, des rythmes et des timbres, qui allaient devenir le matériau d'une nouvelle œuvre. C'est la raison pour laquelle son biographe Niemetschek (rapporté par Prod'homme) notait : « Le regard semblait vague et perdu, sauf quand il était seul devant le clavecin, alors son visage se métamorphosait ! Grave et recueilli, ses yeux étaient calmes… » Penser à autre chose qu'à de la musique devenait pour lui une sorte de distraction, ce qui nous renvoie à l'une des hypothèses de l'histoire du malin génie. Nous connaissons tous des artistes, des chercheurs scientifiques, des philosophes, des religieux occupés exclusivement par leur monde intérieur qui se comportent de façon gauche et comme en retrait dans le milieu où ils vivent réellement.

Un fait non moins important à prendre en considération dans l'explication de son caractère est la façon dont se déroulèrent l'enfance et l'adolescence de Mozart. Il fut véritablement un « produit de serre ». Ce n'est qu'à l'âge de vingt-deux ans qu'il fera son premier voyage sans son père, accompagné de sa mère il est vrai, voyage dramatique puisqu'il rentrera seul à Salzbourg ; Anna-Maria mourut à Paris le 3 juillet 1778, voyage bien décevant sur le plan professionnel. Jean et Brigitte Massin ne trouvent pas que des excuses au compositeur ; il ne savait pas frapper aux bonnes portes et faisait souvent confiance à des gens sans grande envergure, soulignent-ils, passant à côté de figures marquantes de la capitale comme Beaumarchais ou Diderot. « L'effet de serre » explique que

Mozart ait été si peu débrouillard. Mais avant ? Avant, son existence vagabonde sous l'entière dépendance de son père fut sans doute l'élément qui façonna le plus sa personnalité. Se déplaçant sans arrêt, l'enfant prodige prit le goût de la mobilité des changements constants, des nouveaux visages, s'intéressant d'ailleurs plus aux hommes qu'aux paysages ou aux œuvres d'art. Véritable conditionnement que ses voyages multiples ou chaque exhibition musicale, chaque prouesse du jeune artiste étaient récompensées par des cadeaux, des baisers et les caresses des grandes dames dans leurs atours parfumés. Il y a plus : à l'inverse de jeunes virtuoses prodiges (comme Menuhin enfant) qui interprétaient les œuvres des autres dans les grandes capitales, Wolfgang faisait applaudir les siennes. Comment, rentré à Salzbourg, aurait-il pu, à vingt-deux ans, se satisfaire d'un poste sédentaire assez médiocre ? Tous ses biographes insistent sur l'extrême docilité de Wolfgang, son caractère enjoué, vif et sa tendresse pour son père, mais si Leopold a été le seul enseignant de son fils (en mettant à part le padre Martini de Bologne) aussi bien pour la musique que pour les humanités, les mathématiques, les langues, les arts, il réussit moins bien à lui apprendre « les choses de la vie, sauf à l'accabler de lettres un peu ronchonnantes, dont le jeune homme finit sans doute par se lasser, d'autant plus que Mozart père devenait de plus en plus rigide avec l'âge. Je rejoins volontiers Einstein quand il écrit : « On comprend qu'un homme qui s'est vu si longtemps refuser toute indépendance, toute initiative, toute "action personnelle", qui vit tout entier dans l'univers musical de son imagination, commette toutes les sottises possibles le jour où la bride paternelle se trouve rompue. » Même si le mot « sottises » est un peu fort (j'ignore quel mot allemand il traduit), Einstein aurait pu dire : « vive selon son bon plaisir, quand il se retrouve en cage dans le petit monde fermé de Salzbourg ».

NON À LA DICHOTOMIE

Toutes ces arguties ne concernent que le caractère de Mozart, sa personnalité, son profil affectif, son humeur, son comportement, mais nous éloignent du vrai sujet de notre chapitre qui est de savoir si l'intelligence *est une* ou bien si Mozart représente un exemple d'intelligence dissociée. Il devient évident que lorsqu'on a parlé de « dichotomie » chez Mozart on a fait complètement fausse route, en assimilant une liberté et une insouciance « dans le monde » à un esprit vulgaire, presque à un débile mental ! Beaucoup de faits attestent au contraire de l'intelligence vive, de la culture et de la finesse d'esprit du compositeur. La surabondante correspondance de Wolfgang et de Leopold en témoigne, l'un et l'autre avaient des dons épistolaires certains, un style vivant et incisif. Mozart lisait-il et que lisait-il ? John Stone dans un chapitre documenté du livre de Landon nous donne une liste des livres que le musicien possédait dans sa bibliothèque et qu'il avait lus : les *Mille et une nuits*, l'Arioste, Molière, Shakespeare, Métastase, le *Télémaque* de Fénelon, Ovide, des ouvrages de contes de Wieland qui pourraient receler l'idée de *La Flûte enchantée*. À Salzbourg mais surtout à Vienne, il fréquentait passionnément le théâtre, il a vu *Hamlet*, peut-être *La Tempête, Macbeth*. Enfin, d'après Einstein, il a lu plus de mille livrets d'opéras et lui-même déclare avoir interrogé toute la musique qui a été composée avant lui. Homme cultivé, Mozart avait un goût particulier pour les récréations mathématiques. Quand il était enfant, il cherchait à introduire des rapports numériques dans la composition des menuets et demandait à sa sœur de lui en envoyer composés par Michel Haydn. Bien que catholique sincère, et pratiquant assidûment comme ses parents, Mozart entra dans une loge maçonnique en 1787, bientôt suivi par son père. Cette double appartenance religieuse n'était pas rare à l'époque. L'irréligion et le faste qui régnaient dans la cathédrale du prince évêque pouvaient en être la cause. Einstein y ajoute l'isolement dans lequel se trouvait le compositeur qui en raison de son esprit critique et de ses commentaires acides sur les œuvres de ses confrères n'avait que peu d'amis. On peut imaginer que Mozart vint chercher dans la franc-maçonnerie, à son retour de Paris, un idéal humaniste et une certaine consolation philosophique selon les idées des Lumières. Les nombreuses œuvres de circonstance au service de sa loge témoignent de son adhésion sincère à cet idéal, *La Flûte enchantée* en est le couronnement.

Si les aspects de la personnalité de Mozart sont multiples, il est exclu de parler chez lui de dichotomie, de dissociation, encore moins de personnalité multiple. Les créateurs médiatiques à l'affût du sensationnel ont eu au moins le mérite de raviver la question ! Mais en ce qui me concerne, je pense qu'ils doivent recevoir un démenti formel de l'image du personnage qu'ils ont présentée. Ne retenant que les manifestations sociales de son caractère tumultueux, pétulant et changeant et de ses trois ou quatre écrits d'un goût douteux, ils se sont comportés comme ces patients atteints d'un syndrome frontal qui dans l'incapacité d'appréhender l'ensemble des données s'attachent obstinément à un point particulier et ne peuvent s'en détacher sans tomber dans des redites stéréotypées !

L'intelligence musicale

Pourquoi existerait-il une différence entre l'intelligence qui s'exerce chez un chirurgien en train de réaliser une intervention délicate, un avocat qui sauve son client par une plaidoirie perspicace, un homme d'affaires talentueux qui accède à la possession d'un empire commercial, un garagiste qui décèle la panne de votre voiture et un artiste qui peut faire partager aux autres ses émotions visuelles ou sonores ou captiver un auditoire en incarnant un personnage sur une scène ? Les orientations, les spécialisations, les facettes des différentes formes d'intelligence existent certes du fait de l'éducation, de l'apprentissage, des motivations affectives ; elles sont peut-être dues également à la prédominance d'une fonction cérébrale, par exemple les fonctions auditive, visuelle, graphique, ou visuo-spatiales ; on pourrait en décrire à l'infini ! De telles prédominances sont-elles génétiques, aléatoires, ou bien liées aux « expériences répétées » de notre petite enfance qui, selon Squire et Kandel (1999-2001) et... Freud, laissent leurs traces dans la vie psychique, dans l'encéphale diraient les deux premiers ? Finalement, un consensus admet que « l'intelligence a la couleur qu'on lui donne » mais qu'il existe des processus intellectuels communs, qui sont à la base des activités de la vie psychique. Dans la *Critique de la raison pure,* Emmanuel Kant (1724-1804) postulait, il y a plus de deux siècles, qu'il existe une connaissance « indépendante de l'expérience et même de toutes les impressions des sens ». Il l'appelle *a priori* pour la distinguer de la connaissance empirique à qui il manque, dit-il, l'universalité absolue de la première.

Les plus intelligents (pourquoi le sont-ils ? cela est une autre question) réussiront également dans des domaines variés. Si l'on étudie une population homogène comme des étudiants en musique d'un conservatoire, il n'est pas impossible de comparer leurs performances aux examens scolaires de l'institution avec celles des tests neuropsychologiques de niveau. Maria Manturzewska (1994) a étudié les facteurs prédictifs de réussite dans les écoles de musique polonaises. Elle a trouvé des corrélations significatives entre les résultats des tests musicaux et les divers échelons de l'école de musique. « En règle générale, les bons musiciens ont des aptitudes musicales spécifiques de très haut niveau, mesurées par les tests d'aptitude musicale », ce qui en quelque sorte montre la validité de ces tests... Cependant, des résultats élevés dans ces tests sont parfois obtenus chez des gens qui ont des réalisations musicales très médiocres. En ce qui concerne l'intelligence générale, les recherches de l'auteur suggèrent qu'elle « joue un rôle important aussi bien dans les études musicales que dans les stades ultérieurs ». Le groupe des élèves médiocres a obtenu des scores nettement moins bons dans les tests d'intelligence que les étudiants les mieux classés. Les tests utilisés sont l'échelle de Wechsler et les *progressive matrices de Raven* (qui utilisent des compléments d'images et de formes). L'auteur conclut qu'« il est impossible de faire des études et une carrière musicale brillante sans une bonne intelligence générale », opinion qui semble corroborée par les faits : on ne connaît pas dans l'histoire de la musique de compositeurs ou d'interprètes brillants qui aient eu la réputation d'être des sots ; en revanche nous avons tous connu des intellectuels illustres absolument incultes en musique, ne pouvant ni reconnaître, ni identifier n'importe quel air très connu : « Je sais qu'on joue *La Marseillaise* parce que je vois tout le monde se lever », déclarait un grand humaniste, professeur d'université ! Deux remarques extraites de ce texte, en apparence anodines, méritent réflexion : les capacités perceptives pour les éléments constitutifs de la musique comme les hauteurs, les timbres, les durées, l'intensité, de même que la mémoire musicale semblent indépendantes des facultés cognitives de haut niveau, par ailleurs, certains enfants souffrant de retard mental peuvent obtenir des scores élevés aux tests d'aptitude musicale, comme s'il s'agissait d'une capacité préservée.

On peut se demander si la pratique de la musique ne développe pas elle-même les facultés intellectuelles, par l'entraînement mental que la lecture et l'exécution musicales requièrent, par le développement des capacités attentionnelles, par la nécessité d'une certaine maîtrise de ses émotions et de ses sentiments, par l'apprentissage de la mémoire.

Cette pratique met en jeu, comme nous l'avons déjà souligné, les deux hémisphères cérébraux et pas seulement, comme le fait le langage, le seul hémisphère dominant.

ESSAI D'ANALYSE DE L'INTELLIGENCE MUSICALE

Ainsi, selon notre expérience à la fois musicale et neuropsychologique, l'intelligence musicale est un concept extrêmement complexe dans lequel on peut distinguer plusieurs éléments : le premier est l'intelligence générale qui fait appel aux fonctions exécutives telles que nous les avons définies plus haut. Là, autant qu'ailleurs, qu'il s'agisse de la création ou de l'interprétation d'une œuvre musicale, l'intelligence générale est tournée vers l'action au service d'un but à réaliser. Tout ce que nous avons dit sur l'élaboration des programmes, l'appréciation de l'ensemble d'une situation aussi bien que des éléments qui la constituent s'applique à la musique. Elle n'échappe ni aux motivations, ni aux contraintes sociales, ni à l'environnement ni à aucun élément à la base de la créativité.

À côté de cette intelligence générale, il existe incontestablement des éléments spécifiques d'une « intelligence musicale » dont nous proposons un classement hiérarchique : a) un niveau perceptif qui se traduit par des bonnes capacités d'analyse des qualités des sons, b) un niveau de représentation dans la conscience des images sonores sans la nécessité de recourir à l'aide d'un instrument, c) des capacités de garder en mémoire cette représentation, qualité fondamentale, éminemment utile aux compositeurs, qui manque parfois aux simples improvisateurs, d) des capacités de discerner à l'audition la structure de l'œuvre et des parties qui la composent. À côté de ces capacités qui concernent la perception, nous trouvons : e) la possibilité de reproduire à la suite d'un apprentissage ou sans préparation un fragment musical à l'aide d'un instrument ou de la voix, f) la possibilité de créer un objet musical, d'en avoir l'image en soi, de l'organiser en une œuvre, originale par la place qu'elle occupe dans l'histoire de la musique. On peut résumer en disant que ce qui constitue spécifiquement l'intelligence musicale provient de « l'hypertrophie dans sa conscience du monde personnel des sons », aussi bien de leur perception, de leur représentation, de leur mémoire, de leur reproduction, que de leur création.

Les termes de talents, de dons sont utilisés pour désigner le niveau élevé, voire exceptionnel de toutes ces capacités. Beaucoup d'auteurs ont cherché à percer leurs mystères que recouvrent les mots « compétence exceptionnelle, excellence ». Si le don est nécessaire au talent, il peut aussi rester négligé. On rencontre souvent des personnes très douées qui n'ont pas exploité leur don, par exemple qui sont capables d'improviser des airs de variétés ou d'accompagner un chanteur sans jamais avoir consacré un peu de temps à apprendre à lire la musique. À l'inverse, le talent résulte de la mise en œuvre de tous les moyens techniques et affectifs pour réussir à se produire en public. C'est sinon un statut social, du moins une qualité sociale qui requiert une maîtrise de soi suffisante pour imposer à un groupe d'auditeurs grâce à ses compétences techniques son style personnel.

Le test de Seashore est destiné à explorer les capacités musicales. D'origine américaine, il est peu utilisé en France. C.E. Seashore (1919, 1938) pense que le talent musical est une aptitude spécifique indépendante des autres facultés intellectuelles, ce que dément Mursell (1937) pour lequel le comportement musical dépend de toute la personnalité. Selon Manturzewska (1994), l'auteur du test « distingue cinq niveaux : aptitudes sensorielles, aptitudes de performances instrumentales et vocales, mémoire et imagination musicales, intelligence musicale sous les aspects de la compréhension et de la réflexion et enfin émotions musicales sur les plans de la réception et de l'expression ».

L'intelligence au bout des doigts : l'interprète

L'intelligence musicale ne se manifeste pas que dans la composition. Elle sous-tend d'autres domaines de l'art des sons : perception, représentation, mémoire, expression. De la même façon que la voix de l'acteur ne nous délivre pas qu'une simple lecture de son rôle, l'interprétation de la musique n'est pas que la reproduction d'un texte. L'interprète a sa place entre le compositeur et l'auditeur, à qui il doit présenter l'œuvre sous la forme la plus convaincante. C'est une sorte de ménage à trois dans lequel le créateur de l'œuvre est souvent un peu oublié. Marcel Proust a magnifiquement rappelé cette présence invisible dans son célèbre texte sur la sonate de Vinteuil. « Et la pensée de Swann se porta pour la première fois dans un élan de pitié et de tendresse vers ce Vinteuil, vers ce frère inconnu et sublime qui lui aussi avait dû tant souffrir ; qu'avait pu être sa vie ? Au fond de quelles douleurs avait-il puisé cette force de Dieu, cette puissance illimitée de créer ?... »

C'est de cette triple rencontre, dans ce creuset qu'est l'espace sonore, délimité par ces trois personnages : l'interprète, l'auteur, l'auditeur que va jaillir l'émotion esthétique, résultat d'une triple intentionnalité.

Le travail de l'interprète a pour but de faire naître dans l'espace sonore une relation émotionnelle à la fois générale et particulière, générale parce que l'interprète joue pour un groupe, particulière parce que chaque auditeur ressent subjectivement son émotion. Alain Rey nous rappelle qu'à l'époque de Montaigne, « interprète se dit de ce qui fait connaître ce qui est caché » et fournit une définition contemporaine : « l'interprète traduit *de façon personnelle* les intentions d'un auteur ». Les procédés qu'il utilise sont multiples et mettent en jeu des mécanismes neuropsychologiques spécifiques qui ont fait l'objet d'assez peu de travaux.

L'interprète propose un style, ce qui suppose un choix, mais que gouverne ce choix ? S'il existait des interprétations objectives, la question serait sans objet. Cette éventualité supposerait que le compositeur ait noté scrupuleusement toutes les indications nécessaires à la façon de traduire au mieux ses intentions. À l'époque de Mozart, l'habitude consistait à n'indiquer que le mouvement (allegro, andante, presto...) agrémenté parfois d'une petite recommandation en italien utilisant un code bien défini, comme *Moderato cantabile* pour reprendre le titre d'un roman de Marguerite Duras. Les romantiques ont été plus précis et plus prolixes, au fur et à mesure des années. Même si de multiples indications claires parsèment la musique contemporaine au sujet des intentions du compositeur, du tempo, des nuances, il est évident que les interprétations divergent considérablement d'un instrumentiste à l'autre. Je pense aux nombreux enregistrements des œuvres de Maurice Ravel. Combien Samson François et Vlado Perlemuter diffèrent, et pourtant quelles versions attachantes ils nous offrent l'un et l'autre ! La *Tribune des critiques de disques* animée dans l'après-guerre par Antoine Goléa, José Bruyr, Armand Panigel, excellait à faire saisir les subtilités qui séparaient des interprétations prestigieuses, différences qui visaient moins à flatter les goûts du public qu'à proposer un style. L'interprétation objective est un mythe. Mais alors, comment peut-elle être à la fois personnelle à chaque artiste tout en restant fidèle à l'auteur ? Il faut noter tout d'abord que, même si elle garde un noyau intangible, l'interprétation n'est pas immuable. L'acoustique de la salle, l'instrument, la densité du public peuvent amener des modifications de tempo ou de nuances afin de rendre l'œuvre la plus lisible et la plus émouvante possible. L'interprète est comme le grand couturier qui habillera une femme, selon la prescience qu'il a du résultat escompté, pas seulement pour que le public admire son habileté mais surtout pour, selon lui-même, réussir sa parure.

Nous arrivons maintenant à un point difficile : existe-t-il une « éthique de l'interprétation » ? Pour répondre à cette question, il faut distinguer deux catégories d'œuvres, distinction qui ne se fonde pas que sur des considérations historiques. Certaines œuvres peuvent être considérées comme « figuratives », en ce sens qu'elles répondent à une intention clairement affirmée de l'auteur ; dans d'autres au contraire, une telle intention n'apparaît pas, on pourrait les considérer *a priori* comme abstraites. Sans aller jusqu'à la musique à programme, si apprécié dans les poèmes symphoniques du XIXe siècle, depuis Beethoven exposer ses états d'âme au public devint à la mode. Même en dehors des lieder et de l'art vocal en général, un titre évocateur, parfois dû à une plume anonyme *a posteriori*, peut inviter l'auditeur à imaginer ce que le créateur de l'œuvre a ressenti dans les mêmes circonstances. Chopin, Schumann, Berlioz et de nombreux autres nous prennent par la main et nous demandent de les suivre dans un parcours initiatique pas toujours réjouissant. Ce que l'on est censé admirer, c'est l'art de la suggestion, voire de l'imitation, même si l'objet dépeint ne nous plaît pas. Celui qui n'aime ni la campagne ni les abords des cours d'eau, qu'il trouve toujours boueux et glissants, doit quand même être ému par ce qu'a ressenti Beethoven dans « La scène au bord du ruisseau ». Un sens trop explicite risque de diminuer l'intérêt par ce qu'il ne laisse plus rien à l'imagination de l'auditeur sauf à celui qui en est totalement dépourvu, fait tout de même rare. Si la réussite de l'imitation devient le seul intérêt esthétique, l'admiration se limite au procédé. Je pense aux multiples « fileuses », aux « cloches » de tel ou tel endroit. Dans cette première catégorie d'œuvres, le sens est explicite, parfois trop ; le travail de l'interprète est clairement défini mais son apport personnel n'est pas très important.

À la seconde catégorie d'œuvres appartient toute la musique classique avant Beethoven, encore qu'il faille distinguer l'art vocal adapté à l'illustration musicale d'un texte théâtral, religieux ou poétique et la musique instrumentale que l'on peut considérer à première vue comme abstraite, dans la mesure où elle n'affiche pas d'autre intention précise que formelle, en tout cas jamais celle d'exprimer explicitement l'état psychologique de son créateur, ce qui à l'époque de Mozart aurait paru inconvenant. Quel sens l'interprète va-t-il pouvoir donner à l'œuvre qu'il doit défendre ? S'il se contente de n'en point donner d'autre que la perfection technique, ce manque de sens sera vite perçu par l'auditoire et fera bientôt place à l'ennui. Par sa culture, ses recherches, la tradition vivifiée, par ses goûts personnels, l'interprète va assigner à l'œuvre un sens implicite. Dans un moule prédéfini comme la forme sonate, le compositeur classique a pu infuser, non pas de manière explicite comme les Romantiques, mais implicitement, souvent même à son insu, ses propres émotions. C'est à l'interprète de retrouver un sens à cette musique et de susciter chez l'auditeur une émotion et le pouvoir de découvrir, derrière les notes, des intentions. L'interprète donne sens, à l'auditeur d'en trouver un : état de grâce si les émotions des trois personnages se rejoignent !

Il ne faut pas se méprendre sur ce qu'on entend par « sens », ce n'est pas nécessairement l'évocation d'épisodes, de paysages, d'actions humaines, d'ambiances. En un mot, il ne s'agit pas obligatoirement d'un sens descriptif. La musique de Mozart recèle souvent une très intense charge affective ; qu'on se rappelle la dramatique *Sonate en la mineur* écrite à Paris en 1778 au moment de la mort de sa mère ; mais un épanchement si clairement lisible, si évident n'est pas habituel chez le compositeur. Lorsqu'il joue des œuvres des XVIIe et XVIIIe siècles, l'interprète se tourne plutôt vers des objectifs formels comme de souligner l'expression de la clarté et de simplicité (ce que l'on ressent en écoutant la *Sonate*, dite facile, *en ut majeur*), ou celle d'une opposition de thèmes dramatiques et sereins (telle qu'on la trouvera dans la *Fantaisie en ut mineur* pour piano). Le sens proposé résultera alors « d'une lecture entre les lignes » de l'œuvre à la recherche de ce qu'a voulu dire le compositeur, du style de l'époque, de l'histoire de l'œuvre. Suffisamment d'arguments démontrent la nécessité d'une réflexion approfondie sur la partition, tout aussi importante que la perfection technique sans faille. La beauté de l'interprétation est le fruit d'une profonde intelligence de l'œuvre.

Même s'il n'a pas été le plus novateur des musiciens, le génie de Mozart est sans conteste le plus universel non seulement par l'importance de sa production mais plus encore par la multitude des genres dans lesquels il a excellé, qu'il s'agisse de musique vocale ou instrumentale, de musique profane ou religieuse. L'intelligence musicale trouve en lui sa figure emblématique.

Essayons de retenir les aspects les plus significatifs de l'intelligence musicale de Mozart.

D'un point de vue cognitif, nous avons déjà insisté sur deux facteurs importants dans l'épanouissement du génie de Mozart, son extraordinaire mémoire musicale à laquelle nous avons consacré notre premier chapitre et ses capacités hors du commun à se représenter mentalement la musique sans l'aide d'un instrument. Une démarche difficile à classer, ni cognitiviste ni vraiment musicologique, devra s'attarder maintenant sur l'extraordinaire impression de vie que Mozart a insufflée dans sa musique. Plus que tout autre compositeur, il apporte une vivacité, une allégresse, une variété de rythmes et de timbres, d'oppositions et de diversité dans les mélodies qui semblent épouser tous les changements perceptifs, affectifs et idéatoires qui se succèdent dans la conscience de l'homme. Le miracle tient à la simplicité des moyens employés, clé indiscutable de leur efficacité. C'est en entendant l'orchestre dirigé par Joseph Krips que j'avais le mieux pris conscience du caractère constamment changeant de cette musique et quel effet « physiologique » elle pouvait créer chez l'auditeur, le stimulant et le remettant en question sans arrêt. Malheur à l'interprète timoré ou sans imagination aux prises avec une

UNE PENSÉE À JUSTINE SERGENT

La capacité d'exprimer la musique est inégalement répartie. Peu d'études neuropsychologiques lui ont été consacrées. Justine Sergent *et al.* (1992) ont étudié par la caméra à positons chez des sujets normaux, ayant subi une éducation musicale, le déchiffrage d'un texte musical non familier et son exécution sur le clavier par la main droite. Elle a constaté l'activation de nombreuses aires corticales siégeant dans les deux hémisphères cérébraux que l'on peut résumer ainsi : la tâche qui s'avère complexe a été décomposée par soustraction. L'exécution d'une gamme par la main droite active dans l'hémisphère controlatéral le cortex moteur et prémoteur de la main droite. La simple écoute de la gamme active les aires auditives secondaires des deux côtés et le gyrus temporal supérieur droit. L'écoute d'un air musical active en outre le gyrus temporal supérieur gauche ; la lecture d'une partition active les aires visuelles extra-striées droite et gauche sans activation des régions impliquées dans la lecture des mots écrits (lobules lingual et fusiforme) ; en revanche l'activation des aires occipito-pariétales appartenant au système visuel dorsal est compatible avec le fait que la lecture de la musique fait plus appel à la disposition spatiale générale des signes sur la portée qu'à leur analyse symbolique. L'association écoute et lecture de la partition déclenche une activation différente de celle provoquée par celle d'un texte verbal lu. Elle se fait dans les régions pariétales inférieures droite et gauche.

Qu'ajoute aux données précédentes l'exécution par la main droite de la partition déchiffrée ? Une activation du lobe pariétal supérieur à droite et à gauche, du cortex frontal prémoteur gauche, du cortex frontal inférieur juste en avant de l'aire de Broca, sièges de réseaux neuronaux qui organisent dans le temps et dans l'espace les mouvements de la main et des doigts. Comme le fait remarquer Jean Cambier, il ne s'agit là que d'activations contribuant à la composante technique de l'expression musicale sans préjuger de l'émotion mise en jeu ni de l'explication du talent.

œuvre de Mozart, il ne distillera que de l'ennui. Cette musique est sans conteste la plus « dynamogénique » qui soit. Leopold avait enseigné à Wolfgang l'art du *filo*, c'est-à-dire le sens de la fluence, de la continuité. Il a fort bien réussi dans son effort pédagogique. La force intérieure de la musique de Mozart ne procède pas par à-coups, elle se propage tout au long de l'œuvre qu'elle sous-tend comme une force vitale continue, comme le courant ininterrompu de la conscience que William James en son temps comparait au ruisseau qui coule. Le père apprit au fils tout ce qu'il devait savoir pour devenir le meilleur pianiste de son temps, ce qu'il fut effectivement, et aussi le meilleur compositeur, comme l'a affirmé Joseph Haydn.

Alfred Einstein fait remarquer qu'un seul domaine échappa à l'enseignement du papa : l'art vocal. Quand on voit à quel niveau d'excellence Mozart s'éleva dans l'opéra, sans avoir jamais appris à en composer, on reste confondu. Tout le monde sait qu'il a démontré de façon éclatante son génie musical dans ses œuvres lyriques, mais, il y a plus, il s'est révélé un homme de théâtre accompli, comme si la mise en scène avait été son métier, ce qui a fait dire qu'il avait le sens inné du théâtre. J. et B. Massin ont laissé des remarques très pertinentes sur l'humour musical utilisé par Mozart. Dans *Le Mariage de Figaro*, par exemple, au lieu de mettre dans la bouche de Figaro, qui vient d'apprendre les visées de son maître sur sa future femme Susanna, les propos acerbes à connotation philosophique de Beaumarchais, que l'Empereur, quoique bonhomme, n'aurait pas acceptés, il fait chanter à l'acteur une cavatine en forme de menuet (acte I, scène 2), cadeau bien plus assassin du domestique roturier au dévoyé comte Almaviva qu'un réquisitoire pré-révolutionnaire dont Mozart n'a que faire. La portée du style de « moquerie enjouée » de la cavatine est beaucoup plus forte que les mots ; on y sent monter la fureur, d'abord contenue sous l'ironie dans les trois temps calmes du menuet qui font place bientôt à des imprécations combatives.

Comme disent les Massin : « Impossible en entendant la cavatine de Figaro de ne pas songer aux accents prochains de *La Carmagnole* » (p. 1019). Hocquard a donné, d'autre part, de nombreux exemples du style « thématico-scénique » du compositeur dans son dernier ouvrage, *Mozart ou la voix du comique*, auquel nous renvoyons.

CONCLUSION

L'intelligence musicale est l'ensemble des capacités cognitives mises en jeu dans l'art musical pour pouvoir mener à bien « une démarche musicale » : écoute, représentation interne, lecture, interprétation ou création de la musique.

Il n'est, à ma connaissance, pas possible de prouver sa transmission génétique. En revanche, il est indéniable qu'elle est le fruit d'un long apprentissage, ayant débuté dans la petite enfance et d'un environnement éducatif et affectif favorable. Mozart en est l'exemple emblématique : s'il fut sans doute le musicien le plus doué, il fut également le plus entouré, le plus choyé, le mieux éduqué dans son art.

L'intelligence musicale comprend deux domaines. Le premier est d'ordre acoustique et compte tout ce qui a trait aux sons ; avoir une très bonne oreille relative ou absolue ; savoir discriminer de très minimes différences entre des timbres ou des hauteurs de sons, des nuances d'intensité, constituent des exemples de ce domaine. Le second concerne la composition musicale, une des grandes formes de la création artistique. La découverte des soi-disant « fonctions exécutives » a permis de mieux comprendre les mécanismes de la création musicale. Ces fonctions, qui appartiennent à l'intelligence générale, peuvent d'ailleurs être considérées comme le support psycho-physiologique de toutes les sortes de création volontaire élaborée. Comme nous l'avons vu, elles comprennent les motivations, l'élaboration d'un plan d'action, la planification de son exécution, son contrôle permanent par un mécanisme de *feed-back*. Ces fonctions sont dévolues au cortex préfrontal bilatéralement. J'attribuerais volontiers à la même localisation des « qualités psychologiques » proches des fonctions exécutives comme l'attention, l'élimination des distracteurs, la ténacité, la dynamique nécessaire à l'effort de création (rappelons-nous la mention faite par Mozart de la fatigue que lui avait causée la composition des quatuors dédiés à Joseph Haydn). Avant de créer une œuvre, le compositeur va en avoir une représentation architecturale, sous-tendue par des activations du cortex pariétal et pariéto-occipitales dont dépend le traitement des informations spatiales, visuelles et praxiques (construction dans l'espace et réalisation de gestes). Nous ne reviendrons pas sur le rôle fondamental de la mémoire dans ces opérations dont il a été beaucoup question.

L'intelligence musicale apporte tout ce qu'il faut pour atteindre le niveau d'expert dans l'art musical. Si ces experts sont également des artistes, il s'y ajoute autre chose plus difficile encore à analyser, surtout chez ceux que leurs semblables considèrent comme des génies, ce que nous discuterons dans notre dernier chapitre.

L'intelligence musicale n'a aucune raison de s'exercer aux dépens d'autres secteurs de l'intelligence. Beaucoup de grands musiciens d'ailleurs l'ont démontré, en bénéficiant d'autres dons ou talents : J.-S. Bach était professeur de latin, Borodine chimiste, Rimsky-Korsakov ainsi qu'Albert Roussel officiers de marine, Wagner écrivait lui-même ses livrets et dessinait ses décors, Mendelssohn peignait et écrivait des vers, Weber était lithographe, et de nos jours, Xénakis avait une solide culture mathématique ; il en est de même de Boulez. L'intelligence musicale est une sorte d'intelligence spécialisée parce qu'un secteur a été privilégié très tôt par l'éducation et l'environnement. La musique représente, par l'étendue des aires cérébrales activées et la collaboration nécessaire des deux hémisphères cérébraux, une expérience neuro-psychologique privilégiée.

Rien ne permet de parler de dichotomie ou de dissociation de l'intelligence chez Mozart. Ceux qui ont employé ces termes ont confondu d'une part l'aspect social de sa personnalité, sa façon de vivre, son affectivité, son caractère, et d'autre part ses capacités intellectuelles. On peut dire que Mozart ne représentait ni une personnalité multiple ni un exemple de moi morcelé. Il a donné, au contraire, l'image d'un homme profondément conscient de son identité et de son génie dont il n'a jamais douté.

CHAPITRE IV

Voir, percevoir, concevoir la musique

Ce chapitre a quelque chose à voir avec les sens, tout du moins les deux principaux : l'audition et la vision. Beaucoup d'êtres sensibles ont évoqué des souvenirs visuels à l'audition d'une page de musique ayant pour eux une valeur affective, chez d'autres la contemplation d'un grand espace ou d'une chaîne de montagne leur a rappelé telle symphonie ou tel choral. Ceci est d'observation courante. On a parlé de polysensorialité, d'audition colorée, mais il faudra attendre le dernier chapitre pour en connaître le mécanisme cérébral, qui ne va pas de soi. Il est nécessaire tout d'abord de comprendre que langage verbal et musique ne sont pas perçus de la même façon ni du point de vue neuropsychologique ni du point de vue physiologique. La composition musicale elle-même requiert une imagerie auditive et visuelle, si bien qu'il est difficile de séparer ces fonctions de perception et de conception sensorielles qui ne sont pas unies que par le suffixe voir.

Voir la musique

LE CLAVECIN OCULAIRE DU PÈRE CASTEL

Il y a, dans la petite histoire des inventeurs, des projets de curieuses machines qui font se demander si elles sont le fruit d'un génie méconnu, d'un doux farfelu, émule d'Alphonse Allais, ou d'un petit inventeur incompris auquel on finira bien par rendre justice. Il est plaisant de voir que le personnage de l'obscur inventeur a de tout temps trouvé une place dans la littérature. Les Encyclopédistes, avides de tout expliquer en termes de mécanique, n'y ont pas échappé. Voici un aperçu du Musée imaginaire des machines à faire de la musique sans sons qui proposent d'utiliser les couleurs ou même d'autres sensations.

Le père Castel (1688-1757) a laissé son nom à l'invention d'un « clavecin oculaire ». Cet instrument fut-il jamais construit ? Il est permis d'en douter. Parmi les innombrables points d'intérêt de ce jésuite toulousain, et Dieu sait s'il en eut ! un sujet occupa son esprit toute sa vie : le clavecin des couleurs ou clavecin oculaire. Son but était de « rendre *visible* le son », c'est-à-dire de peindre réellement les sons et la musique, avec leurs propres couleurs, « de manière qu'un sourd puisse jouir et juger de la beauté d'une musique aussi bien que celui qui l'entend ». Comme le révèle l'article d'Anne-Marie Chouillet-Roche (1976), le révérend père ne manquait ni de talent épistolaire ni de persuasion, ni d'énergie, ni d'entregent. En 1726, il envoie au *Mercure de France* une longue série de propositions dont la 57e annonce que « le nouveau clavecin formera un spectacle brillant, riche, pompeux, magnifique » ; elle est surpassée encore par la 58e : « Que tout Paris ait des clavecins de couleurs au nombre de huit cent mille, on peut, sans se mettre beaucoup en frais d'invention et d'imagination, faire qu'il n'y en ait pas deux qui se ressemblent. » Grand bonimenteur et pourvu d'un bon carnet d'adresses, l'inventeur réussit à convaincre quelques personnages aussi nantis que crédules de lui adresser des sommes rondelettes pour mener à bien son grand œuvre. Teleman se laissa-t-il abuser quand il décrivit l'instrument vu par lui à Paris en 1737 ? En revanche, Diderot le démolit prestissimo, le qualifiant de « brame noir, fort original, moitié sensé, moitié fou... qui prétendait exécuter pour les yeux une sonate, un allegro ». Rousseau dit de lui : « Le père Castel était fou mais bonhomme, au demeurant... » ; quant à Voltaire, il pense qu'il « était aux petites maisons » (c'est-à-dire chez les fous) quant il fit son ouvrage sur les couleurs. Il n'empêche : s'attirer la vindicte de trois auteurs aussi célèbres signifie que l'inventeur du clavecin oculaire avait développé suffisamment de talent pour se faire un nom dans le petit monde des savants et des philosophes de son temps. Que reste-t-il aujourd'hui de toute cette histoire ? Assurément la personnalité du père Castel était assez particulière. Les termes de mégalomane, fabulateur viennent tout de suite à l'esprit. Cependant, dans tout ce fatras pseudo-scientifique, plusieurs idées novatrices surnagent. Le clavecin oculaire en tant que machine n'est qu'un « gadget » : adapter sur un clavier habituel une série de présentations colorées dont chacune correspond à une note définie. Sans doute le père Castel a-t-il échoué devant des difficultés techniques qu'aurait pu surmonter n'importe quel facteur d'orgues ou de clavecins ingénieux. La question est tout autre : comment, sur quelles bases scientifiques établir la correspondance entre des sons et des couleurs, et dans ce domaine, on ne peut pas dire que le religieux ait échoué. Même si elle est discutable, sa théorie ne manque pas de cohérence. Partant des trois couleurs fondamentales (qu'il appelle *primitives*) bleu, jaune, rouge, Castel les fait correspondre aux trois degrés de l'accord parfait. Il en fait dériver des couleurs « sous-primitives », correspondant aux autres degrés de la gamme, et prévoit, en introduisant le noir, de moduler les teintes du plus foncé au plus clair jusqu'à atteindre le chiffre de cent quarante quatre variétés. L'utilisation de verres colorés éclairés devait permettre des combinaisons variées de couleurs.

L'idée d'adapter une source de stimulations autres que sonores à un clavier a fait son chemin. Si Huysmans est surtout connu comme l'auteur des *Cathédrales*, il laissa son nom à un curieux roman : *À rebours*, qui dépeint un personnage « décadent » passionné par la réalisation d'un orgue à bouche capable de faire naître et se mélanger des gammes de saveurs subtiles.

Oserais-je parler dans un livre sérieux d'un instrument pas sérieux du tout : l'orgue à chats, composé de boîtes juxtaposées enfermant chacune un chat ? Un trou percé sur la façade livre passage à la queue du malheureux animal. En tirant simultanément ou successivement sur ces appendices respectifs, on fait entendre soit des notes soit, pourquoi pas ? une mélodie voire même des accords. Cette invention diabolique, qui ne peut être due qu'à Alphonse Allais, eut contre elle l'action de la SPA qui s'opposa à sa construction en série.

La liste des claviers à lumière qui ont vu le jour devrait suffire à établir la notoriété du père Castel comme celle d'un génial précurseur ! En fait, tous ces appareils aux noms pseudo-scientifiques ne sont pas passés à la postérité. « La Lichtmaschine de Moholy Nagy, l'Optophotoniuum de Baranov-Rossiné (1920) et de Hermann Goepfert (1926), le Colour Organ de Mary Hallock Greenwalt, le Musichrome de Hall, le Clavilux de Thomas Wilfred, la Console lumineuse de Betham, le Chromophonographe de Visconti di Modrone, le Musiscope (1960) de Nicolas Schöffer, qui permet d'obtenir à volonté sur un écran différentes images colorées, de les combiner, de faire varier leur intensité lumineuse, de ralentir ou d'accélérer leur déroulement temporel », nous valent cette conclusion pleine de promesses de Kelkel (1999) : « pour pouvoir réaliser une véritable synchronie entre la partition et les projections de couleurs, il fallut attendre des microprocesseurs » et cependant, venus au secours du Prométhée de

Scriabine à Anvers en 1988, l'effet dit Kelkel, qui était présent, fut aussi discutable que productif.

L'AUDITION COLORÉE

Le phénomène appelé en anglais *coloured-hearing* appartient aux synesthesies. Le préfixe grec *syn* signifie *avec* quant à la racine *esthesie*, elle se rapporte à une sensation. Une synesthésie (ou synaesthésie) est l'association à une sensation d'une sensation supplémentaire dans une autre catégorie sensorielle. Voilà la définition qu'en donne Alain Rey : « phénomène par lequel une sensation objectivement perçue s'accompagne de sensations supplémentaires, dans une région du corps différente de celle qui a été excitée ou dans un domaine sensoriel différent ». On a rapporté des synesthésies olfacto-visuelles ou gustativo-somesthésiques. « Quand je suce un bonbon à la menthe, la sensation descend dans mon bras jusqu'au bout des doigts et je perçois la forme, le poids, la texture, la température d'un objet » (cité par Cambier, 1998). La sensation auditive peut « évoquer » une sensation visuelle, colorée ou non. Ce phénomène aussi curieux que rare peut s'observer soit après une lésion cérébrale nous n'en connaissons qu'un seul cas que nous avons rapporté devant la Société française de neurologie en novembre 1996 –, soit dans le contexte d'une rarissime particularité génétique, soit enfin de façon sporadique, éventualité la plus fréquente dont nous parlerons surtout ici.

Une curieuse anomalie sensorielle a été décrite par Paulescu *et al.* (1995) chez six sujets de sexe féminin, indemnes de toute maladie décelable, chez qui l'audition de certains mots déclenchait l'hallucination visuelle de leur image graphique en lettres capitales et en couleurs. En revanche, la lecture, pas plus que l'audition de sons autres que le langage ne provoquaient de synesthésies. En 1987, Baron-Cohen avait employé le terme de « lexique chromatique » à propos d'un cas personnel rapporté. Comme on peut l'imaginer, un phénomène aussi extraordinaire a donné lieu à de multiples investigations dont les plus intéressantes sont les activations du débit sanguin cérébral, provoquées par les synesthésies chez les synesthètes. Elles ne provoquent pas d'activation dans les aires visuelles primaires V1 ni dans les aires V2 et V4 mais dans les aires corticales temporales supérieure et moyenne impliquées dans le langage et dans les aires temporales postérieure et inférieure et pariéto-occipitale (fig. 4). Du côté droit, les synesthésies activent le cortex insulaire, temporal supérieur et préfrontal. On peut imaginer que chez ces sujets il existe un réseau particulier allant des aires de perception des images des mots aux aires des représentations visuelles des images des mots et des couleurs. L'aire 37 gauche, située à la partie inférieure de la face externe du lobe temporal (ou PIT), est concernée par cette fonction. En revanche, les aires visuelles proprement dites ne sont pas activées durant de telles synesthésies ; elles sont même sous-activées et, comme ainsi dire, court-circuitées par cette extraordinaire activation.

Le patient que nous avons pu observer personnellement, professeur d'université retraité âgé de quatre-vingts ans, fit un infarctus cérébral hémorragique dans le territoire de l'artère cérébrale postérieure gauche qui le priva de son champ visuel droit (hémianopsie) et de la possibilité de lire (alexie) ; l'évolution fut favorable mais après plusieurs mois, apparurent des synesthésies. Quand il allait faire des commissions, le nom de l'objet qu'il voulait acheter et qu'il se rappelait en le répétant lui apparaissait sous forme d'une hallucination visuelle en lettres capitales jaune-vert fluorescentes. Dans le magasin, il voyait ce nom reproduit à des centaines d'exemplaires ; ainsi, dans une librairie, tous les dos des livres en rayon portaient le titre *Pensées* de Pascal, ouvrage qu'il voulait acheter. La lecture ou la musique, qu'il pratiquait, n'ont jamais déclenché chez lui de synesthésies. L'imagerie cérébrale a montré que l'infarctus, centré sur la scissure calcarine, atteignait la face interne du lobe occipital, touchant le lobe lingual et la majeure partie du lobe fusiforme.

En termes d'aires cytoarchitectoniques, elle atteignait les aires 17, 18, 19 et l'aire 37 gauches. Cette dernière est considérée comme un centre probable de la représentation visuelle des lettres et des mots.

La question des synesthésies visuelles évoquées par la perception de sons, musicaux ou non, est beaucoup plus complexe. En effet, il est très fréquent que la musique fasse naître chez l'auditeur des représentations sensorielles, en particulier des images visuelles comme des scènes, des paysages ou bien encore des impressions de tranchant, d'anguleux, d'astral. On rapporte que certains compositeurs avaient des synesthésies, Scriabine et Olivier Messiaen par exemple. Doit-on parler dans ce cas de synesthésies alors que les phénomènes sensoriels expérimentés étaient fugaces, variables et de survenue récente ? Au contraire, les vraies synesthésies ont été « vécues » par le sujet toujours de la même façon depuis son enfance, elles lui sont devenues familières. C'est pourquoi Paulesu *et al.* font la distinction entre les synesthésies authentiques et les descriptions métaphoriques. Dans les premières ne manque jamais la croyance absolue en leur réalité au même titre que dans les hallucinations (définies comme des perceptions sans objet). Ils citent un patient de Luria (1968) qui depuis l'âge de quatre ans et peut-être même avant avait eu toujours le même phénomène visuel : la perception d'une même couleur quand il entendait un son spécifique. Henson (1977) dans *Music and the Brain* décrit des synesthésies non visuelles lors d'expériences musicales : « Des synesthésies sont souvent cutanées, des paresthésies variées sont ressenties à l'arrière du cou, descendant le long du rachis et parfois dans tout le tronc et les membres. Le stimulus est généralement une pièce musicale dont la charge affective est importante soit en elle-même soit du fait d'associations. » Ce qui est décrit là fait partie des manifestations subjectives de l'émotion, en particulier érotiques.

Dépassant l'usage de simples métaphores verbales, l'association couleurs et musique a souvent été tentée par des compositeurs ou des interprètes. Dans son *Prometheus, le poème du feu*, Scriabine utilisa un clavier à lumière dont les effets étaient notés (en notes musicales) sur la première portée, intitulée *luce*, de la partition, qui commence par les recommandations *lent, brumeux*, laissant présager quelques éclaircies hautes en couleurs. Selon Kelkel, l'œuvre reçut un accueil triomphal à Queen's Hall en 1913 mais, malgré les efforts du grand chef Koussevitsky, elle ne put jamais s'imposer, peut-être en raison des difficultés techniques des projections lumineuses. Cet accueil ne brisa pas l'élan du compositeur qui s'attaqua à un projet, interrompu par sa fin dramatique et prématurée, de musique totale faisant appel aux couleurs et aux odeurs. La conception d'une musique littéralement *universelle* n'évoque-t-elle pas la théorie des sphères et de l'harmonie du monde des anciens Grecs ?

Depuis la fin du XIXe siècle, plusieurs compositeurs se sont intéressés aux associations des sons et des couleurs. Nous remercions Madame Yvonne Loriod-Messiaen de nous avoir transmis oralement les renseignements suivants : Messiaen n'était pas un synesthète vrai ; en revanche, il avait des images internes de couleurs liées à certains sons musicaux et à certains accords. En attendant un des volumes non encore parus du *Traité des rythmes* qui sera consacré au rapport des sons musicaux et de la couleur, nous pouvons interroger les *Entretiens avec Messiaen* de Claude Samuel. Dans le premier entretien (p. 26), à Claude Samuel qui lui demandait : « Pour vous, musicien, la présence de la couleur dans la nature est donc aussi essentielle que celle du son ? », Messiaen fit cette réponse : « L'un et l'autre sont liés. Sans être atteint de synopsie (comme le fut mon ami le peintre Blanc-Gatti qui avait un dérèglement des nerfs optiques et auditifs, ce qui lui permettait de voir vraiment des couleurs et des formes quand il entendait de la musique), lorsque j'entends, ou lorsque je lis une partition en l'entendant intérieurement, je vois des couleurs correspondantes qui tournent, bougent, se mélangent, comme les sons tournent, bougent se mélangent, et en même temps qu'eux[1]... » La partition de « Couleurs de la cité céleste » comprend les indications des couleurs, mentionnées dans l'Apocalypse qui devront inspirer les interprètes selon les indications du chef d'orchestre.

Nous ne possédons pas d'autres renseignements sur les synesthésies du peintre Blanc-Gatti. À vrai dire, en dehors des synesthésies visuelles de mots qui ont été très bien étudiées, les autres types de « vision colorée » l'ont été beaucoup moins. Nous avons découvert par hasard un ouvrage de Suarez de Mendoza consacré à l'audition colorée qui, en 1899, date de sa seconde édition, rapportait huit cas originaux et analysait dix-sept cas publiés. Parmi eux, six sont dus au grand psychiatre suisse Eugène Bleuler dont le nom reste lié à la description de la schizophrénie. Suarez parle de « pseudophoto-esthésies » (au lieu de synesthésies) d'origine auditive, optique, tactile ou psychique. Il présente les observations de cinq patients, chez qui l'audition de certains mots ou de certaines lettres faisait apparaître ce mot ou cette lettre colorés dans le champ visuel ; beaucoup de ces sujets et d'autres déjà rapportés avaient des visions colorées à l'audition de certains sons musicaux. Il est remarquable que toutes les descriptions du phénomène qui ont été faites récemment figurent déjà dans cet ouvrage.

VOIR ET ENTENDRE LES PARTITIONS

Tout comme la calligraphie représente un art raffiné de présenter un message ou seulement de signer son nom, une page de musique bien présentée a une beauté en soi. Les images des groupes de notes, leurs courbes ascendantes ou descendantes ou parfois répétitives peuvent déjà donner un aperçu de la production sonore escomptée.

Il n'est pas donné à tout le monde d'entendre dans sa tête ce qu'on lit sur une partition, mais cela s'acquiert, grâce à un apprentissage du solfège et des dictées musicales. Ce n'est pas si extraordinaire que le croient les non-musiciens. Lire de la musique dans un train comme d'autres lisent un livre suscite toujours chez l'occupant du siège voisin surprise, regards furtifs et parfois même quelques questions. Pour un musicien entraîné, la lecture d'une partition produit la représentation sonore mentale de l'œuvre ; les chefs d'orchestre sont sans doute les musiciens les plus capables d'entendre mentalement toutes les combinaisons sonores possibles et même de localiser ces sons imaginaires dans l'espace comme s'ils dirigeaient cent musiciens ; quant au compositeur, en écrivant les notes sur ses portées, il entend de façon purement mentale non seulement la mélodie et les rythmes mais encore les accords, les nuances, les timbres, les effets orchestraux. À y bien réfléchir, langage verbal et musique, deux domaines si différents, ont au moins une analogie : deux canaux sensoriels distincts, auditif et visuel, vont permettre au message verbal comme au matériel musical d'accéder à la perception. La lecture d'un texte verbal de même que la lecture d'un texte musical font entendre intérieurement au sujet aussi bien le message verbal (ou l'œuvre littéraire) que l'œuvre musicale mais il existe une différence de taille : la lecture de la musique est réservée à un petit nombre de privilégiés qui ont eu le courage de l'apprendre, ils en seront largement récompensés. En revanche, pour un béotien le texte musical n'est qu'un signifiant sans signifié, il voit la musique mais ne l'entend pas.

Comme nous l'avons déjà souligné, la musique n'est pas un langage *stricto sensu*, c'est un quasi-langage. Elle transmet des émotions individuelles et collectives mais pas des messages explicites. Certes, elle utilise un système de notation graphique symbolique spécifique, mais elle peut aussi s'en passer : les musiques traditionnelles sont souvent purement orales et beaucoup de compositeurs de variétés très connus ne savent pas lire ni écrire les notes. Dans la notation musicale actuellement en usage, on distingue d'une part des symboles primaires qui ont des morphologies graphiques différentes selon leurs durées et des emplacements variés sur la portée selon leur hauteur tonale, d'autre part des attributs d'interprétation comme les nuances, notées par des signes spéciaux et des indications écrites en clair, en italien le plus souvent : *moderato cantabile, andante con moto, allegretto, presto*. Le début du XXe siècle a vu apparaître beaucoup d'indications rédigées par l'auteur dans sa propre langue qui ont même pris, sous la plume d'Éric Satie, des allures comiques ou même franchement surréalistes telle que la représentation musicale d'une pieuvre en train... de se marcher sur les pieds avec commentaires explicatifs ! Il faut ajouter la *mesure* que l'on peut lire au début du morceau sous forme d'une fraction chiffrée, et une série de symboles comme les clés, dièses, bémols, reprises, codas, liaisons, notes détachées, silences et soupirs. L'écriture musicale, du point de vue formel, est donc beaucoup plus complexe que l'écriture verbale puisqu'elle comprend, outre les notes : des chiffres, des indications écrites en toutes lettres et de très nombreux signes spécifiques qui appartiennent à la catégorie des pictogrammes.

Chez un de nos malades, clarinettiste professionnel droitier âgé de cinquante ans, rendu amusique à la suite d'un accident vasculaire cérébral temporal postérieur gauche, la lecture des notes était impossible alors que les attributs d'interprétation étaient relativement mieux lus à l'exclusion des indications verbales. Cette dissociation pose le problème de l'existence de plusieurs localisations corticales différentes de la lecture musicale. Notre patient reconnaissait immédiatement à l'audition les airs connus et en chantait d'autres à la demande sans erreurs mais sans pouvoir les chanter en donnant le nom des notes ; en revanche « en présence d'une partition musicale, il avait l'air égaré et était incapable de solfier, même *Au clair de la lune* ». Solfège et écriture musicale étaient impossibles (Lechevalier *et al.*, 1985). L'examen du langage verbal oral ne montrait aucune anomalie tant dans la compréhension que dans l'expression ; en revanche le patient ne pouvait ni lire ni écrire. L'alexie était donc verbale et musicale. Il existait une amputation de la moitié droite du champ visuel (hémianopsie) bien expliquée par le siège temporal gauche de la lésion.

Des quelques pages que nous avions consacrées aux alexies musicales en 1985, nous pouvions conclure que les observations d'alexie musicale sans aucune alexie verbale devaient être considérées avec prudence en raison de leur date très ancienne. Récemment, Midorikawa et Kawamura (2000) de Tokyo ont rapporté un cas d'agraphie avec alexie musicale pure sans amusie réceptive ni expressive ni aucun élément d'aphasie chez une pianiste de cinquante-trois ans ; la lésion incriminée occupait la partie supérieure du lobe pariétal gauche.

À l'inverse, il existe plusieurs cas démonstratifs d'alexie à la fois musicale et verbale qui sont toutes en rapport avec des lésions de l'hémisphère cérébral gauche, principalement situées dans la partie postérieure du lobe temporal aux confins des lobes temporaux, pariétaux et occipitaux. Bien qu'ils ne puissent plus lire ni écrire la musique, ces patients peuvent la percevoir normalement et la chanter ; il n'en est pas de même du langage verbal dont l'expression et la compréhension sont altérées, donnant des formes diverses d'aphasie. Pour Kawamura *et al.* (2000), la fonction d'écriture et de lecture de la musique occuperait le gyrus angulaire gauche (appelé également *pli courbe*). Rappelons que cette région du cortex cérébral a un rôle prépondérant dans l'écriture, la lecture et le calcul. La même année, Cohen *et al.* (2000) ont démontré le rôle de la région temporale postérieure et inférieure gauche dans la reconnaissance visuelle des formes des lettres, mais ils ne parlent pas des formes des symboles musicaux.

Pour en terminer avec cette question non encore résolue de savoir s'il existe un centre spécifique de la lecture et de l'écriture musicales ou bien si ce centre est le même que celui du langage verbal écrit, rappelons les observations de quelques musiciens célèbres qui devinrent aphasiques mais gardèrent intactes la perception, la production, l'écriture et la lecture musicales. Elles concernent des musiciens atteints d'aphasie de Wernicke, en rapport avec un infarctus sylvien postérieur gauche, qui purent continuer leur carrière de compositeur (Luria, 1965), de chef d'orchestre (Basso, 1985), de pianiste (Assal, 1973). Chez tous ces patients, il existait une alexie verbale, mais la lecture musicale était conservée.

Le célèbre organiste Jean Langlais, rapporté par Signoret *et al.* (1987), atteint d'une aphasie de Wernicke en rapport avec un infarctus temporo-pariétal gauche, conserva intactes ses capacités musicales et continua à composer et à donner des concerts au cours desquels il interprétait toutes les œuvres de mémoire ; d'après un de ses collègues, il avait néanmoins renoncé à y inclure celles de J.-S. Bach. Il est important de noter que ce compositeur était aveugle et qu'il utilisait l'alphabet Braille, commun à la musique et au langage. Du fait de sa maladie, il avait perdu l'usage du Braille verbal (agraphie verbale) mais conservait l'usage du Braille musical. Il faut supposer que chez les musiciens professionnels la représentation des fonctions musicales est peut-être plus étendue que chez les non-musiciens et que l'hémisphère droit peut jouer un rôle important dans la lecture et l'écriture de la musique.

De nombreux compositeurs actuels continuent à composer avec le papier à musique, le crayon et la gomme. Même s'ils malmènent la tonalité, et on ne s'en prive pas depuis la fin du XIXe siècle, ils réussissent à traduire fidèlement leur pensée avec les symboles conventionnels et les portées. Néanmoins, beaucoup d'entre eux ont été obligés de rompre avec le passé et de créer un nouveau graphisme musical. Stuckenschmidt (1969) a remarquablement résumé le problème : « L'une des grandes difficultés soulevées par les nouveaux matériaux sonores réside dans le problème de leur fixation scripturale… l'impossibilité de trouver une notation claire et nette pour certains phénomènes sonores a engendré une sorte de résignation. Faisant de nécessité vertu, l'on en vint à s'aider d'images pour guider l'interprète par voie suggestive ; il appartenait à ce dernier de s'inspirer de lignes de courbes de hiéroglyphes dans la création d'une musique tout improvisée. » Stuckenschmidt reproduit une soi-disant partition de l'*Aria* de John Cage qui finalement n'a rien de choquant puisqu'elle n'est que l'ensemble des courbes sonores, ne se déroulant pas nécessairement dans le temps, noté dans le sens horizontal, alors que les hauteurs s'échelonnent dans le sens vertical. Il insiste sur l'aspect mixte, visuel autant sonore, de ces nouvelles musiques. C'est sans compter avec l'entrée de l'informatique dans la musique électro-acoustique qui a ses règles propres et a introduit un nouveau paramètre : la composition spectrale des sons qui ouvre une vastitude à laquelle on devait bien s'attendre.

L'évolution de la musique contemporaine pose la question de sa représentation mentale. Schématiquement, jusqu'à Messiaen il était possible de se représenter mentalement une œuvre musicale ; la conservation de fragments mélodiques chantables chez ce compositeur fait que leur mémorisation et leur représentation mentale sont possibles à une oreille exercée. Cette représentation auditive pouvait se doubler chez certains auditeurs d'une représentation visuelle de couleurs, de formes comme l'auteur de la *Turangalîla Symphonie* en éprouvait lui-même. Il est devenu extrêmement difficile de se représenter mentalement une œuvre musicale actuelle autrement que comme une forme unique, dissociée en plusieurs séquences. Pour les professionnels, il n'en est pas de même, mais cette représentation est autant visuelle que sonore. Ce visuel-là n'est pas de nature synesthésique ! Il s'agit de la partition, avec toutes ses diversités scripturaires. Si bien qu'on pourrait arriver à ce concept paradoxal d'une musique avant tout formelle, pour la vue et pour l'esprit, dont la qualité essentielle ne soit plus de nature, je ne dis pas musical, mais plus simplement : sonore.

MOZART :
UN HOMME DE THÉÂTRE VISIONNAIRE

Ce sous-titre paraîtra bien banal à plus d'un et je m'en excuse, c'est faute d'avoir trouvé un adjectif pour traduire la capacité d'élaborer des images visuelles, c'est-à-dire de se représenter visuellement des scènes, des visages, des formes, des couleurs et même des sons et pourquoi pas des sentiments. Le mot visionnaire dans son sens habituel s'applique cependant bien à Mozart qui, dans l'art du théatre, eut l'idée de créer un opéra allemand avec *La Flûte enchantée*, destiné à remplacer les « deux compères : l'opera seria et l'opera buffa ». Sans vouloir faire le moins du monde du compositeur un précurseur des Romantiques, on peut dire que toute son œuvre témoigne d'un art novateur tourné vers l'avenir. On ne trouve pas de traces dans les écrits de Mozart d'expériences de vision colorée ou d'autres synesthésies ; on peut dire néanmoins que Mozart était un visuel. De multiples traces dessinées ou écrites témoignent de ses talents d'observateur. La parfaite adaptation de sa musique à son théâtre laisse penser qu'il imaginait visuellement en même temps qu'acoustiquement les scènes qu'il illustrait avec sa musique. D'où lui est venu ce talent extraordinaire de composer pour le théâtre et d'une façon générale pour l'art vocal ? C'est une des questions que pose Alfred Einstein : « C'est pour ainsi dire un miracle, écrit-il, qu'il soit devenu également un grand compositeur de musique vocale » en raison de l'« éducation uniquement instrumentale reçue de son père ». Au moins, dans ce domaine, il pouvait dépasser Leopold et agir comme il l'entendait, nous en reparlerons au chapitre VII.

Percevoir la musique

Percevoir la musique, c'est tout d'abord reconnaître que ce que l'on entend fait partie de la catégorie de sons qui appartiennent à ce que la majorité de la population considère comme de la musique. C'est, de plus, reconnaître plus ou moins les différentes qualités des sons musicaux qui nous parviennent. C'est également identifier ce que l'on perçoit. Cette distinction de trois niveaux que nous avons proposée en 1985 est toujours valable mais elle est devenue aujourd'hui insuffisante. Il faut aborder, de manière neurocognitive la façon dont se fait la perception de la musique. Est-ce comme un flux continu ou comme une succession de séquences comparables à des phrases de la langue ? S'agit-il d'une perception globale d'un ensemble acoustique ou bien d'une analyse concomitante de ses différents composés ? La plupart des articles sur ce sujet distinguent la perception des sons musicaux et la perception de la musique. On pourrait penser que la première est une fonction purement sensorielle universelle de perception, alors que la façon dont on perçoit la musique est fortement dépendante des diverses cultures. Nous verrons que cette opposition est trop tranchée et que même la fonction sensorielle ne semble pas univoque dans le monde entier.

La neuropsychologie cognitive (Botte, McAdams et Dracke, 1995) décrit dans le traitement des informations musicales un certain nombre d'étapes, une succession d'événements qui se déroulent dans le temps.

SOUS QUELLE FORME LES SONS MUSICAUX PARCOURENT-ILS LE NERF AUDITIF ?

Dans un premier temps, la cochlée, par le jeu de filtres sélectifs, transforme les vibrations acoustiques en potentiels d'action. Ce phénomène de *transduction* a déjà été envisagé dans le chapitre consacré à l'oreille. Le système auditif périphérique a une autre fonction : il fait une analyse spectrale des ondes complexes codées spatialement et temporellement dans le nerf auditif et réalise des regroupements qui aboutissent à des représentations mentales du produit des diverses sources sonores. La première étape de la perception est donc une étape intermédiaire qui va « livrer » au système nerveux central des messages faits de séquences d'ondes sonores organisées de certaines façons dans le temps et dans l'espace.

L'EXTRACTION DES ATTRIBUTS PERCEPTIFS

Elle constitue l'étape suivante. Il s'agit de la hauteur des sons complexes périodiques, des timbres, des événements temporels (ou rythme), de l'intensité mais aussi de tous les éléments de ce que l'on appelle communément le langage musical : prise de conscience de « séquences d'événements », des contours mélodiques, des intervalles, du style.

Percevoir la hauteur tonale d'un son complexe, c'est percevoir sa fondamentale comme si c'était un son pur. Que l'on perçoive un son de clarinette très riche en harmoniques ou le son du jeu de bourdon de l'orgue proche d'un son pur sans harmoniques, un la, un mi, un ré... seront toujours perçus à leur exacte hauteur, comme si seule était perçue la fondamentale. Cependant, le phénomène dit des *sons résultants* garde une part de mystère : si un son complexe est privé de sa fondamentale ainsi que de ses premiers harmoniques (comme c'est le cas dans le téléphone et dans certaines combinaisons des jeux de mixtures de l'orgue), l'auditeur entend quand même la fondamentale. Il y a plusieurs explications de ce phénomène notamment une d'ordre mathématique. Une analyse psycho-acoustique a montré que certaines caractéristiques des potentiels enregistrés étaient peu différentes que la fondamentale soit ou non présente.

LA THÉORIE GÉNÉRATRICE DE LA MUSIQUE TONALE

Les stimuli musicaux ne proviennent pas que d'une source, et ces diverses sources n'émettent pas ces sons de façon continue. Le système auditif doit être capable de sélectionner les informations qui proviennent de sources distinctes, de les localiser dans l'espace et d'en faire des séquences événementielles organisées dans le temps pouvant se superposer parfaitement ou au contraire être décalées comme dans le cheminement des voix que l'on rencontre dans le style contrapuntique.

Selon la théorie génératrice de la musique tonale, une séquence d'événements auditifs est traitée (pour un auditeur instruit dans une culture donnée) selon quatre composantes principales.

La première segmente le flux auditif en groupes d'événements plus ou moins longs, depuis toute une phrase musicale jusqu'à des événements de plus en plus petits comme une simple figure rythmique répétitive (exemple 8).

8. Mozart, *Sonate en ut majeur pour piano* K 309, final : allegretto grazioso

La seconde composante extrait de la séquence une « organisation métrique hiérarchique de battements alternativement forts et faibles », les battements forts devenant les battements réguliers présents à un niveau supérieur.

La troisième composante est appelée réduction des segments temporels : ce qui signifie que certains éléments du « discours musical » acquièrent un rôle plus stable et plus saillant, alors que d'autres ont leur laps de temps réduit ; la réduction peut concerner certaines hauteurs qui suffisent dans une mélodie pour la reconnaître et que l'on pourrait appeler la charpente de la mélodie, mais il peut s'agir d'autres éléments comme des thèmes récurrents hiérarchiquement plus importants.

Enfin, cette hiérarchie d'événements sert à l'élaboration d'une « réduction prolongationnelle », qui concerne la progression du discours musical sous forme d'attentes de tensions et de détentes.

LES DEUX TYPES D'ORGANISATION TEMPORELLE

Les phénomènes de groupements et l'extraction d'une pulsation constituent deux capacités différentes de la perception temporelle de la musique. Les « bornes » qui servent à délimiter les fragments du discours musical sont de nature variable : silences, ralentissement et decrescendo de la phrase, accents, changements de rythme ou de tonalité, cadences. Deliège a montré que lorsque l'on demande à des sujets d'indiquer « les frontières qu'ils préconisent à l'écoute d'une phrase musicale, elles correspondent relativement bien avec les points de segmentation théorique que l'on peut prédire à partir de la surface musicale » (*in* Botte *et al.*, 1995). Le pouvoir de constituer des séquences de son aurait pu être mis en évidence chez des bébés de six à huit mois (*ibid.*).

L'extraction d'une pulsion se fait en même temps que la segmentation en groupe. À l'écoute d'une œuvre, on perçoit, même si elle n'est pas matériellement présente, une succession de battements internes comme des pulsations. Il faut distinguer *pulsations* et *métrique*. Celle-ci est une succession régulière, faite de temps forts et de temps faibles, organisés en mesures binaires ou ternaires. Certes, pulsation et métriques peuvent se superposer exactement mais très souvent (en particulier chez J.-S. Bach, mais également dans les mouvements lents chez Mozart) les pulsations sont des sous-unités de la métrique comme dans notre exemple 9 (K 491). D'après Botte *et al.* (1985), métrique et pulsations peuvent être pathologiquement dissociées. Notons au passage que pour les musiciens le mot *tempo* désigne plutôt la vitesse de l'exécution ; quant au terme « mouvement », il est ambigu puisqu'il sert à désigner aussi bien un fragment d'une pièce, surtout une sonate ou une symphonie, un modèle rythmique (mouvement de valse, de tango) et une vitesse d'exécution (mouvement lent ou rapide). À partir de séquences segmentées s'opère la « réduction des laps de temps », qui fait ressortir des structures prédominantes et d'autres secondaires.

LA REPRÉSENTATION HIÉRARCHIQUE DES HAUTEURS

Nous avons déjà envisagé à plusieurs reprises la façon dont se faisait la perception de la hauteur ; il faut maintenant examiner les représentations mentales de l'échelle des hauteurs, à savoir la prise de conscience des hauteurs tonales et de tout ce qui s'y rapporte : gammes, tonalités. Le degré de relation entre les hauteurs n'est pas dû seulement à la perception de leurs fréquences ou à des rapports de fréquences. Au sein d'un contexte musical, il existe une hiérarchie des hauteurs qui tient à la place de la note dans la gamme du contexte à ce moment-là ; autrement dit, dans la gamme, selon sa position, la note occupe une position plus ou moins importante fonctionnellement.

Le paradigme commun à ce genre d'études est la recherche d'un degré de concordance entre un stimulus sonore unique appelé « sonde » présentée au sujet et un contexte. Le résultat de telles études menées à bien, surtout par Bigand (cf. Botte *et al.*), est que les résultats de ces épreuves de concordance sont meilleurs pour certaines notes, certains accords témoignant d'une hiérarchie. Dans le monde occidental, la culture nous a appris un certain nombre de moules auditifs dont le modèle de base est la

9. Mozart, *Concerto pour piano n° 24,* K 491, *en ut mineur.*
Larghetto (en mi bémol majeur)

gamme diatonique faite de sept notes ou degrés avec une alternance de tons et de demi-tons (ces derniers placés entre les 3e et 4e et entre 6e et 7e degré). Bigand a distingué trois types de hiérarchie tonale.

La hiérarchie tonale des notes de la gamme reconnaît une primauté à la tonique, la dominante ou 5e degré et la tierce ou 3e degré, confirmant ce que la théorie musicale classique avait défini. Si les épreuves de concordance sont significatives chez les musiciens, elles sont peu démonstratives chez les non-musiciens.

Il existe en outre une hiérarchie harmonique : au sein d'une gamme définie, le meilleur degré de concordance est trouvé pour les accords situés sur la tonique, la dominante et la sous-dominante (ou 4e degré).

Enfin on peut définir une hiérarchie intertonalité qui fait que l'épreuve de concordance est meilleure entre deux accords constitués de notes contenus dans la même gamme mais pouvant appartenir à des tonalités différentes (comme do-mi-sol et sol-si-ré qui appartiennent à la fois aux gammes de do majeur et sol majeur) qu'entre des accords faits de notes n'appartenant pas à la même gamme (par exemple do-mi-sol et fa dièse-la dièse-do dièse) faisant partie respectivement de la gamme de do majeur et de la gamme de fa dièse majeur. La perception d'un degré d'éloignement plus ou moins grand entre des tonalités est possible même chez les non-musiciens. Elle est nette quand les notes se trouvant dans les accords présentés sont entièrement différentes.

LA PERCEPTION DU DISCOURS MUSICAL : PULSIONS ET DÉTENTES, LEXIQUE ET IDENTIFICATION

La perception du discours musical est celle de segments qui se succèdent. Au sein de chaque segment s'opèrent des divisions et des sous-divisions de formules, qui comprennent des éléments de nature diverse. Selon le principe de la hiérarchie des stimuli musicaux perçus, certaines notes donnent plutôt une impression d'attente et d'autres une impression de détente. Il ne s'agit pas que d'une appréciation subjective comme l'ont montré des travaux de psychologie expérimentale. Musiciens et non-musiciens sont capables d'apprécier le degré de tension ou de relaxation donné par une note au sein d'une mélodie. La structure de l'œuvre elle-même tient compte de ce procédé expressif à tous les niveaux. Se référant à une culture donnée, l'écoute musicale distingue des éléments lexicaux. Certains appartiennent aux formes musicales habituelles : forme sonate, concerto, mouvements de danse, mélodie, rondo, fugue qui sont des moules connus des musiciens ou des amateurs instruits. D'autres éléments lexicaux sont spécifiques d'un compositeur comme les figures rythmiques de J.-S. Bach, dont Albert Schweitzer a montré qu'elles avaient toutes une valeur signifiante ; d'autres séquences musicales ont une importance encore plus remarquable parce qu'ils réapparaissent souvent dans le cours du morceau, ce sont les thèmes dont Messiaen a parlé avec humour : « c'est moi, me revoilà, je suis le thème et je reviens ».

Il faut donc distinguer lexique et identification, même si le premier aide la seconde et si entre les deux se glisse subrepticement l'impression de familiarité. Nous verrons dans notre dernier chapitre que les méthodes modernes de l'imagerie fonctionnelle cérébrale ont permis de préciser de nos jours les localisations des diverses fonctions perceptives de la musique dont il vient d'être question.

Le plaisir musical

Pourquoi aimons-nous la musique ? Comme l'écrit Alison Abbott, récemment, dans *Nature*. Pourquoi les mélodies, les harmonies, les rythmes sont-ils si importants pour nous ? On ne sait rien des causes et du plaisir provoqués par l'audition de la musique. Actuellement on espère beaucoup de l'imagerie cérébrale fonctionnelle pour percer les secrets de la neuropsychologie cognitive mais les quelques travaux publiés montrent que la méthodologie n'est pas à la mesure des conceptions actuelles sur la définition de la musique, en particulier la distinction entre « consonant » et « dissonant » n'a plus beaucoup de sens actuellement.

On peut aborder la question du plaisir musical de bien des façons. Du point de vue littéraire, les passages que lui a consacrés Marcel Proust (Lechevalier *et al.*, 1985, pour commentaires) restent d'une perspicacité et d'une intuition inégalées. Une conception sociologique insistant sur le fait que le plaisir musical est un plaisir collectif, « le plaisir d'être ensemble », ne peut être mise en avant étant donné, d'une part, son manque de spécificité, et d'autre part la possibilité d'écouter solitairement de la musique, grâce aux moyens offerts de nos jours par le disque. Dans une optique comportementale, de nombreux travaux ont mis en évidence, au moyen d'enregistrements cardiaques, respiratoires, électroencéphalographiques, électrodermaux, des modifications observables pendant l'audition musicale (voir Critchley *et al.* pour revue). Ces travaux ne font qu'objectiver la réaction émotionnelle dont on connaît le support : le système limbique, le noyau amygdalien, l'hémisphère droit plus que gauche.

À propos de trois niveaux de la perception musicale (Lechevalier *et al.*, 1985), nous avions proposé d'y faire correspondre trois niveaux différents du plaisir musical, ce qui nous semble encore aujourd'hui possible. Le premier niveau, acoustique, est le plaisir lié à l'écoute de sons musicaux, dont la périodicité et son nécessaire corollaire : l'invariance pendant un délai, même court, pourraient avoir un effet sur certaines structures limbiques et exciter des neurones sécréteurs de certains neurotransmetteurs comme la dopamine, qui est considérée aujourd'hui comme le « neurotransmetteur de la récompense ». Au cours des amusies, quand le malade ne reconnaît plus le caractère musical des stimuli auditifs, les sons musicaux qu'on lui délivre peuvent être perçus comme des bruits désagréables. La musique qui est faite de sons non musicaux (sons apériodiques), comme la musique concrète, constituée par l'agencement de séquences de bruits enregistrés, et qui d'ailleurs ne peut être écrite, est difficilement compatible avec cette définition. Savoir pourquoi on la considère comme de la musique, c'est une autre question ; on peut banalement répondre : « parce que la musique est l'art des sons ».

Le second niveau de plaisir musical peut porter le nom de structurel. Celui qui est familiarisé avec la musique est apte à décrypter le discours musical. Il retrouve le style et peut le replacer dans le contexte de l'époque ; il entend l'entrée des thèmes et leurs reprises, les variations ; les modulations les développements ; il perçoit les nuances. Il est touché par la qualité des timbres et des voix et le talent des instrumentistes. Un tel plaisir n'est pas passif, il se conquiert car il nécessite une excellente qualité d'écoute. On peut aimer la musique sans pour autant être capable de l'analyser de la sorte. L'amateur non compétent en musique sera touché de façon plus « holistique ». Il aura aimé la douceur d'un adagio, l'éclat d'un presto, la pompe d'une ouverture. Il peut également découvrir le caractère global d'une œuvre et apprécier l'interprétation et la virtuosité ; très souvent il traduit son plaisir par des comparaisons. Ce qu'il entend lui évoque des images visuelles ou olfactives ou même cénesthésiques, des sentiments agréables de plénitude que l'on appelle élation. Peut-être que, là encore, le système de récompense que l'on dit être à la base des addictions intervient-il avec son neurotransmetteur, la dopamine, dans le plaisir musical.

Enfin, le troisième niveau du plaisir musical est le niveau signifiant, c'est l'identification de l'œuvre entendue et de son auteur, fonction que l'on peut localiser à coup sûr dans l'hémisphère cérébral gauche (Lechevalier *et al.*, 1995 ; Platel *et al.*, 1997).

Si cette analyse du plaisir musical peut paraître trop succincte, elle pourrait néanmoins servir de plate-forme pour des recherches plus approfondies en neuropsychologie. Finalement, l'essence du plaisir musical devrait être la découverte d'un sens à l'œuvre que l'on entend ; ce n'est pas toujours celui que l'interprète ou le compositeur ont voulu y mettre, l'idéal serait bien sûr le contraire !

Je n'ai pas envisagé d'autre musique que celle dite « classique ». Le plaisir éprouvé à l'audition de ce qu'on appelle globalement le jazz ou les musiques très rythmées du genre « techno », reprises en groupe indéfiniment par des amplificateurs surpuissants, appartient à un domaine d'excitation sensorielle ou viscérale ; c'est plutôt, semble-t-il, la recherche d'une transe collective.

Concevoir la musique

Il y a bien des façons de composer. Les uns composent avec un instrument, les autres s'en passent. Dans les deux cas, il existe une phase préparatoire faite d'intuitions, d'irruptions subites et inexplicables à la conscience de mélodies, de rythmes, de timbres, puis s'élabore un plan d'ensemble. Les compositeurs avec instruments utilisent souvent le piano à l'aide duquel ils font une première ébauche qu'ils travailleront par la suite pour faire leur orchestration et écrire leur partition. Quelques pièces célèbres ont été tout d'abord improvisées puis retranscrites. D'après de Wyzewa et de Saint-Foix (ouvrage cité), la *Sonate en ut majeur* dont nous reproduisons le finale (exemple 8) fut d'abord improvisée au piano par Mozart puis retranscrite, ce qui ne devait pas l'embarrasser étant donné la fidélité de sa mémoire. Certaines improvisations remarquables de grands organistes contemporains comme Vierne, Tournemire ont été enregistrées puis retranscrites et sont devnues des œuvres du répertoire. Habituellement, un instrument est utilisé pour contrôler ce qui vient d'être créé : Berlioz, par exemple, testait ses accords sur sa guitare. Mozart ou bien improvisait et retranscrivait de mémoire, ou bien composait « de tête » sans instrument, n'utilisant que le papier à cinq lignes, la plume et l'encre. Cela nécessite, il va sans dire, des capacités de représentation mentale et de mémoire de la musique hors du commun et un pouvoir de se projeter dans l'avenir au prix d'une concentration que ne doit pas interrompre le temps pris par la transcription graphique. La composition est un combat avec la matière sonore qui n'a d'égal que celui du sculpteur avec la pierre[2]. Habituellement, l'œuvre s'ébauche progressivement, parfois fort lentement au prix de remaniements des ébauches notées préalablement. Qu'on se rappelle les efforts de Maurice Ravel pour composer, mesure par mesure, l'admirable adagio de son *Concerto en sol pour piano*.

Créant l'œuvre de façon exclusivement mentale, Mozart la possédait en soi dans son intégralité formelle, pour n'avoir plus qu'à la restituer sur le papier. Ce mode de composition semble exceptionnellement pratiqué. Il est certain que Mozart avait recours le plus souvent à cette manière de procéder même si certaines de ses compositions ont nécessité des ébauches et des reprises (grands quatuors et dernières symphonies).

UNE PRÉTENDUE « LETTRE DE MOZART » ÉCRITE PAR UN ADMIRATEUR TROP ZÉLÉ !

Pour savoir comment Mozart composait, les amateurs cultivés vous diront que nous avons heureusement sa correspondance « dont une fameuse lettre » reproduite des dizaines de fois. Or cette lettre ne figure pas dans la correspondance. Les Massin mettent en doute son authenticité, même si le fond contient une part de vérité. Ils précisent qu'elle fut publiée en 1815. Cette lettre a donc toute une histoire, plutôt amusante en soi ; elle n'est cependant pas dénuée d'intérêt, car si celui qui l'a fabriquée pouvait s'identifier de la sorte au compositeur, c'est qu'il le connaissait fort bien. Voici le texte reproduit par Jean et Brigitte Massin (réf. 607). Il s'agirait de la réponse de Mozart à une question au sujet de sa façon de composer. (cf. note IV, 3) : « Quelle est au juste ma façon de composer quand il s'agit d'un travail important et sérieux ? J'ai beaucoup cherché, je n'arrive pas à trouver mieux que ceci : quand je suis en forme et en bon état physique, ainsi dans une voiture en voyage ou en me promenant après un bon repas, ou la nuit si je n'arrive pas à dormir, c'est alors que les idées me viennent à torrent, le plus volontiers. D'où, comment, je n'en sais rien ; je n'y peux rien. Je garde celles qui me plaisent dans ma tête et je me les fredonne – c'est ce que les autres m'affirment en tout cas. Si je m'y attache, alors peu à peu il m'apparaît comment m'y prendre pour faire un bon pâté avec ces fragments suivant les exigences contrapuntiques ou les timbres des instruments, etc. Mon cerveau s'enflamme surtout si on ne me dérange pas. Ça pousse, je le développe de plus en plus, toujours plus clairement. L'œuvre est alors achevée dans mon crâne, ou vraiment tout comme, même si c'est un long morceau, et je peux embrasser le tout d'un seul coup d'œil comme un tableau ou une statue. Dans mon imagination, je ne tiens pas l'œuvre dans son écoulement, comme ça doit se succéder, mais je tiens le tout d'un bloc, pour ainsi dire, c'est un régal ! L'invention, l'imagination, l'élaboration, tout cela ne se fait en moi que comme un rêve magnifique et grandiose, mais quand j'arrive à super-entendre ainsi la totalité assemblée, c'est le meilleur moment. Comment se fait-il que je ne l'oublie pas comme un rêve ? C'est peut-être le plus grand bienfait dont je doive remercier le Créateur. »

Laplane dans *La Pensée d'outre-mots* cite le passage comme un exemple de pensée non discursive, une prise de conscience globale, en quelque sorte, de fragments musicaux qui paradoxalement cependant ne peuvent se dérouler que dans le temps. Il introduit le texte en rappelant que les champions d'échecs sont capables d'analyser une situation et de développer une stratégie en un rapide coup d'œil. La version de Laplane provient de Paulhan (*Psychologie de l'invention*, 1904), elle diffère un peu de celle des Massin : la comparaison avec la statue devient celle « d'un joli garçon », peu vraisemblable de la part de Mozart. Paulhan renvoie à la version de Seaillès (*Le Génie dans l'art*, 1883) qui renvoie à de Hartmann (*Philosophie de l'inconscient*, tome I, 1877) qui lui-même renvoie au grand biographe de Mozart : Otto Jahn qui cite... Rochlitz en fournissant plusieurs références de la revue allemande ci-dessous.

Johann-Friedrich Rochlitz (1769-1845) est un personnage très discuté. Directeur de l'importante revue musicale de Leipzig *Allgemeine Musikalische Zeitung*[3] ou *AMZ*, il a écrit des quantités d'articles et rapporté beaucoup d'anecdotes sur Mozart. Relate-t-il des voyages de Mozart avec sa femme ? Un biographe dont le sérieux ne peut jamais être pris en défaut, Alfred Einstein, lui décoche cette flèche : « Ce sont là mensonges tout aussi bien intentionnés et aussi impudents que les autres anecdotes que ce Leipzigois bavard et bel esprit a mises en circulation après la mort de Mozart » (*ibid.*).

COMMENT SES DONS EXCEPTIONNELS ONT-ILS FAÇONNÉ LE GÉNIE DE MOZART ?

Si l'on considère toute l'histoire de la musique, la façon dont Mozart composait n'a pas, à ma connaissance, d'équivalent. Il est arrivé, rarement il est vrai, au compositeur de travailler lentement, de raturer, de reprendre des passages, de les remplacer par d'autres. Des manuscrits le prouvent cependant. Le meilleur exemple en est la composition des six quatuors dédiés à Joseph Haydn, musique savante contrapuntique dont nous avons déjà parlé et qui lui causa, a-t-il dit, beaucoup de fatigue. Autres exemples : le finale de la *Symphonie Jupiter*, les quelques fugues qu'il a écrites après sa découverte de Jean-Sébastien Bach ou encore les œuvres de commande composées en 1790 et 1791 pour un orgue mécanique combiné à une horloge, œuvres d'une qualité musicale remarquable malgré les faibles moyens de l'instrument (Koechel 594, 608, 616). On sait également que Mozart notait les idées musicales qui lui venaient pendant ses longs voyages, ces remarques pour dire que ses dons surhumains ne l'ont jamais empêché d'approfondir ses créations.

Il avait de plus une immense culture musicale : « personne n'a eu autant de mal que moi à étudier la composition, il ne serait pas facile de trouver un maître célèbre en musique que je n'ai étudié avec application et souvent étudié à plusieurs reprises d'un bout à l'autre » met sous sa plume son historien Niemtschek.

Il est possible d'aborder le génie du compositeur, qui *a priori* échappe à l'analyse, en fonction de certaines de ses particularités neuropsychologiques hors normes : son extraordinaire mémoire musicale, ses capacités de représentation interne de la musique, sa rapidité souvent fulgurante de création, ses possibilités d'attention (ou si l'on veut de concentration) et bien entendu sa richesse inventive. Peut venir en discussion en outre le rôle des motivations, des contraintes en particulier paternelles et des cadres musicaux.

Même si un improvisateur se garde bien de laisser courir ses doigts sur le clavier, même si l'improvisation doit être la réalisation d'un plan rapidement établi se rapprochant le plus possible de la musique écrite, elle s'en distingue par deux faits : tout d'abord, elle ne requiert pas l'effort ni le temps indispensables à l'écriture ; de plus elle fait beaucoup moins appel à la mémoire puisque le jeu de l'improvisateur constitue un moyen permanent de rappeler ce qui précède. À l'inverse, l'art de la composition nécessite d'encoder dans sa mémoire les séquences que l'on vient de créer, de les stocker dans leur intégralité un certain temps afin de pouvoir les relier à la phrase d'avant et de les inclure dans un tout.

La composition musicale est peut-être (avec l'art du théâtre) la forme la plus élaborée de cette sorte de mémoire très particulière dont nous avons déjà parlé dans notre premier chapitre, qui n'est autre que la mémoire de travail à moyen et long terme, correspondant au « buffer épisodique » de Baddeley. À l'inverse de la mémoire épisodique, le rappel ne saurait être approximatif comme celui d'un souvenir que l'on peut situer dans le temps et dans l'espace. Il doit être le rappel à l'identique de ce qui a été encodé ! Chez Mozart, on est ébahi par la qualité du stockage et du rappel des séquences musicales quand on pense qu'il composait mentalement. Tout ce qu'il venait de créer restait stocké dans sa conscience sans altération en attendant l'instantanée et intégrale restitution par écrit, comme le fut la composition de l'ouverture de *Don Giovanni*, dans la maison de Franz et Josepha Duschek, sur les hauteurs qui dominent Prague, la nuit qui précéda la première, le 27 octobre 1787.

Grâce à cette mémoire exceptionnelle, Mozart pouvait conserver dans sa conscience durablement ce qu'il venait de composer aussi bien dans sa totalité que dans ses détails, sans l'aide d'un instrument. Ceux qui ont étudié le contrepoint et la fugue connaissent l'extrême difficulté d'en construire une de façon purement mentale, de se représenter la progression des différentes voix sans les noter ou les jouer comme sans doute l'auteur de la *Messe du couronnement* en était capable. Avait-il, comme l'affirme le pastiche de Rochlitz, la faculté de se représenter ce qu'il composait sous forme visuelle ? C'est possible, mais nous n'en trouvons pas de traces dans sa correspondance.

Tous ces dons se complètent mutuellement et expliquent la rapidité du travail de composition chez Mozart, sachant bien qu'il ne s'agissait souvent que du « recopiage au propre » de tout ce qui était déjà en lui. On peut lire dans sa lettre du 8 août 1781 à son père : « *Aujourd'hui nous avons eu académie. On y donne trois œuvres de moi... Je les ai composées hier soir de onze heures à minuit... Je n'ai écrit que la partie d'accompagnement. J'avais ma partie en tête.* » Or, si l'on en croit Charles Rosen (1978), à cette époque, ce n'était pas l'habitude de jouer les concertos de piano par cœur.

Une autre particularité créative du maître est son extrême faculté de concentration qui lui permettait d'écrire ses partitions tout en entendant une conversation, des plaisanteries, ses enfants ou pendant... l'accouchement de sa femme. Cette attention très focalisée explique que très souvent Mozart avait l'air absent, dans son monde, comme s'il était capable de faire travailler à part sa fonction créatrice musicale.

Dans le génie créatif du compositeur, on n'a peut-être pas assez tenu compte d'un autre facteur : ses qualités de virtuose. Mozart est considéré comme le plus grand pianiste de son temps, comme J.-S. Bach le fut de l'orgue dans le sien, ce qui l'a poussé aux audaces techniques et au renouvellement des genres. La renommée de ses concertos pour piano, dont il est sans doute l'inventeur du genre, est due en partie au talent de l'exécutant (lui-même) et au fait qu'il les ait composés, pourrait-on dire, sur mesure. Il s'agit d'œuvres difficiles destinées à mettre en valeur la virtuosité du pianiste, autant que sa sensibilité. Niemtschek a insisté sur le temps passé par Mozart au clavier : « Mozart aimait jouer de préférence la nuit. Même dans son âge d'homme, il passait la moitié des nuits au piano... En ces heures-là, il créait une inépuisable provision d'idées. »

L'entrée du soliste qui allait interpréter le concerto était guettée avec autant de curiosité que celle de la *prima dona* sur la scène. Qu'attendait de lui le public ? Qu'il affirme sa virtuosité avec solidité et brio, et de la part du compositeur qu'il surprenne par des nouveautés du style, des hardiesses dans la construction de l'œuvre, son orchestration. Pour ces raisons, les concertos, s'ils gardent tous la succession des trois mouvements classiques (deux rapides entourant un mouvement lent), sont différents les uns des autres dans leur façon de faire entrer le piano en scène, dans la succession des thèmes et aussi dans la composition instrumentale de l'orchestre. Néanmoins, ils ont tous en commun cette vivacité brillante qui les fait reconnaître entre mille, pour ainsi dire leur marque de fabrique. Contrastant avec cette vivacité, leurs mouvements lents touchent par la beauté de leurs thèmes toujours empreints, non pas de simplicité, mais d'une indicible pureté (exemple 9), ce qui est tout à fait différent !

MOZART : HOMME D'ACTION, DE PASSION ET... DE SUBTILITÉS

J.-V. Hocquard commence son ouvrage *Mozart, musique de vérité* par la question : « En quoi Mozart est-il unique ? » Ni notre formation, ni notre culture, ni notre spécialité ne nous autorisent à faire, à l'instar de ces guides touristiques qui signalent les sites ou les monuments intéressants par un nombre plus ou moins grand d'étoiles, une analyse de l'œuvre de Mozart à la recherche des marques de son génie. En revanche, en l'abordant avec une lecture plus synthétique qu'analytique, plus psychologique que neuropsychologique, nous pouvons aller à la recherche de traits de caractère ou de personnalité du compositeur qui ont pu favoriser le développement de son génie créatif.

De nombreux musiciens ont beaucoup écrit et de façon souvent brillante sans atteindre la renommée de Mozart (je pense à Joseph Haydn, à Händel, à Mendelssohn, à Saint-Saëns) ni son universalité. Comme le souligne Alfred Einstein, Mozart est sans doute le seul musicien qui excella dans tous les genres et fit chanter tous les instruments y compris l'harmonica de verre dont on peut encore entendre aujourd'hui les notes cristallines dans les rues de Prague.

Une opinion courante voudrait qu'il n'ait pas été un novateur ; cette assertion doit être nuancée : « L'écriture de Mozart n'avait rien de novateur, il a fait une synthèse entre Haydn, Martini, Händel pour la pompe et la puissance, les Italiens, mais il a apporté une vivacité, une gaieté, une intensité dans la façon de traduire les sentiments et les émotions et des grands contrastes. » Je pense au contraire que le génie de Mozart est précisément son esprit novateur. La confusion vient du fait qu'il a utilisé les formes musicales de son temps : la forme sonate, la symphonie, le lied, le quatuor et divers modèles de la musique de chambre, les messes, l'opéra qu'il a profondément marqué de son empreinte pour en faire « un opéra allemand ».

Mozart a constamment manifesté dans sa vie un besoin d'action (ce qui ne veut pas dire que cette action ait toujours été dirigée dans le bon sens). Dès son enfance, par ses voyages incessants, il a été habitué à la mobilité, aux changements d'environnement, de personnes, de coutumes, de langue. Schachtner raconte que chez lui à Salzbourg, lorsque Wolfgang enfant entendait de la musique, il aimait défiler dans l'appartement en transportant ses jouets d'une pièce à l'autre et en demandant aux amis présents d'en faire autant. Devenu adulte, ses biographes racontent qu'il ne tenait pas en place ; toujours en mouvement, il esquissait des pas de danse, remuait les doigts, claquait les talons. Il était vif au moral comme au physique, avait la repartie facile et le trait souvent acéré.

On retrouve cette vivacité dans sa musique où elle règne en maître. D'où lui vient-elle ? Sans doute des habitudes prises dans son enfance mais aussi du style salzbourgeois dont parle Nannerl dans ses lettres. Plus tard, peut-être que l'étude des Italiens comme Corelli et surtout Vivaldi accentua son goût dans ce sens. Mozart n'a pas écrit que de la musique enjouée mais même dans les mouvements tragiques, le caractère statique et emphatique qui envahira le style musical au siècle suivant n'appartient pas à son langage : voir le début de la *Symphonie en sol mineur* (exemple 4), ou encore la *Fantaisie en ut mineur* (K 475) *pour piano*. Les thèmes mélodiques les plus chargés émotionnellement ne sont jamais pesants, pour la raison qu'ils procèdent le plus souvent par bonds en avant plutôt que par degrés conjoints et qu'ils ne sont presque jamais constitués de valeurs longues comme ce sera le cas un siècle plus tard. Il y aurait beaucoup à dire de la beauté des thèmes de Mozart qui par leur extrême pureté donnent souvent, comme dans le second mouvement, *larghetto* du *Concerto en ut mineur* (K 491) *pour piano et orchestre*, une impression d'absolue perfection (exemple 9). Les lecteurs intéressés trouveront dans le livre de Charles Rosen des exemples (tirés surtout des concertos pour piano et des grands quatuors) de ce type de progressions des thèmes par bonds ascendants retombant ensuite symétriquement avec parfois quelques différences rythmiques, ce qui fait dire à l'auteur que chez Mozart on a toujours l'impression que « la musique va de l'avant ».

Olivier Messiaen dans ses *Entretiens* avec Claude Samuel révèle une opinion en apparence paradoxale à propos du rythme, de la part de celui qui a tant étudié et tant enseigné cette question. Pour lui, contrairement à l'opinion généralement admise, Bach n'était pas un rythmique ; à l'inverse Mozart l'était au plus haut point ! sa démonstration est claire : le rythme n'est pas la simple et même alternance répétitive de temps forts et de temps faibles. Ce rythme simple, élémentaire, sorte de balancier, toujours présent chez Bach, a une vertu rassurante et peu exigeante, dynamogénique par son côté répétitif, confinant parfois à l'ostinato. Chez Mozart, le rythme change constamment, dessinant des « figures » variées comme celles des danseurs, qui apportent à travers les répétitions, les anacrouses, les changements, le contrepoint, les cadences, des effets de surprise et diversité. C'est ainsi que dans l'*Andante en fa majeur pour orgue mécanique*, le compositeur a réussi à éviter, par des combinaisons rythmiques de tous ordres, la monotonie qui risquait de s'installer dans ces dix longues pages, en raison des faibles possibilités de l'instrument. Si Jean-Sébastien Bach apaise parce que ses immuables pulsations semblent battre avec celles de notre cœur, Mozart tient toujours l'esprit en éveil par son dynamisme ses changements et j'oserai dire son espérance dans le futur. Les multiples intermèdes de marches que l'on trouve dans ses opéras ne sont-ils pas la marque de ce dynamisme ?

J'ai déjà cité le grand chef mozartien Joseph Krips. Présentant lui-même le concert symphonique qu'il allait diriger, vers 1966 à Boulogne-Billancourt ; il expliqua la perpétuelle « mouvance », les incessants changements qui règnent dans la musique de Mozart ; le chef d'orchestre doit en tenir compte au plus haut point dans sa direction et doit savoir faire sentir aux auditeurs ce perpétuel dynamisme. Il en faisait un des aspects fondamentaux du style de Mozart. Cette mouvance est accentuée par des artifices comme les ornements (appogiatures, grupettos, trilles simples ou doubles, cadences), les figures rythmiques et surtout l'usage fréquent du chromatisme. Le miracle est que malgré une extrême diversité dans l'expression, l'œuvre ne perd jamais son unité. Leopold Mozart avait enseigné à son fils le « filo », c'est-à-dire la nécessité d'enchaîner les thèmes les uns aux autres de façon harmonieuse et sans à-coups.

L'art de Mozart est toujours subtil ; qu'on le compare à celui d'autres musiciens de son époque : Clementi, Diabelli et même Joseph Haydn, il est beaucoup plus « ciselé » et beaucoup plus attrayant. Très rarement, la ligne mélodique se contente d'aller par le chemin le plus direct d'une note à une autre ; grâce au chromatisme, caractéristique du compositeur, elle dessine d'incessantes incursions dans les demi-tons adjacents (dièses ou bémols) comme les bronzes qui enjolivaient les meubles en marqueterie à cette époque pour modifier un profil ou dissimuler la banalité d'une courbe ; l'art viennois n'était pas en reste ! Le chromatisme n'a pas qu'un rôle ornemental, il sert aussi à moduler de manière beaucoup plus légère et beaucoup plus inattendue que les cadences.

Tout entier au service de son art, Mozart nous intrigue, nous terrifie, nous apaise, nous attriste, nous rassure, nous rend joyeux mais, fait extraordinaire : sans qu'on sache explicitement pourquoi, car, sauf au théâtre ou dans sa musique religieuse dans lesquelles l'argument va de soi, il ne nous explique pas pourquoi il nous dit tout cela et ne nous laisse entrevoir que par le truchement des sons l'état de son âme. C'est un des mystères de l'art classique et en particulier de la musique : jamais ne se mettre directement en scène ! Ne s'exprimer que sous le masque d'un autre ou dans le cadre strict d'une forme en apparence abstraite. Si l'œuvre du créateur romantique est l'écran où s'affichent ses sentiments, celle de l'artiste classique pourrait paraître d'avantage un savoir-faire, une habile technique ; or comme le souligne Rosen (p. 23) : « la musique de Mozart peut être aussi morbide, élégante ou tumultueuse à sa manière que celle de Chopin ou de Wagner... la grâce de l'expression enfin... en art, joue un rôle primordial ». Finalement, c'est l'extraordinaire maîtrise d'un langage musical individuel, qu'il a su imposer, qui a permis l'indiscutable supériorité du génie de Mozart. Que l'artiste romantique se soit exprimé explicitement et l'artiste classique implicitement, l'important est qu'ils aient eu chacun quelque chose à dire de façon convaincante. N'en est-il pas de même en littérature ? On imagine mal que les tirades de Bérénice ou de Phèdre aient pu être écrites par un homme froid, qui n'aurait eu que du savoir-faire, et qui lui-même n'eût pas éprouvé ce qu'était une passion, le mot étant pris ici non pas seulement comme une souffrance ou une passion amoureuse mais de façon plus générale avec le sens que lui a donné Descartes dans son ouvrage *Les Passions de l'âme* : ce que le sujet ressent. Mozart a traduit en musique mieux que quiconque ce qu'il ressentait : la joie comme la peine, l'exubérance comme la résignation, la tendresse comme la véhémence, l'amour comme l'indifférence, en un mot tous les états d'âme qu'un être humain ait connu, et c'est en cela que sa musique est unique et universelle.

CHAPITRE V

La méchante trompette et le violon de beurre

Une étrange phobie

Dans une lettre à Marianne Mozart, Andreas Schachtner écrivait en avril 1792 à propos de Wolfgang : « Presque jusqu'à sa dixième année, il eut un effroi irraisonné de la trompette, surtout quand on la jouait seule sans aucun accompagnement : il suffisait qu'on lui montre une trompette, cela lui faisait le même effet que si on lui avait mis sur le cœur un pistolet chargé. Votre père voulut un jour le délivrer de cette terreur enfantine et me dit de jouer près de lui, malgré son refus. Mon Dieu ! je n'aurais jamais dû obéir ! À peine eut-il perçu le timbre éclatant de l'instrument qu'il pâlit, commença à s'évanouir et si on avait continué, certainement, il aurait eu des convulsions ! »

Contrastant avec le timbre de la trompette qui l'effrayait tant, le jeune Wolfgang goûtait plus que d'autres celui du violon dont il était capable d'apprécier les qualités, et les particularités de chaque instrument. Dans la même lettre Schachtner ajoute : « Vous pouvez vous rappeler que j'avais un très bon violon que feu Wolfgang appelait "le violon de beurre" parce qu'il avait un son doux et rond. Un jour, quand vous fûtes revenus de Vienne, il en joua et n'eut pas assez d'éloges pour mon violon. » Ne soyez pas étonné que la meilleure comparaison qui vienne à l'esprit de Wolfgang soit une comparaison gustative. Cette « correspondance » n'a rien d'original, elle est la plus employée pour qualifier les timbres ; elle frappe néanmoins par la justesse de l'image, et traduit la place que tenaient les timbres dans l'entourage de l'enfant. Mozart fut sans doute à son époque le seul compositeur à avoir expérimenté un nombre si important de timbres, donc d'instruments. Bien entendu, il en connaissait parfaitement la tessiture, le son, la technique, les contraintes de leur écriture, mais il saura en outre leur demander l'impossible, c'est-à-dire des effets nouveaux. Le catalogue Koechel nous donne la preuve de la diversité instrumentale du compositeur. Parmi ses six cent vingt-cinq œuvres répertoriées par de Wyzewa et de Saint-Foix, nous trouvons des sonates, des concertos ou d'autres formes pour clavecin, piano à deux ou quatre mains, violon, alto, cor de basset, clarinette, harpe, flûte, basson, hautbois, cor, harmonica de verre, orgue mécanique, sans oublier l'usage de la trompette et du trombone dans le *Requiem* et la *Grand-messe en ut mineur*. On peut dire que Mozart, ayant présents à l'esprit les timbres de tous les instruments de l'Europe occidentale, leur a donné leur meilleure occasion de s'exprimer. Son orchestration montre les effets qu'il savait tirer des divers groupements d'instruments. On parle souvent de l'orchestre de Mozart, de Beethoven, de Wagner ; en réalité il n'y a pas un mais plusieurs types d'orchestres de Mozart. Ne serait-ce que dans les vingt-quatre concertos pour piano, l'orchestre ne se réduit pas aux seules cordes, même dans les plus précoces, il s'adjoint hautbois, cors, flûtes pour atteindre dans les derniers (ut mineur par exemple) clarinettes, hautbois, bassons, cors, trompettes et timbales !

Comme le souligne Einstein, le domaine de la voix est le seul où Leopold Mozart n'a rien appris à son fils ; il faut en conclure que le jeune Wolfgang a toujours eu une intuition surprenante de l'art vocal, en particulier une maîtrise absolue de « faire aller les voix » comme on en trouve de si parfaites démonstrations dans ses opéras. Sans doute, quand sa plume courait sur le papier rayé, se représentait-il visuellement la scène avec le chanteur ou la chanteuse à qui il destinait le rôle. De même, quand il écrivait pour un instrument, Mozart le faisait pour tel ou tel interprète, par exemple le *Concerto en mi bémol majeur* pour la pianiste française Mademoiselle Jeunehomme (à l'origine du terme : *Concerto « le jeune homme »* [1]), le *Quintette avec clarinette* (K 581) dédié à Anton Stadler, les quatre concertos pour cor destinés à son ami Joseph Leutgeb qu'il aimait bien malgré les qualificatifs d'âne, de bœuf et de fou dont il le gratifie... amicalement, mais qui était capable de prouesses techniques inimaginables.

Phobie de la trompette ou épilepsie musicogénique ?

D'où venait l'aversion du jeune Mozart pour la trompette rapportée par Schachtner ? S'agit-il d'une peur phobique ou d'une épilepsie musicogénique ? Sans avoir de réponse scientifique à apporter à cette question, on doit remarquer qu'il n'existe dans les milliers de lignes consacrées au musicien ni mention ni même allusion à une suspicion d'épilepsie [2]. Cette négativité de l'anamnèse oriente plutôt vers une peur persistante devenue phobie, c'est-à-dire une angoisse liée à la présence d'un objet ou d'une situation particuliers : ici, le son de la trompette. Cette angoisse peut comporter des manifestations somatiques émotionnelles comme la pâleur, la tachycardie, le tremblement. Nous avons proposé (B. Lechevalier & B. Lechevalier, 1998) une explication neuropsychologique de ce phénomène. Le support anatomique peut en être les circuits neuronaux reliant les aires auditives du cortex cérébral au noyau amygdalien (noyau situé sous la partie antérieure du cortex du lobe temporal) qui joue un rôle important dans les manifestations de frayeur ; il n'est pas impossible que ces réseaux interviennent également dans les émotions d'origine esthétique. Andreas Schachtner fréquentait beaucoup la famille Mozart et aimait tendrement le petit Wolfgang ; en revanche, nous ne savons pas ce que l'enfant pensait du collègue et ami de son père, peut-être supportait-il mal qu'il fît plus de bruit que lui, qui n'était que violoniste. La phobie des bruits intenses, comme celui des moyens de transport, des sirènes, des carillons, n'est pas rare dans les premières années de la vie. Les pédopsychiatres pensent qu'elle peut apparaître très tôt (entre six mois et un an) ; la survenue brutale et inattendue d'un événement sonore constitue pour le petit enfant une rupture angoissante avec son environnement habituel, plus particulièrement maternel ; ils rattachent cette explication à « l'angoisse de la personne étrangère[3] ». Pourquoi sommes-nous amenés à parler ici de l'épilepsie musicogénique ? À titre documentaire et bien que ce diagnostic puisse être écarté chez Mozart, voici deux observations de ce curieux syndrome, déclenché par l'audition de certains timbres.

Nos deux patients avaient respectivement vingt-cinq et trente-cinq ans (Lechevalier *et al.*, 1985, p. 103). La survenue de crises d'épilepsie était déclenchée sélectivement par la musique. Le premier patient, pianiste de jazz amateur, excellent improvisateur, avait fait sa première crise lors d'une soirée avec des amis alors qu'il improvisait. La crise généralisée fut précédée de la répétition de la phrase « Ça va, ça va ». Il raconta par la suite qu'il avait perdu le contrôle de son improvisation et qu'il eut l'impression que le timbre de son piano s'était modifié. Deux années plus tôt, il avait eu une première crise généralisée pendant le sommeil. Par la suite, les crises se sont répétées, souvent de façon isolée. La crise n'a jamais été déclenchée par l'écoute de la musique, quelle qu'en soit l'intensité, l'exécution avec lecture d'une partition, l'interprétation de pièces connues. Seule l'activité d'improvisation musicale, en pensant à la mélodie mais en l'absence de tout fredonnement, était épileptogène. L'électroencéphalogramme a montré un foyer lent temporal gauche sans activation lors de l'improvisation.

La seconde patiente, sans profession, avait fait à l'âge de dix-huit ans des crises partielles complexes du type appelé jadis « crises temporales » comprenant des hallucinations visuelles et auditives, une réminiscence du passé, terminées par des convulsions généralisée avec perte de conscience. Deux ans plus tard, malgré un traitement bien suivi, les crises sont devenues musicogéniques. Toutes sortes de musique (religieuse, militaire, mais plus encore de variétés) étaient susceptibles d'être à l'origine des crises. La malade ressentait alors un vertige, les yeux étaient fixes, la parole s'arrêtait annonçant la crise généralisée. Les bruits non musicaux, la parole ne déclenchaient jamais de crise. L'examen neurologique et le scanner cérébral étaient normaux. Un électroencéphalogramme fut effectué pendant l'audition de musique. Après huit minutes, l'arrêt du stimulus musical déclencha une activité rythmique généralisée qui précéda une crise généralisée.

L'épilepsie musicogénique a été décrite pour la première fois par Macdonald Critchley dans une série de travaux s'étendant de 1931 à 1942 et dont il fait l'historique dans son ouvrage : *Music and the Brain*. Il estime la fréquence à 0,01 % de la population épileptique, soit un cas pour dix millions de personnes. Elle est donc plus rare que celle provoquée par la lecture (3 pour 1 000 épileptiques). Il faut la distinguer des hallucinations auditives vécues par certains musiciens comme Robert Schumann (d'origine psychotique) ou de l'épilepsie provoquée par les bruits.

On peut donner plusieurs définitions de l'épilepsie musicogénique selon qu'on réserve cette appellation à la perception de la musique, de différents sons, ou à l'exécution musicale. Nous proposons celle-ci : « survenue de crises d'épilepsie généralement partielles complexes mais pouvant se généraliser ou être d'emblée généralisées, provoquées par l'écoute ou l'exécution de la musique ». Des stimuli musicaux variés mais parfois d'une grande spécificité ont été signalés à l'origine de l'épilepsie musicogénique : son d'un instrument particulier, carillons notamment, audition d'une œuvre définie comme la *Valse des fleurs* de Tchaikovski chez un malade de Denny Brown cité par Critchley.

Le patient fait parfois des crises seulement avec un genre de musique : musique militaire, d'église, airs d'opéra. L'électroencéphalogramme vérifie dans la plupart des cas la localisation temporale droite ou gauche, parfois bilatérale, d'un foyer épileptique, ce qui n'a rien d'étonnant puisqu'il s'agit le plus souvent de crises partielles complexes. Genc, Genc, Tateskin et Iihan (2001) ont enregistré lors d'une crise musicogénique chez un patient de quarante-huit ans des activités EEG d'allure critique prenant naissance cinq minutes après le début du stimulus musical dans le lobe temporal droit. Au moyen d'un procédé dénommé SPECT, ces auteurs mirent en évidence une hyperperfusion cérébrale témoignant d'une activation neuronale dans les régions médiane et antérieure du lobe temporal droit, argument qui pour eux plaide en faveur de cette localisation comme siège de la perception des timbres et également de l'épilepsie musicogénique.

Petite histoire des timbres et de leur perception

LE TIMBRE : UNE DÉFINITION ET UNE ANALYSE DIFFICILES

Il n'est guère facile de trouver un point commun entre les différents sens de ces deux syllabes qui désignent aussi bien le quadrilatère gommé que l'on colle sur les lettres, l'avertisseur au son cristallin des bicyclettes, la marque laissée sur votre passeport quand vous allez à l'étranger ou, tout simplement, les caractéristiques sonores qui permettent d'identifier ou de distinguer deux instruments de musique qui jouent la même note. C'est de ce timbre-ci qu'il sera question. Sa définition n'est pas univoque. Elle fut longtemps négative : « *ce qui n'est ni la hauteur, ni la durée, ni l'intensité d'un son* ». D'un point de vue comportemental, le timbre peut se définir comme la qualité spécifique qui permet de discriminer les sons de même hauteur, indépendamment de l'intensité. Quand on cherche à qualifier un timbre, de multiples adjectifs viennent à l'esprit qui évoquent plutôt la dégustation des vins ou la gastronomie ; on parle de timbre moelleux, franc, rude, charpenté. Les mots lugubre, sourd, éclatant, strident, clair, pincé, brillant, voilé appartiennent plus au langage acoustique. Pour toutes sortes de raisons, il est impossible (sauf peut-être pour des super-spécialistes) de caractériser un timbre par sa composition spectrale, tout d'abord parce qu'elle n'est connue que des acousticiens, et surtout parce que deux timbres peuvent avoir la même fondamentale et aussi les mêmes harmoniques ; si la distribution de l'énergie parmi ceux-ci est différente, ils sembleront différents à l'oreille. Ainsi la relative amplitude des harmoniques (ou partiels) est le principal, mais non le seul, facteur discriminatif des timbres.

LA PERCEPTION DES TIMBRES HIER ET AUJOURD'HUI

Comme le fait remarquer J.-C. Risset (1994), sans conteste le principal artisan de la redécouverte des timbres : ce qui est sans doute le plus important dans le stimulus musical – le timbre – est paradoxalement le moins connu. Dans les traités d'harmonie, de fugue, de contrepoint, on ne considère que les hauteurs, les durées et l'art de faire chanter successivement ou simultanément des sons appelés *voix* mais jamais on n'envisage le rôle des timbres. Le plus prestigieux traité de fugue : *L'Art de la fugue* de Jean-Sébastien Bach n'est pas composé pour des instruments mais pour quatre voix, il est destiné à être lu et n'est connu du public que par des transcriptions. La polyphonie de la Renaissance tire sa beauté des mélanges des voix au nombre parfois impressionnant (neuf en deux chœurs dans le *Miserere* d'Allegri-Bai dont il a déjà été question). Les instruments n'intervenaient que pour soutenir, doubler les voix ou faire de courts interludes. Bientôt, l'un d'eux va s'imposer et devenir le véritable laboratoire de création des timbres : le grand orgue. Dès le XVe siècle, il contiendra l'essentiel de toute sa gloire sonore : trois types de plénum appelés plein jeu, grand jeu et fond d'orgue et une infinité de jeux de détails comme les flûtes, les bourdons, le nazard, les petite et grosse tierces, le larigot, le cromorne, les trompettes, la voix humaine, la bombarde. Il y a tout ce qu'il faut pour captiver les plus inattentifs, transporter les plus endurcis et rehausser d'un éclat incomparable les cérémonies religieuses. Je parle surtout pour la France, pays où les anciens compositeurs écrivaient clairement en tête de leurs pages le ou les jeux (c'est-à-dire les timbres) auxquels elles sont destinées. Rien de comparable en Allemagne, en particulier chez Bach qui ne donne jamais de telles précisions, mais le rôle de l'orgue y est un peu différent : dans le culte luthérien, il sert essentiellement à préluder au choral que chantera la foule. Qu'il soit allemand, français, italien ou espagnol, le miracle de la création de cet instrument, c'est de l'avoir conçu autour d'un système, né de l'empirisme, basé sur l'utilisation des harmoniques, renforcés artificiellement par des « jeux » qui donnent non seulement les fondamentales, mais en outre les quintes, les tierces, et plus tard les septièmes, et même les neuvièmes, c'est-à-dire les harmoniques naturels. Afin d'éviter les sons trop aigus, les facteurs d'orgues des siècles passés ont eu l'idée géniale d'un système de reprises, au fur et à mesure qu'on s'élève dans l'aigu, des octaves inférieures, principe qui aboutira, dès le XVe siècle, au grand plein jeu, l'âme de l'instrument.

Tout cela va être balayé par l'orgue symphonique. Le but de l'harmoniste ne fut plus de créer des timbres originaux mais d'imiter le son d'un orchestre symphonique. On en vint à tenter de reproduire les bruits d'attaque de la flûte traversière ou du cor d'harmonie, les timbres de la clarinette, du trombone, du quatuor à cordes ! On vit naître des transcriptions de toutes sortes en même temps que celles pour accordéon. L'orgue allait gagner en puissance, au risque de perdre son âme.

Les compositeurs romantiques, à commencer par Beethoven et Carl Maria Weber (un cousin de Constanze Mozart), l'auteur d'*Obéron*, allaient exploiter les timbres beaucoup plus que leurs prédécesseurs et surtout dans un but différent. Mozart les utilisait pour souligner une phrase, faire réapparaître un thème, ou bien pour intervenir sur l'intensité globale de son ensemble. Beethoven et Weber, sans négliger cet aspect, ont fait du timbre un mode d'expression chargé d'un sens précis (le cor magique d'*Obéron*, la flûte de la *Symphonie pastorale*). Avec Claude Debussy, le timbre acquiert une autre dimension : celle de suggérer de créer un climat. Réécoutez le superbe nocturne intitulé *Nuages*. Un motif descendant (exemple 10), somme toute assez simple mais harmonisé

10. Debussy. Thème du cor anglais dans le nocturne *Nuages*

de façon raffinée, et utilisant les degrés de la gamme par tons, se répète plusieurs fois. C'est alors que le cor anglais, au timbre mélancolique si caractéristique, fait entendre son thème qui se répétera sept fois, fait d'un triolet de notes conjointes ascendantes suivi d'une déflexion dont le pouvoir de suggestion est indéniable ; on se demande d'ailleurs bien pourquoi ce motif évoque si bien un ciel assombri par de gros cumulus poussés par le vent vers le néant. On peut certes remarquer le contraste entre le triolet de doubles croches et les valeurs prolongées de la déflexion, ou encore la surprise provoquée par un do bécarre alors qu'il y a trois dièses à la clé. En réalité, c'est l'effet lancinant du timbre du cor anglais qui a valu tant de succès à cette phrase ; il serait injuste de négliger l'intervention des « bois » alternant avec les cors qui donnent une impression de mouvement inéluctable et menaçant, apaisé par une brève éclaircie. « Avec Debussy, relève Roland Manuel, le musicien retrouve la sensation sous la notion, le *son* sous la *note*. »

L'ÉCLATEMENT DES TIMBRES DANS LA MUSIQUE CONTEMPORAINE

Aussi importante que soit devenue la place des timbres dans la musique de la première moitié du XXe siècle, « le contrôle compositionnel, comme l'énonce Risset (1994), s'attache ici à l'élaboration des relations entre les sons. Le jeu sur le timbre n'y joue pas un rôle central, même si les différenciations de timbre aident à séparer les lignes ».

Depuis Messiaen, qui représente avec Arnold Schoenberg l'un des principaux créateurs d'un nouveau langage musical au XXe siècle, les timbres ont pris une place beaucoup plus importante, et ceci pour plusieurs raisons. La première est l'enrichissement considérable du nombre des timbres utilisés, faisant appel à une infinité d'instruments à percussions, d'instruments extra-européens et même de bruits de l'environnement constituant l'essence de la musique concrète dont on ne peut dissocier les noms de Pierre Schaeffer et Pierre Henry.

La seconde raison est que les timbres ont dépassé leurs deux fonctions traditionnelles, à savoir l'aide à la discrimination et l'identification de leur source. Nous ne reviendrons pas sur la première, considérée jadis comme un artifice qui rend possible la séparation acoustique des sons mélangés ; la seconde : la possibilité d'une identification, allait de soi puisqu'on admettait que tous les timbres voire même tous les sons « étaient dans la nature », ce qui est vrai si l'on inclut les instruments de musique comme faisant partie de la nature. Le timbre fait donc naître d'emblée le désir d'identifier l'origine de sa source.

Aujourd'hui, depuis la musique électroacoustique, l'homme est devenu un créateur de timbres originaux qui ne sont ni des essais de reproductions de timbres existant déjà, ni des variations ou dérivés de ceux-ci. Il s'agit de sons numériques créés soit empiriquement, soit par des méthodes mathématiques ; les seules définitions possibles (sauf de leur donner un nom de baptême !) ne pourront être qu'un matricule, un code ou une courbe. Cette nouvelle musique, que l'on pourrait qualifier d'abstraite, se devait de construire de nouvelles méthodologies, de nouvelles théories et de nouvelles pédagogies. Elle devra accepter de se prêter aux enquêtes esthétiques afin de tester la recevabilité du produit chez l'humain. Une troisième raison est la disparition de la primauté des attributs classiques du son musical, la hauteur, la durée, l'intensité devant les perspectives dorénavant ouvertes par l'élargissement considérable du domaine des timbres. Ne parle-t-on pas de mélodies de timbres (c'est-à-dire l'art de faire se succéder dans un tout cohérent des séquences de timbres) et aussi de musique sérielle de timbres ?

Le célèbre *Boléro* de Maurice Ravel peut être considéré comme un exemple prémonitoire de la modernité musicale ; en effet, les deux thèmes qui occupent le terrain sont répétés de nombreuses fois par des instruments différents conduisant à travers un gigantesque crescendo à un unique changement de ton, d'ailleurs passager. La nomenclature des instruments en présence en mentionne vingt-neuf. C'est un véritable musée sonore des timbres musicaux dont certains étaient auparavant peu utilisés dans l'orchestre symphonique ! Il y a par exemple trois types de saxophones, trois types de clarinettes, un tuba, un hautbois d'amour, deux types de trompettes.

L'exploitation des séries de sons appartenant aux douze demi-tons chromatiques et non plus aux classiques systèmes de gammes a été promue par Arnold Schoenberg, le père de la musique sérielle ; de la même façon, on peut envisager de faire appel aux timbres pour créer des séries et les combiner de diverses façons. Ainsi « le timbre est devenu un objet de composition » (Dufourt, 1991). Il semble que l'on entre dans une période où, selon Risset : on compose avec des sons et non avec des notes.

Cette nouvelle conceptualisation de la fonction des timbres leur retire leur rôle de simple parure sonore pour les élever au rang de partie constitutive de la musique. Ce changement de statut ne risque-t-il pas d'accroître la complexité de la compréhension de la perception des timbres aujourd'hui ? À moins que les outils qui ont contribué à ce grand retour des timbres ne servent également à mieux saisir leurs vécus.

À l'écoute des timbres

AVOIR CONSCIENCE DES TIMBRES

Il ne serait nullement déraisonnable de s'interroger sur « timbres et inconscient », tel n'est pas notre propos. Nous nous limiterons à cette question : comment prenons-nous conscience des timbres ? comment sont-ils reçus, traités par notre conscience et quel retentissement déclenchent-ils en nous ?

1) Dans quelles circonstances d'écoute sommes-nous amenés à prêter attention aux timbres ? La façon dont notre attention se porte sur la perception des timbres n'est pas univoque. Quand nous écoutons un orchestre symphonique, nous percevons une masse sonore globale, comme un seul gigantesque instrument capable de nuances, de modifications du rythme ou du tempo. Le timbre est noyé dans cette masse et perd son identité au profit du timbre global de l'orchestre. Les connaisseurs savent d'ailleurs apprécier des différences subtiles entre les timbres des grandes formations. La perception est surtout celle de lignes mélodiques (donc faites de notes) organisées en divers plans sonores. Ce flux musical, cette toile de fond peuvent être entrecoupés de séquences de timbres ou intermèdes de timbres sélectifs qui apportent un repos, une diversité, des changements de couleurs ou de style.

Depuis J.-S. Bach et Händel, un certain code conventionnel s'est établi entre la structure de l'œuvre et les timbres employés. Mozart révérait beaucoup l'auteur du *Messie*... (dont il a fait une nouvelle orchestration) pour sa capacité à traduire la pompe et la grandeur des sentiments, comme il l'a fait dans ses grands opéras et les cantates profanes. Les timbres des trompettes et plus tard des trombones accompagnés de roulements de timbale et de coups de cymbales ont toujours eu une connotation solennelle ou dramatique, ceux des flûtes : un sentiment de simplicité naturelle, celui du violoncelle : l'expression d'une passion, celui du hautbois : une pastorale, tandis que le chant du violon est capable tout autant d'évoquer des drames que de ramener le calme (voir l'épisode « Après l'orage » de la *Symphonie pastorale*). Toute cette science des timbres est enseignée dans les traités d'orchestration.

Dans les soli instrumentaux, l'attention portée aux timbres est beaucoup plus vive. On apprécie « le son de l'instrumentiste » et de son instrument mais aussi sa virtuosité, son phrasé, ses moyens expressifs. Bien que notre conscience soit capable de privilégier l'écoute des timbres, celle-ci ne surpasse pas habituellement les autres qualités.

L'écoute du timbre échappe aux notions quantitatives. À l'inverse des notes toujours perçues comme un élément d'un tout par rapport aux autres notes, le timbre n'évoque pas de quantités ni de références à d'autres timbres, ni de chiffres, ni des degrés. Le timbre est apprécié en lui-même, il nous touche par ses qualités individuelles et intrinsèques. Un timbre n'est pas plus fort, ou plus grave ou plus long ou plus court qu'un autre timbre. À cause de cette absence de comparaisons ou de références physiques patentes, il est plus difficile à segmenter, à analyser, il ne peut pas être chanté aussi facilement que les autres éléments constitutifs de la musique, car chanter un timbre, c'est chanter une note avec un certain timbre. Quant à la mémoire des timbres, elle est très difficile et ne comporte pas le plus souvent de rappel vrai. On peut dire que la perception des timbres est holistique et non analytique. La représentation des timbres passe d'habitude par la représentation de la source : nous nous rappelons tel artiste ayant tel timbre, plus que le timbre lui même.

Personnellement, je pris conscience très jeune de ce qu'étaient les timbres (de leur réalité sinon de leur appellation) : assis sur le siège arrière de la 301 familiale lors des randonnées dominicales. Volant en main, mon père avait l'habitude, de chanter à tue-tête des passages des symphonies de Mozart ou Beethoven en imitant et en dénommant les instruments de l'orchestre ; je remarquais que c'était plutôt par des mimiques et des commentaires que par la différence des sons que j'étais capable de reconnaître les instruments joués par les vedettes de l'époque. Tous ces sons avaient pour moi un père, que je pensais toujours être l'interprète de ce que j'entendais : le cor de Devemy, le basson d'Oubradous, le violoncelle de Casals, le violon de Thibaud, le piano de Marguerite Long.

Les timbres peuvent être descriptifs ou imitatifs, faculté dont les auteurs de poèmes symphoniques ont largement usé pour suggérer une ambiance, un sentiment. La prise de conscience des timbres est en définitive de nature émotionnelle et affective, beaucoup plus qu'analytique. Ils font réapparaître un climat, un décor, des noms, des images, des parfums. Ils influencent l'humeur.

Rien ne justifie une opposition dogmatique entre les opérations cognitives mises en jeu dans la perception des timbres présents dans la nature, et ceux créés par l'ordinateur. Certes, l'identification de l'origine et de la source des sons numérique est impossible mais globalement l'oreille semble d'ores et déjà capable de dire que c'est un son numérique, pouvant donc faire la distinction avec un son instrumental et/ou de la nature. Il serait malhonnête de refuser aux sons produits par des moyens électroacoustiques des pouvoirs émotionnels et évocateurs suggestifs sous prétexte qu'ils n'ont pas été créés par un instrument traditionnel ; au fond, avec le temps, l'ordinateur lui-même pourra être considéré comme un instrument de musique ! Il faut ajouter à cela que les travaux expérimentaux de neuropsychologie (comme ceux de Platel *et al.* dont nous reparlerons au chapitre VII) utilisent, comme échantillons de séquences présentées aux sujets, des sons fabriqués par l'ordinateur sans qu'une quelconque restriction soit apportée pour leur refuser le label de sons musicaux.

TIMBRES ANALYSÉS, IMITÉS, RECRÉÉS ET INVENTÉS

Depuis Hermann von Helmholtz, de Heidelberg (1821-1894), on sait que le timbre est le résultat du nombre et de l'intensité des harmoniques naturels (ou partiels) qui le constituent et que l'on appelle de nos jours la composante spectrale. Les instrumentistes, en particulier « à cordes », savaient depuis longtemps que l'émission d'un son musical permet de percevoir au-dessus de la fondamentale une série de sons beaucoup moins intenses. Il est remarquable que l'ordre de ces harmoniques est toujours le même pour tous les sons musicaux. Les deux outils de la recherche de Helmholtz furent les diapasons et les résonateurs. De ceux-ci, il fit construire de nombreux modèles sphériques, en cristal, à deux ouvertures dont l'une était introduite dans le conduit auditif. Le résonateur donne son propre son fondamental. S'il est le même que l'harmonique ou la fondamentale qu'on fait entendre et que l'on veut étudier, il le renforce considérablement. Grâce à une importante panoplie de résonateurs, on peut amplifier tous les sons présentés. Quant aux diapasons, Helmholtz eut l'idée d'entretenir électriquement leur mise en vibration et de leur adjoindre des résonateurs, ouverts ou fermés, et d'enregistrer leurs vibrations quantifiables sous formes de sinusoïdes. Il put ainsi construire de tels appareils spécifiques de chaque harmonique et additionner leur son amplifié pour faire la synthèse de sons composés ; il procéda de la sorte non seulement pour les sons musicaux mais aussi pour les sons du langage. Il fut amené à soutenir que le timbre ne dépendait pas d'une différence de phase entre les partiels. Dans ce domaine, l'avenir ne lui donna pas raison ! Helmholtz a bien mis en garde ses lecteurs contre l'existence possible de sons partiels non harmoniques qu'on pourrait appeler sons parasites parmi lesquels il faut placer les bruits d'attaque et de cessation du son et le bruissement du flux d'air « se brisant sur les lèvres du biseau » des tuyaux d'orgues. Non seulement Helmholtz a dressé l'inventaire des sons musicaux et vocaux présents dans la nature avec leurs caractéristiques mais encore il les a classés selon leur configuration spectrale ; par exemple, quand la fondamentale domine, le son est plein et rond, il sonne « vide » dans le cas contraire ; autre exemple : le son si particulier de la clarinette est dû à la présence des seuls partiels impairs, d'où sa composante légèrement nasillarde. (Il est important de savoir que la fondamentale est considérée comme le premier partiel.) Il est très difficile de porter, *a posteriori*, un jugement sur le résultat de la synthèse des timbres réalisée par l'acousticien de Heidelberg, et sur leur ressemblance avec les timbres naturels : le disque n'existait pas alors.

La question de l'analyse et de la synthèse des timbres s'est depuis Helmholtz singulièrement compliquée. Certaines de ses découvertes, si méritoires soient-elles, ont été en partie révisées. Tout d'abord, il est prouvé de nos jours que les différences de phases entre les partiels interviennent dans le timbre. Les ondes dites carrées ont des partiels de phase identiques, leur son et rudes et rugueux, il l'est beaucoup moins si les partiels n'ont pas tous la même phase. Partant de l'empirisme, ce que lui apprenait sa propre oreille, Helmholtz a réalisé un travail expérimental pour arriver à une théorie simple sur la synthèse des sons. Après lui, on a pu constater le rôle d'une infinité de variables posant le problème des liens de cause à effet entre le timbre produit et « la matière » qui en est l'origine. Deux exemples : dans le piano, la corde est frappée par un marteau à un endroit précis, le septième de sa longueur, ce qui limite la production des harmoniques aux six premiers ; elle donne un son rond contenant surtout des partiels graves ; dans le clavecin, la corde n'est pas frappée mais pincée par un bec de plume (ou sautereau), elle produit des partiels bien plus aigus que dans le piano, ce qui explique la qualité si spéciale du timbre ; second exemple : les tuyaux de façade de l'orgue, appelés pour cette raison « la montre », peuvent produire, selon l'harmonisation, des sons très différents d'un instrument à l'autre. Certains donnent un son puissant et velouté, d'autres sont tranchants et percutants – cette différence tient en grande partie à la largeur de la bouche : plus elle est large, plus elle favorise la production de partiels très aigus, plus elle est étroite, plus les partiels émis seront graves. Il faut ajouter à cela que la composition spectrale du timbre des instruments à percussion est encore plus complexe. « Il se pourrait que nous n'ayons pas encore identifié certaines caractéristiques subtiles qui nous permettent de reconnaître certaines sortes de sons » (Pierce, 1984).

Aujourd'hui, les instruments de mesure électroacoustiques permettent d'analyser les timbres avec une grande précision. C'est ce qu'a fait J.-C. Risset (né en 1938) qui reçut en 1999 la médaille d'or du CNRS pour l'ensemble de ses travaux. Il créa en 1972 le laboratoire d'informatique et d'acoustique à Luminy (dépendant de l'Université d'Aix-Marseille dont il allait devenir professeur quelques années plus tard). Physicien, acousticien, compositeur et pianiste, J.-C. Risset, pendant son séjour aux Bell Laboratories, put utiliser des ordinateurs musicaux pour faire l'analyse de l'attaque, de la décroissance et des variations dans le temps des partiels des sons cuivrés. Il s'aperçut que la composition spectrale n'était nullement un invariant ; bien au contraire : pendant l'attaque du son, les composantes des fréquences ne sont pas synchrones, les partiels aigus apparaissant avec un certain retard et disparaissent plus tôt que les partiels graves. Il existe en outre une relation entre les partiels et l'intensité du son : « le spectre s'élargit quand l'intensité augmente ». Par une méthode originale baptisée « analyse par synthèse ». Risset put conclure que le son cuivré est caractérisé par une relation entre spectre et intensité. Grâce à cette analyse des sons réels de la trompette, il put en réaliser la synthèse, et montrer que l'impression de réalité de l'instrument tenait essentiellement à la fluctuation de la fréquence des partiels ; il écrit : « Seule la synthèse permet de vérifier la pertinence auditive des caractéristiques extraites de l'analyse, et d'assurer que c'est bien sur ces caractéristiques que l'oreille se fonde pour identifier le timbre » (*in* Zenatti, 1994).

Si dans le monde des vivants l'oreille se constitue au fil des ans un répertoire lexico-sémantique de timbres qui repose sur une infinité d'indices parfois très subtils (comme d'apprécier au son, la nuit, la taille des gouttes de pluie qui tombent sur son toit), elle reste perplexe pour identifier un timbre créé au moyen de l'ordinateur de la même façon que le public fut tout d'abord rebuté par la peinture abstraite dans laquelle il ne vit rien de représenté. Les harmonies des timbres et celles des couleurs se rejoignent. Aujourd'hui, il ne vient pas à l'idée de chercher ce que représente un Kandinski ou un Soulages, en revanche on s'habitue à y découvrir la traduction d'une émotion née de la forme ou à évoquer par exemple des rapports de forces qui s'affrontent ou encore à y trouver un sentiment d'élation, les éléments de son propre équilibre intérieur. Ce n'est pas parce que la musique est née d'un ordinateur qu'elle doit être considérée avec condescendance, comme on regardait autrefois les enfants nés de père inconnu.

VOIX

Helmholtz, dans son ouvrage *Théorie physiologique de la musique*, affirme qu'il a réussi au moyen de ses batteries d'électroaimants munis de résonateurs à faire la synthèse de sons du langage. Il écrit : « Parmi les sons fournis par la nature qui paraissent le mieux se prêter à être reproduits par les diapasons, viennent en premier lieu les voyelles de la voix humaine » à condition de posséder des diapasons donnant des sons très aigus correspondant aux partiels de fréquence très élevée. Ce qui est caractéristique des voyelles, c'est qu'elles possèdent dans leur spectre des zones de renforcement énergétique de leurs fréquences appelées *formants*, généralement au nombre de trois, ils sont considérés comme les fréquences de résonances du conduit vocal, différents des harmoniques naturels. Au voisinage de ces formants, l'amplitude des ondes des partiels est élevée alors qu'elle est basse à distance de ceux-ci. La place exacte des formants sur l'échelle spectrale constitue « la carte d'identité de la voyelle ». C'est elle qui permet de l'identifier même dans la voix chuchotée. Les chanteurs apprennent à connaître leur voix et à reconnaître l'emplacement des formants pour les placer au mieux. Les contre-ténors et les sopranos sont dans l'obligation de les déplacer vers le haut quand ils chantent dans les registres élevés de leur tessiture.

D'autres facteurs interviennent dans la reconnaissance des timbres individuels de la voix comme le débit, la rapidité du flux, le son nasal ou guttural, l'attaque et la décroissance du son ou déflexion, la façon de prononcer certaines consonnes, qui rendent possible la reconnaissance de voix familières au téléphone souvent dès la première syllabe.

NEUROPSYCHOLOGIE DE LA PERCEPTION DES TIMBRES

Tout ce que nous venons de voir explique que les études consacrées à la perception des timbres aient été pendant longtemps du seul domaine des acousticiens. La neuropsychologie des timbres musicaux a deux objectifs : quel paradigme utiliser pour les étudier ? Peut-on rapporter à une structure anatomique précise la perception des timbres ?

La méthodologie la plus utilisée est d'ordre discriminatif. Elle consiste à faire entendre au sujet deux échantillons de sons pour lesquels un seul paramètre varie. On a d'abord fait différencier à des musiciens des paires identiques de timbres musicaux d'instruments de musique réels différents émettant soit des mélodies, soit des notes isolées, mais ces mesures sont apparues trop élémentaires et elles ont été remplacées par d'autres qui prennent en compte les nombreux attributs du stimulus. Samson, Zattore et Ramsay (1997) ont proposé une étude multidimensionnelle du timbre musical qui s'adresse à des sujets non musiciens : « le matériel sonore comprend neuf timbres synthétisés à partir de trois niveaux d'information spectrale portant sur le nombre des harmoniques (soit : 1, 4, 8) et les modifications temporelles sur l'attaque (1, 100, 190 ms). Il y avait une version tonale de sons isolés et une version mélodique de huit notes. Ces stimuli étaient présentés par paires d'items différents. Les sujets devaient juger le degré de dissemblance sur une échelle en huit points.

L'objectif localisationniste dans ce domaine ne date pas d'hier ! En 1962, B. Milner a étudié les effets des exérèses des lobes temporaux droit et gauche pour épilepsie rebelle aux traitements médicamenteux sur la discrimination des timbres. Elle conclut que les patients qui avaient subi une exérèse droite présentaient un déficit significatif sur la discrimination des timbres par rapport à ceux qui avaient subi une exérèse temporale gauche, suggérant que la discrimination des timbres était assurée par le lobe temporal droit, ce que vinrent confirmer des études ultérieures.

Depuis ces études globales, Samson et Zattore (cf. Samson, 2002 pour revue) ont cherché à découvrir si la discrimination des timbres obéissait à des facteurs spectraux ou temporels, guidés par l'hypothèse que les premiers seraient assurés par le lobe temporal droit et les seconds par le lobe temporal gauche, dans l'hypothèse que le lobe temporal gauche effectue un traitement temporel des signaux auditifs, comme il avait été démontré antérieurement. Ils ont utilisé des paires de stimuli différents par le nombre d'harmoniques (paramètres spectraux) ou bien par le temps de montée de l'attaque (par exemple 1 contre 50 millisecondes ; 50 contre 190 ms) et ils ont cherché à savoir si l'exérèse des lobes temporaux droit ou gauche perturbait la discrimination de timbres différents entre eux par leur composition spectrale (différence dans la composition en harmoniques) ou par leurs caractéristiques temporelles. Ils ont pu conclure que l'exérèse temporale droite gênait la discrimination des timbres qui différaient aussi bien par leur composition spectrale que par des caractéristiques temporelles de leur attaque. L'étude de ces auteurs n'a pas mis en évidence le rôle du lobe temporal gauche dans la discrimination des timbres. Cependant, si cette conclusion est valable pour les sons isolés (qu'ils appellent « tone »), en ce qui concerne les mélodies, ils trouvent que « la représentation du timbre chez les cérébraux lésés temporaux gauches est moins stable que chez des sujets contrôles. C'est la partie antérieure et surtout antéroventrale du lobe temporal droit qui interviendrait préférentiellement dans la discrimination des timbres. Cette région du cortex cérébral joue également dans la perception des caractères personnels de la voix humaine.

Nous verrons au chapitre VII que les corrélations anatomocliniques classiques permettent d'incriminer le lobe temporal droit dans la discrimination des timbres ; en revanche la caméra à positons n'a pas permis d'exclure une discrète participation de l'hémisphère gauche.

POUR CONCLURE

Historiquement les timbres ont été pendant des siècles les parents pauvres de la musique qui a longtemps privilégié les notes, c'est-à-dire les hauteurs des sons en référence au système des gammes. Mozart occupe une place très importante dans la renaissance de l'intérêt porté aux timbres dans la mesure où il a permis à tous les instruments occidentaux de son époque de s'exprimer sans oublier le domaine vocal où il occupe, pour moi, la première place parmi tous les compositeurs de tous les temps. En revanche, ceux qui lui ont succédé : Beethoven, Weber, Schumann, Berlioz, Wagner, l'école russe ont exploité davantage le rôle des timbres en les utilisant comme autant de signifiants, soit descriptifs, soit évocateurs, soit suggestifs, soit même sémantiques. Claude Debussy représente un exemple d'une très large utilisation du pouvoir expressif des timbres, tendance qui n'a fait que s'accroître après lui.

Helmholtz a été, au XIXe siècle, le pionnier de l'étude des timbres. Il a postulé qu'ils étaient le résultat de la composante spectrale des sons. Celle-ci n'est autre que la composition en harmoniques (ou partiels) de chaque son. Depuis lors, de multiples progrès ont été faits grâce aux moyens électroacoustiques d'analyse et de synthèse des sons existants portant en particulier sur les sons cuivrés (Risset) ; ils conduisent à réviser les notions anciennes ; en effet, ils démontrent que la composition spectrale, si elle a bien quelque chose à voir avec les timbres, n'est nullement un invariant spécifique de chaque timbre, mais qu'au contraire elle est en rapport avec l'intensité ; les partiels aigus apparaissant avec un certain retard sur les graves lors de l'attaque. Ces constatations ont permis de synthétiser de façon tout à fait satisfaisante les timbres cuivrés.

Les fonctions classiques des timbres sont l'aide à la discrimination des objets sonores et à l'identification possible de leur source. De nos jours, les ordinateurs ont permis de créer des sons nouveaux pour lesquels une de ces deux fonctions : l'identification de la source, est sans objet à moins qu'on les identifie seulement comme des sons électroacoustiques, ce qui voudrait dire que l'ordinateur est devenu un nouvel instrument de musique, pourquoi pas ? Déjà les études de neuropsychologie de la musique utilisent de tels sons.

Les travaux récents de Samson et Zattore *et al.* démontrent le rôle prépondérant du lobe temporal droit dans la discrimination des timbres, aussi bien sur leur composante spectrale que leurs indices temporels ; cependant divers auteurs attribuent au lobe temporal gauche un rôle modeste dans le jugement de similitude des timbres et dans la stabilité de leur perception dans les mélodies.

CHAPITRE VI

Le Koechel 1, enfants prodiges musiciens, développement de la musique chez l'enfant

Koechel 1 ou Koechel 2 : quel est l'aîné ?

Quelle est la première œuvre de Mozart ? Réponse difficile à donner ! On a cru longtemps que la première œuvre autographe de Mozart, inscrite sous le numéro 1 dans le catalogue Koechel, était un *Menuett und Trio für Klavier* composé en 1761 (ou 1762) à Salzbourg. De Wyzewa et de Saint-Foix en ont apporté une contradiction : ils le datent d'octobre 1762 et pensent, d'après une annotation de Leopold Mozart, que le *Menuet en fa*, bien qu'il porte le numéro 2 dans le catalogue Koechel, aurait été composé en janvier 1762. Ils lui donnent le numéro 1 dans leur classement personnel. Ils confortent leur opinion sur l'analyse stylistique des deux œuvres : le K 1 étant plus élaboré que le K 2, ce qui devrait être le contraire. À vrai dire, même si quelques mois ont séparé ces deux compositions, on y trouve des figures de style musical qui étonnent de la part d'un garçon de cinq ou de six ans, encore prénommé Johannes, Chrysostome, Wolfgang, Théophile (ce n'est qu'après son voyage en Italie que Théophile deviendra Amadeus, ce qui veut dire la même chose).

Le *Menuet et Trio en sol majeur* Koechel 1 (exemple 11) est ce que l'on appelait à l'époque un double menuet, c'est-à-dire un menuet suivi d'un trio, chaque partie comprenant deux reprises. À la fin du trio, on rejoue

11. Mozart, le soi-disant Koechel 1 :
Menuet en sol (1e) suivi du *Menuet en ut* (1 F) en trio

le menuet mais sans faire les reprises. Cette formule allait figurer inchangée dans toute la musique classique. Les thèmes du menuet et du trio se ressemblent. Précédés d'une anacrouse descendante [1] qui est retrouvée tout au long de l'œuvre, ils comportent de nombreuses et habiles modulations [2]. Qu'on en juge : partis en sol majeur, nous modulons dès la 6ᵉ mesure en ré majeur, puis à la 10ᵉ mesure le sol dièse nous introduit en la majeur, abandonné deux mesures plus loin pour sol majeur. Le trio, comme il se doit, démarre en do majeur et file six mesures plus tard vers sol majeur, nous revenons au ré mineur puis retour au do majeur initial de rigueur. Soit sept modulations en trente-trois mesures : surprenant, n'est-il pas vrai, pour un enfant de cet âge ? Il faut noter en outre la perfection des ornements, triolet [3] et motifs variés descendants du trio, la correction parfaite du contrepoint et la segmentation des mesures aux reprises, rendues nécessaires par les anacrouses.

Le Koechel 2 est beaucoup plus élémentaire ; écrit à deux voix, il ne comporte pas de trio, ce n'est pas un double menuet. Il y a un changement de ton abrupt au milieu après la double barre de reprise. La mélodie en fa majeur est simple, sans anacrouse ni modulation ; malgré son aspect naïf, elle donne une impression de vie du fait de la répétition de la même figure rythmique primesautière et bondissante. La différence est nette entre les deux numéros du Koechel, tout porte à croire que le second est antérieur au premier.

Que faut-il penser aujourd'hui de cette revendication chronologique de priorité ? La meilleure méthode reste de feuilleter les partitions. À défaut de le faire à Salzbourg, nous avons depuis l'année Mozart, à notre disposition, la somptueuse édition complète Bärenreiter de tout l'œuvre de Mozart. Dans le volume 20 consacré aux œuvres pour clavier, nous trouverons la réponse à notre question liminaire. Ce volume reproduit le fameux cahier de Leopold Mozart où figurent les premières œuvres de son génie de fils. En 1759, le père de Wolfgang et de Nannerl a acheté pour l'éducation de sa fille, âgée de huit ans, un cahier de musique relié où il a recopié des petites pièces faciles de lui-même ou d'autres auteurs [4]. Il a écrit en français sur la première page : *Pour le clavecin. Ce livre appartient à Mademoiselle Marianne Mozart, 1759.* Ce cahier, conservé au Mozarteum de Salzbourg, contient (d'après Kann) vingt menuets et une polonaise et vingt autres pièces dont trois sont respectivement de Agrell, Fisscher et Wagenseil, une autre de Jean-Chrétien Bach. Il contient aussi les premières compositions de Wolfgang : un andante, un allegro composé à cinq ans et les fameux menuets. Dans ce cahier, le K 1 est divisé en deux : un menuet en sol répertorié 62 suivi d'un menuet en do en trio répertorié 63. Les deux étant réunis forment le traditionnel K 1.

Dès l'âge de trois ans, Wolfgang commençait à chercher le son harmonieux des tierces sur le clavier, son père lui apprend à lire les notes et sa sœur lui donne un coup de main, il sait la musique avant de savoir écrire. On se le représente assistant à la leçon que Leopold est en train de donner à Nannerl, essayant d'atteindre le clavier, d'y poser ses petites mains pour imiter sa grande sœur. Les biographes de Mozart, les Massin, de Wyezwa et de Saint-Foix entre autres, nous ont donné de multiples exemples de sa précocité, de sa docilité et de son constant enthousiasme pour découvrir de nouvelles choses.

Bientôt, l'enfant ne se contente pas d'apprendre en un temps record (en une demi-heure, comme le note la plume paternelle en haut d'une page) les menuets des autres, il en compose lui-même qui sont d'abord transcrits par son père. Dans ces pages, les qualités pédagogiques de Leopold sont indéniables, la façon de vaincre les difficultés est savamment graduée, mais force est de reconnaître que l'originalité a cédé le pas aux nécessités de l'enseignement. Les menuets composés par l'enfant contrastent par leur vivacité, leur fantaisie qui tiennent à leur invention mélodique. D'où lui viennent les idées de ces « sauts » d'intervalles bien plus vivants que la succession de degrés conjoints chère à Leopold ? À partir de 1762, les menuets de Mozart répertoriés au Koechel ont été composés et écrits par Wolfgang en personne. Einstein (1954) a résolu de façon élégante la question de savoir quel était vraiment le Koechel 1. Le catalogue des œuvres de Mozart qui clôt son livre comprend... 5 Koechel 1, répertoriés 1a, 1b, etc. Le traditionnel numéro 1 du Koechel devient le K 1e, suivi de 1 F pour le trio.

Voici l'ordre chronologique des premières compositions de Wolfgang (qui sont écrites pour le clavier) donné par l'édition Bärenreiter : *Andante en ut majeur* sans date, supposé écrit à cinq ans, c'est le Koechel 1a d'Einstein ; *Allegro en ut majeur* ou K 1b, sans date ; *Allegro en fa majeur* ou K 1c, composé le 11 décembre 1761 ; *Menuet en fa majeur* ou K 1d, composé le 16 décembre 1761 ; *Menuet en fa majeur* K 2 dont nous avons parlé, composé en janvier 1762 ; le K 3 est un *Allegro en si bémol majeur* composé en mars 1762 ; un autre *Menuet en fa* ou K 5 a été écrit en juillet 1762 ; le *Double Menuet en sol*, écrit en 1764 qui devrait s'appeler le K 6 continue à être répertorié K 1e et K 1f : hommage (justifié) à Einstein ?

UN MINÉRALOGISTE MUSICOLOGUE

Qui était ce Koechel et comment a-t-il été amené à réaliser son catalogue passé à la postérité ? L'histoire du chevalier Ludwig von Koechel garde ses mystères que le préfacier du *Mozart* d'Alfred Einstein, Pierre-Antoine Huré, laisse entrevoir : « On ne sait presque rien de Koechel. Au point de se demander si le fameux K ne recèle pas quelque étrangeté kafkaïenne, dont on s'étonne qu'aucun écrivain n'ait rêvé de percer le mystère... » Sur la personnalité secrète de Koechel, Huré nous livre quelques aperçus et nous donne son interprétation : considéré comme un jeune homme pauvre et solitaire, orphelin de bonne heure, il devint effectivement précepteur mais... des quatre fils de l'Archiduc, frère de l'Empereur, puis il parcourut le monde, jamais sans son ami privilégié, dans le but d'étudier les cristaux et les plantes. Il accéda au titre et à la fonction de Conseiller impérial, fut chargé de missions diplomatiques loin de Vienne et anobli. Malgré sa première orientation juridique et son doctorat en droit, ses travaux concernèrent la minéralogie et la botanique. Fut-il influencé par son goût de la taxonomie ? En tout cas, il sut mettre ses qualités scientifiques au service de l'œuvre immense du musicien qu'il révérait par-dessus tout. Sans doute, y fut-il poussé par l'insuffisance des premières tentatives qui avaient déjà vu le jour sur ce sujet. L'originalité de Koechel fut incontestablement de réaliser un catalogue thématique, reproduisant le début des œuvres retenues comme authentiques, de les classer par genre et par année en mentionnant les sources, l'état du manuscrit, l'endroit où il se trouvait. Né avec le siècle, Koechel fit paraître son catalogue en 1862 quinze ans avant sa mort. Il le dédia à Otto Janh, le premier grand musicologue de Mozart. Einstein le révisa scrupuleusement et le compléta en tenant compte des découvertes plus récentes, notamment de celles de Wyzewa et de Saint-Foix. L'approche de ces deux auteurs est différente : ils ne firent pas que classer et indiquer les débuts des œuvres, ils les analysèrent en détail d'un point de vue stylistique. Le Koechel figure toujours en bonne place dans les bibliothèques musicales et reste un document précieux. Je n'en connais pas de traduction française. Dans la petite plaquette écrite par Jacques Lory intitulée *Tout Mozart* destinée à accompagner l'intégrale discographique de l'œuvre, on trouve une reproduction d'un portrait de Koechel exécuté vraisemblablement à la fin de sa vie qui frappe par son expression mélancolique.

Les dix ans de Wolfgang

Wolfgang prit ses dix ans le 27 janvier 1766. Il avait déjà fait quatre grands voyages : au début de 1762. Leopold Mozart a emmené ses deux enfants à Munich où ils ont été présentés au Prince électeur, ils sont rentrés à la maison trois semaines plus tard.

Le second voyage a été beaucoup plus long ; le 18 septembre 1762, Leopold, Wolfgang et Nannerl embarquent sur le Danube à Passau pour Vienne via Linz où ils donnent un concert. À Ips, les pères franciscains sont tellement surpris d'entendre les grandes orgues du couvent résonner sous des doigts si jeunes qu'ils en abandonnent leur repas. Les Mozart arrivent à Vienne le 5 octobre, avec en poche de bonnes recommandations. Ils sont rapidement reçus à Schoenbrunn. L'empereur François Ier et l'impératrice sont conquis par Wolfgang qui a rencontré également une petite princesse de son âge : Marie-Antoinette, future reine de France. Bien qu'il n'ait que six ans, il ne se prive pas de donner son avis sur la musique qu'il entend, même quand il s'agit de critiquer haut et fort un archiduc violoniste qui joue faux. Le retour à Salzbourg ne se fera qu'en janvier 1763, Wolfgang est convalescent d'une soi-disant scarlatine suivie de douleurs rhumatismales. Resté à la maison, il en profite pour se perfectionner dans l'étude du violon et fait de très rapides progrès. Il faut noter un fait révélateur du souci éducatif de Leopold : pour la fête de son fils à Vienne, en octobre 1762, il lui a offert un cahier, l'équivalent de ce qu'il avait fait pour sa fille quelques années plus tôt, dans lequel il a recopié plus de cent pièces pour divers instruments, afin de le familiariser avec les rudiments de la composition.

Le repos aura été de courte durée : quelques mois plus tard, c'est le grand voyage qui emmènera Leopold, sa femme, ses deux enfants et un domestique à travers l'Europe. Partie de Salzbourg le 9 juin, après des courtes étapes dans des grandes villes comme Munich, Mayence, Francfort, Cologne, la famille atteindra Bruxelles le 4 octobre. Puis c'est Paris le 15 novembre, Londres le 23 avril 1764 jusqu'au 1er août 1765, La Haye en septembre de cette même année. Nannerl puis Wolfgang sont alors très gravement malades. Second séjour à Paris de mai au 9 juillet 1766 puis retour à Salzbourg le 30 novembre par Dijon, Lyon, Genève, Lausanne, Ulm. La famille Mozart a été absente trois ans et demi.

Si fatigants que furent ces voyages, ils eurent sans doute une influence considérable sur la carrière de Mozart. Il y avait des heures passées dans la berline, cahotés comme des saltimbanques sur les mauvais chemins, mais cette « éducation de la mobilité » était l'occasion pour Leopold de faire découvrir à ses enfants des pays inconnus, de les familiariser avec de nouvelles langues, de nouvelles habitudes. Arrivés dans les villes étapes, il fallait rapidement se faire connaître, être reçus par les notables. Même s'il a essuyé plusieurs déconvenues, Leopold s'est révélé un fameux imprésario, tenace, rusé autant que prudent et toujours avide de recommandations, permettant de s'introduire auprès des personnages de marque voire des grands de ce monde. On ne peut pas nier son talent dans ce domaine. Les réceptions à Schoenbrunn, à Versailles, à la cour d'Angleterre huit jours seulement après leur arrivée en témoignent. Une autre partie du temps était dévolue aux concerts des deux enfants prodiges, annoncés dans les gazettes locales, concerts toujours spectaculaires avec souvent des improvisations ou même des tours de force, comme de jouer sur un clavier recouvert d'un voile. Ces exhibitions étaient suivies d'invitations dans les salons avec parfois des auditions privées. Comment dans ces conditions Wolfgang réussit-il à écrire quatre sonates pour clavecin à Paris (K 6 à 9), trois symphonies à Londres, une autre à La Haye ? Enfin Mozart père et fils pendant tous ces voyages ouvraient leurs yeux et surtout leurs oreilles. Ils allaient aux concerts des autres, se faisaient une idée de la mode, de la valeur de leurs collègues étrangers, de leur production de leur style et de la qualité de leurs interprétations... ils trouvaient encore le temps d'admirer au passage sinon les monuments ou la nature, du moins les tableaux célèbres du lieu, car Leopold était un grand amateur d'œuvres d'art.

De ces longs voyages, on peut retenir plusieurs points forts qui, des musicologues éminents le soulignent, ont été des adjuvants fertiles pour l'épanouissement du génie de Mozart. Au premier rang de ceux-là, il faut placer la rencontre et la fréquentation assidue de Jean-Chrétien Bach, le quatrième fils de Jean-Sébastien, mais le « Bach de Londres », comme on l'a appelé (voir Vignal, 1997), a abandonné le style contrapuntique que lui a enseigné son père, jadis cantor à Saint-Thomas de Leipzig. De Milan où il a été organiste du Dôme, il a ramené et introduit en Angleterre (depuis son arrivée en 1760 comme maître de musique de la reine) le style galant fait essentiellement de mélodies accompagnées. Comme Wolfgang le sera dans quelques années, il a été disciple du padre Martini qui lui a enseigné le contrepoint vocal « alla Palestrina ». Jean-Chrétien Bach prendra Wolfgang en affection et lui apprendra l'art de la sonate classique dont il est un des inventeurs avec la succession des trois mouvements et surtout la présence de deux thèmes appartenant à deux styles, rythmique et mélodique, et à deux tonalités différentes. Bach a un attrait supplémentaire pour le jeune Mozart : il a composé et fait exécuter à Londres plusieurs opéras, des cantates, des duos vocaux. La tradition de l'opéra est restée vivace depuis la mort de Händel en 1759, entretenue par le culte du roi George III pour ce compositeur. Mozart fera connaissance avec l'œuvre de ce géant de la musique et s'en souviendra toute sa vie quand il voudra dépeindre, dans ses propres opéras, un événement dramatique ou majestueux. Dans la capitale anglaise, Mozart composa sa première symphonie, K 16 (exemple 13). Celles de J.-C. Bach et ses nombreuses symphonies concertantes lui ont servi de modèles. L'année londonienne de la famille Mozart fut une année heureuse. Il ne faut pas oublier le retentissement de la lettre du savant anglais Daines Barrington parue dans *Philosophical Transaction* de 1770 (traduite dans Prod'homme 1928) au sujet de W.A. Mozart, ni l'accueil simple et chaleureux de la famille royale qui contraste avec la grandeur solennelle de Versailles.

À la cour de Louis XV, même si l'ambiance était guindée, Mozart a néanmoins été adulé : « Le plus beau jour de l'année fut celui du Nouvel An, Wolfgang Amadeus toucha les orgues de la chapelle royale[5] », nous relate Antoine le biographe de Louis le Bien-Aimé.

Le séjour en France avait appris beaucoup de choses au jeune compositeur. Il a bénéficié de la protection du baron Grimm, ami de Diderot et de Rousseau et futur promoteur de l'*Encyclopédie*. Pour l'heure, celui qui n'est pas l'auteur des contes (comme on le croit souvent) fait paraître chaque mois une *Correspondance littéraire*, dans laquelle le 1er décembre 1763 il rédige l'éloge du jeune Mozart. Il n'y eut pas de meilleur sésame pour être introduit jusqu'au grand couvert du roi à Versailles. Antoine (1989) rend grâce à l'aide des gardes suisses qui ont placé Wolfgang bien en vue, mais nulle part dans son livre il ne cite Grimm : concurrence des Lumières et du Soleil ? À la cour, Wolfgang découvre des clavecinistes réputés comme Schobert, maître de musique du prince de Conti, et d'autres compositeurs de sonates, Eckart et Honnauer. Les deux enfants de Leopold stupéfient l'assistance par leur facilité à déchiffrer à vue des œuvres qu'on leur soumet, par leur virtuosité au clavier et par leur talent créatif. Selon de Wyzewa et de Saint-Foix, la musique française a marqué le jeune compositeur par son architecture simple et claire. À la chapelle royale, Mozart s'est initié au style des grands motets de Michel-Richard Delalande et de Dauvergne entrecoupés par les concertos pour orgue de Balbastre. Il est probable que la musique qu'il entendit à Versailles ait conservé un parfum d'archaïsme par rapport à celle que l'on jouait à Vienne ou Salzbourg. Le style galant ne s'était pas généralisé en France à cette époque. Les formules contrapuntiques de Couperin, Dandrieu, Daquin étaient encore en usage alors que les mélodies accompagnées par les fameuses basses d'Alberti (formules stéréotypées de quatre notes basées sur le modèle : fondamentale-quinte-tierce-quinte ; par exemple : do, sol, mi, sol, do) commençaient seulement à s'imposer.

Quelle fut la production musicale de Mozart pendant les dix premières années de sa vie ?

Si nous incluons l'année 1766 nous trouvons trente-trois œuvres répertoriées par Koechel, chiffre considérable eu égard au temps passé sur les routes, mais l'enfant ne compose pas qu'à la maison, les voyages ne tarissent nullement la source et il retient dans son exceptionnelle mémoire tout ce qui naît de son imagination musicale !

— Les cinq premiers numéros du Koechel sont des menuets ou allegros pour clavecin composés à Salzbourg.

— Les K 6 à 9 désignent quatre sonates pour clavecin (avec une partie de violon séparée ajoutée) composées à Paris en janvier 1764, les deux premières sont dédiées à madame Victoire de France, fille de Louis XV (exemple 12).

— Les K 10 à 15 concernent six sonates pour clavecin avec partie de violon séparée composées à Londres en 1764. Le K 15a-ss désigne le soi-disant London Sketchbook comprenant quarante-trois petites pièces écrites sur deux portées.

— K 16, 19 et 19a sont les *Première* (exemple 13) et *Seconde Symphonies* et la *Symphonie en fa* de Londres 1764 et 1765.

— K 20 et 21. Il s'agit d'un motet et d'une aria ; Londres 1765.

— K 22 *Symphonie n° 5 en si bémol* composée à La Haye en décembre 1765.

— K 23 une aria, La Haye, 1765-1766.

— K 24 huit variations en sol pour piano composées à La Haye en janvier 1766.

— K 25 sept variations en ré pour piano, Amsterdam, février 1766.

— K 26 à 31 six sonates pour clavecin composées à La Haye en février 1766.

— K 32 *Galimathias musicum*, La Haye, mars 1766.

— K 33 *Kyrie en fa*. Paris, juin 1766.

Ouvrons deux de ces œuvres : la *Sonate pour piano numéro 1 en ut majeur* (K 6) composée à Paris en 1764 et la *Première Symphonie* (K 16) composée à Londres en septembre 1764.

Que nous sommes loin dans cette sonate des petits menuets de 1762 ! Cette œuvre d'un enfant de sept ans

12. Mozart, la *Première Sonate pour pianoforte,* avec accompagnement de violon en ut majeur, Koechel 6, début : allegro (1764)

13. Mozart, la *Première Symphonie, en mi bémol majeur,* K 16, début : allegro molto (1765)

(exemple 12) compte quatre mouvements dont un double menuet. Bien qu'il fasse chanter le thème sur un simple accompagnement traditionnel (basse d'Alberti), l'allegro initial nous montre la facilité du jeune compositeur à enchaîner successivement plusieurs tonalités et à ornementer son thème. Quant à l'allegro molto, il recèle une variété rythmique surprenante. Au total : deux cent cinquante-huit mesures !

La *Première Symphonie en mi bémol majeur* utilise outre le quatuor à cordes deux hautbois et deux cors. Le premier mouvement, molto allegro, s'ouvre par une fanfare *forte* (exemple 13) dans un style qui restera cher au compositeur ; elle fait place trois mesures plus tard à un passage *piano* tout en contraste. Il faut noter que l'andante n'est pas dans le même ton mais dans le relatif : ut mineur, et noter également la vivacité (déjà !) d'un presto qui mérite bien son nom, à 3/8, soit trois croches par mesure.

L'INFLUENCE D'UNE VILLE ET D'UN HOMME

Deux facteurs du génie de Mozart ont été entre autres avancés par plusieurs de ses biographes : Salzbourg et... Leopold Mozart.

Salzbourg, ville d'Allemagne et non d'Autriche à l'époque, était de l'avis de tous, au XVIIIe siècle, une véritable ruche de musique : « Salzbourg a toujours été une des villes du monde où la musique s'était trouvée le plus en honneur aussi bien auprès des princes évêques que des habitants de toute condition », écrivent de Wyzewa et de Saint-Foix. Qui a assisté à une grand-messe à la cathédrale peut imaginer le faste qui s'y déployait autrefois ; orchestre, chœur tenaient une place bien plus importante que l'orgue qui avait la portion congrue, ce qui explique la rareté des œuvres écrites pour cet instrument. En effet, dans la liturgie ambroisienne, les pièces d'orgues n'avaient pas leur place ; néanmoins, les messes que l'on chantait là étaient plus proches du théâtre lyrique que du...

plain-chant dont les vieux modes avaient disparu au profit des gammes modernes. Outre la musique liturgique que l'on pouvait entendre dans les différentes églises ou abbayes de la ville, il y avait les concerts de la cour auxquels Leopold participait comme violoniste et vice-cappelmeister, les concerts privés et le théâtre municipal que Mozart fréquentera assidûment lors de son retour dans sa ville natale en 1779 et dont le régisseur a été (selon Hocquard) Schikaneder, le librettiste de *La Flûte*. Quelque part, Nannerl parle d'un style musical typiquement salzbourgeois fait de vivacité, de gaieté et de bonne humeur, dans lequel il est facile de retrouver toutes les qualités de l'enfant prodige, mais qui dépassera bientôt tout cela. On faisait à la maison beaucoup de musique. Leopold et son épouse recevaient des collègues et amis, dont le trompettiste Schachtner était parmi les plus intimes. Salzbourg comptait des musiciens remarquables : Michel Haydn, frère aîné de Joseph, organiste de la cathédrale depuis 1762, son prédécesseur Eberlin, expert en contrepoint, Aldglasser qui enseignera le contrepoint à Beethoven. La bonté du prince-évêque, Sigismond von Schattenbach, et sa bienveillance pour la famille Mozart étaient sans limites ; on ne peut pas en dire autant de son successeur avec qui Wolfgang eut maille à partir et qui le fera chasser grossièrement. Salzbourg devint alors un cadre bien trop étriqué pour le fils du vice-cappellmeister Mozart qui ne put trouver qu'un emploi indigne de lui dans l'orchestre de la cour, sans possibilité de s'échapper de cette petite ville, devenue pour lui rapidement exécrable.

Quel a été le rôle de Leopold dans l'éclosion du génie de son fils ? Sans nul doute, il fut à la fois un excellent pédagogue, un bon imprésario mais aussi un bon père. Son immense mérite fut d'avoir pris conscience très tôt des dons inimaginables de ses enfants, surtout du génie de Wolfgang, et d'avoir consacré tout son temps et toute son énergie à les faire se développer, convaincu qu'il s'agissait de dons venus de Dieu. Et pourtant, dans l'histoire de la musique, Leopold Mozart rejoint la cohorte des pédagogues célèbres qui furent de piètres compositeurs mais dont le nom est resté attaché à leurs qualités d'enseignants : les Czerny et son École de la vélocité, Cramer et ses études de clavier, Théodore Dubois, dit « le Traité d'harmonie », connu pour la banalité de sa musique, et beaucoup d'autres. On ne peut traiter de la même façon Chopin, Debussy, Schumann, Liszt, Paganini qui surent allier virtuosité et musicalité. Nous n'avons pas pris connaissance personnellement des œuvres innombrables de Leopold Mozart ; il faut faire confiance au jugement terrible de De Wyzeva et de Saint-Foix qui les ont examinées de près : Leopold Mozart a « produit une masse énorme d'œuvres musicales en tout genre... Ce qui caractérise essentiellement toutes ces œuvres, c'est d'abord une très remarquable conscience professionnelle... c'est en second lieu un manque absolu d'invention, une impuissance extraordinaire à rien tirer de soi-même, comme aussi à animer d'un semblant de vie des ouvrages patiemment et consciencieusement élaborés... », appréciation sévère, certes, mais qui ne concerne pas le pédagogue. Or, pédagogue, il le fut aussi bien de Marianne que de Wolfgang. De la première, lui qui était violoniste (il publia une méthode qui connut un succès durable et fut traduite en plusieurs langues), il fit une des meilleures virtuoses du clavecin de son époque, qui se tailla un grand succès à la cour de Versailles. On a dit que Nannerl n'avait pas les dons créatifs de son frère et qu'« elle compensait par la virtuosité ». Quant on lit la partition de la première sonate de Mozart, on ne peut manquer d'évoquer la force des liens qui unissaient Wolfgang à son père. L'enfant de sept ans maniait déjà les contre-chants, l'art de faire réapparaître les thèmes, et un certain usage du contrepoint ; sans doute avait-il une écoute étonnante à tout ce que son père lui enseignait, sans doute aussi Leopold savait-il doser persuasion et affection sans brusquerie. L'éclosion du génie de Wolfgang tient beaucoup à l'enthousiasme et la réceptivité sans faille de l'enfant et à l'image « survalorisée » qu'il se faisait de son père. Un autre mérite de

Leopold Mozart est de s'être chargé seul de l'éducation générale de ses deux enfants, qui ne fréquentèrent jamais l'école ; sa culture et son bagage universitaire lui ont permis de leur enseigner les lettres, les langues, les sciences, les arts plastiques (qu'il connaissait parfaitement), les mathématiques (dont son fils était friand). Il évaluait leur niveau dans ces différents domaines, et en 1766 à son retour du troisième voyage, il écrira de Munich aux Hagenauer : « Vous savez combien mon Wolfgang a encore à apprendre. » 1767 sera une année d'étude et le Mozarteum de Salzbourg garde un cahier préparé par son père contenant des exercices de chants donnés, de basses chiffrées, de contrepoint, d'enchaînement des accords, qui prouvent que les connaissances théoriques du vice-cappellmeister de Salzbourg n'étaient pas négligeables. On peut se demander dans quel ouvrage il avait appris tout cela. La première édition en français du *Traité d'harmonie* de Rameau date de 1722. Leopold Mozart en eut-il connaissance ?

Einstein décrit Mozart père comme « un homme clairvoyant, avisé, intelligent, diplomate et supérieur aux gens de son entourage ». Les voyages étaient soigneusement préparés, il fallait prendre des contacts, demander des lettres de recommandation, « avoir un bon carnet d'adresses » pour engager un organisateur local, louer une salle, avertir les gazettes, faire la publicité et vaincre les difficultés de tous ordres. Leopold, peu fortuné, avait dû emprunter de l'argent à son propriétaire et ami Hagenauer ; il le tenait régulièrement au courant des résultats pécuniaires de l'entreprise et c'est sans doute plus pour se justifier auprès de ce brave homme que par cupidité que Mozart père parle tant d'argent dans ses lettres.

Aucun argument ne permet de présumer que Leopold Mozart ne fut pas un bon père. Nannerl et Wolfgang furent fréquemment malades, et même très malades[6], au cours des second et troisième voyages. Leopold observe et décrit bien les signes de leurs maladies et les remèdes appliqués. On en connaît les détails par la correspondance.

Un médecin célèbre de Lausanne, le docteur Samuel Tissot, écrit le 11 octobre 1766 : « Il serait fort à souhaiter que les pères dont les enfants ont des talents distingués imitassent Monsieur Mozard (*sic*) qui loin de presser son fils a toujours été attentif à modérer son feu et à l'empêcher de s'y livrer » (cité par Hausfater).

Nulle part, on ne nous renseigne sur la mère de Mozart, Maria Anna Perl ; fut-elle une personne si négligeable sans aucune influence sur son fils qu'elle ne mérite aucun commentaire ? Seul Einstein trace un profil à peine esquissé : « C'était une femme bonne, à l'horizon limité, certainement une excellente mère de famille, s'intéressant à tous les potins de Salzbourg, à tous les événements et à toutes les personnes de la petite résidence sur lesquelles elle portait un jugement aussi amène que celui de son époux était critique et sarcastique. » Wolfgang l'aimait tendrement et elle ne lui a jamais inspiré la moindre crainte. C'est d'elle qu'il a hérité tous les traits naïfs, joyeux, « puérils » de son caractère, bref tout ce qu'il y a en lui de typiquement « salzbourgeois ». Elle faisait partie du grand voyage européen de 1763 qui comprenait également un domestique. De nombreuses lettres attestent que les parents de Wolfgang et de Nannerl étaient très unis. Ils se sentaient investis d'une mission divine pour faire s'épanouir les dons extraordinaires de leurs enfants.

On parle peu de l'influence bénéfique qu'implicitement Nannerl dût avoir sur son frère, de cinq ans son cadet. Elle fut un modèle plein de sollicitude pour lui. Les lettres que Wolfgang lui enverra d'Italie contiennent souvent des allusions pleines d'humour et de gentillesse pour elle avec une certaine connivence au sujet de démarches qu'il lui demande de faire auprès de... petites amies.

Il est permis de s'interroger sur les stimuli musicaux que le futur Mozart percevait avant... sa naissance. Qu'on veuille bien réfléchir au contenu « sonore » de l'appartement relativement exigu habité par les Mozart à Salzbourg : Nannerl s'exerce plusieurs heures par jour sur le clavecin, ou bien c'est Leopold qui répète les œuvres inscrites au prochain concert de la cour, ou bien encore des amis viennent mettre au point un quatuor. Ce lieu était en permanence habité par les sons musicaux. Madame Mozart mère allait et venait, promenant le futur Wolfgang dans cette infusion de musique. On peut ne pas y croire, nous verrons qu'il est maintenant admis que les fœtus perçoivent des sons extérieurs et qu'il a même été possible de les conditionner expérimentalement.

Tout ce que nous venons de voir donne un aperçu de la difficulté de faire intervenir une hérédité *stricto sensu* dans les dons extraordinaires de Wolfgang Amadeus, mais en revanche de la facilité de mettre en évidence le rôle de son environnement.

Les enfants prodiges musiciens

Prodige n'est pas un adjectif mais un substantif, utilisé, nous dit Alain Rey, en apposition dans l'expression titre (autre apposition) de ce paragraphe, ce qui n'est pas qu'une remarque linguistique pédante. L'enfant prodige n'est pas un enfant qui accomplit des merveilles hors du cours habituel des choses mais un enfant qui est lui-même cette merveille ou ce miracle si l'on veut. Cette distinction est importante surtout dans le domaine de la musique pour éviter de confondre enfant prodige et enfant précoce. L'enfant prodige était considéré au Moyen Âge comme l'enfant élu, qui aspire à la sainteté avec comme référence Jésus qui, âgé de douze ans, enseignait au temple de Jérusalem, plongeant dans l'embarras les docteurs de la loi. Les premiers chapitres du bel ouvrage *Le Printemps des génies*, publié par la Bibliothèque nationale en 1993, à l'occasion d'une exposition qui eut lieu dans ses murs nous apprennent qu'au Moyen Âge les monastères cultivaient l'intelligence enfantine et exaltaient pour elles-mêmes les valeurs intellectuelles de l'enfance. À Cluny, au XIIIe siècle, les enfants participaient aux cérémonies et avaient voix au chapitre. Jean Gerson, dans *Sermon contre la paresse,* fixe l'âge de raison et la fin de l'enfance à sept ans. Y succède une seconde période appelée l'âge du pucelage qui se termine à quatorze ans, suivie par l'adolescence jusqu'à vingt et un ans, la jeunesse jusqu'à vingt-huit ou trente et l'homme parfait de vingt-huit à cinquante ans avant la vieillesse.

Les enfants précoces en musique sont habituellement remarquables par leurs talents d'interprètes plutôt que de compositeurs. On en connaît de nombreux exemples qui ont été rapportés en détail par Claude Kenneson dans son livre *Musical Prodigies* (1998) bien qu'il néglige trop l'école française. Si l'on ne retient que les plus illustres, il faut citer Casals qui à douze ans révolutionna la technique du violoncelle ; Jascha Heifetz qui reçut en cadeau de son père, le meilleur violoniste de Vilna, son premier violon pour son troisième anniversaire et put bientôt reproduire exactement les sons qu'il entendait ; Arthur Rubinstein, qui au même âge que Heifetz était capable de dénommer les notes qu'on lui jouait au piano le dos tourné et de reconnaître les erreurs ; Glen Gould doté d'une parfaite oreille absolue et d'une faculté de lire les notes à trois ans ; Barenboïm qui demanda à son père, professeur de piano, de jouer en duo avec lui à quatre ans. La popularité de Menuhin et de Rostropovitch est telle qu'il est inutile de rappeler leur biographie légendaire. Le premier, Sir Yehudi Menuhin, reçut son premier violon à quatre ans et triompha à onze à Carnegie Hall dans le *Concerto* de Beethoven avec le New York Symphony Orchestra dirigé par Fritz Busch. Auparavant il avait donné à San Francisco des concerts dès l'âge de neuf ans. Le second, descendant d'une famille de professeurs de musique dont plusieurs membres étaient très connus, mérite bien le titre de « héros de la musique ». Il faudrait citer encore beaucoup de noms : Isaac Stern, Martha Argherich, Yvonne Lefébure.

Les enfants prodiges compositeurs sont beaucoup plus rares que les interprètes prodiges ; il est souvent difficile de dater avec certitude leurs premières compositions qui souvent, à l'inverse de celles de l'enfant Mozart, sont considérées comme des œuvres de jeunesse, ne sont pas répertoriées dans les numéros d'opus, et rarement publiées. Camille Saint-Saëns fut à la fois un enfant interprète prodige et un compositeur aussi précoce que Mozart : la bibliothèque du Conservatoire national supérieur de Paris conserve un andante pour piano d'une écriture élaborée qui porte la date du 25 août 1841. Il avait cinq ans et demi. Le compositeur a affirmé *a posteriori* qu'il l'avait écrit directement sur le papier à musique (et avec quel soin !) sans passer par le truchement du clavier comme le font habituellement les enfants qui « inventent des airs au piano ». Il se produisit en public à neuf ans et donna à onze ans son premier concert avec un orchestre symphonique au cours duquel il joua le *Concerto en mi bémol* de Mozart. Sa production orchestrale, lyrique et instrumentale occupe une place importante dans l'histoire de la musique, et cependant il ne viendrait à l'idée de personne de comparer au génie de Mozart le très grand talent de Saint-Saëns. Différence de personnalité avant tout : sarcastique et pessimiste, anxieux et tourmenté par ses passions secrètes, on ne peut pas dire que l'auteur de *Samson et Dalila* trouva jamais son épanouissement. Dans le développement du génie, il faut compter avec la confiance en soi et, sinon la générosité, du moins le sens de ce que l'on veut dire aux autres, ceux-là qui, en dernier ressort, sont les juges de ce que vous leur offrez.

Personnage légendaire, habité par un ange ou par un diable selon les esprits imaginatifs, Niccolo Paganini (1782-1840), à cinq ans et demi, reçut de son père ses premières leçons de mandoline puis de violon. Au bout d'un an et demi, il jouait comme un mandoliniste professionnel et, à huit ans, il écrivit une sonate pour cet instrument. Ses progrès furent si rapides au violon qu'à treize ans il donnait des concerts dans toute l'Europe consacrés uniquement... à ses propres œuvres, avec le désir de toujours se dépasser et de dépasser les autres et Dieu sait qu'il mit tout son talent de compositeur au service de son instrument. Ses vingt-quatre caprices, qui auraient été composés avant l'âge de vingt ans, sont encore de nos jours vingt-quatre joyaux qui brillent de tous leurs feux.

Franz Liszt improvisait au piano avant de savoir lire les notes. Frédéric Chopin et Franz Schubert, sans être aussi précoces, composaient des œuvres achevées dans leur seizième année (*Marguerite au rouet* et *Le Roi des aulnes*).

Certains enfants musiciens précoces cultivent plusieurs arts. Mendelssohn dessinait, peignait et écrivait des poèmes, Weber hésita entre les carrières de lithographiste et de musicien, Saint-Saëns avait une culture très étendue, il écrivait et composait des vers.

Dans le livre *Le Printemps des génies*, Menger fait la liste des compositeurs contemporains précoces mais ce ne sont plus des enfants. La liste des interprètes-compositeurs du XIXe siècle est longue ; souvent, le récital se terminait par l'interprétation d'une ou plusieurs pièces du maître. Actuellement, c'est devenu très rare ; les métiers de compositeur et d'interprète sont bien distincts, ils nécessitent des connaissances techniques différentes, surtout depuis l'avènement de la musique électroacoustique qui requiert une maîtrise parfaite des machines. De plus, il semble que, de nos jours, la précocité captive moins le public, avide surtout de vitesse, qu'autrefois. La liste de Menger mentionne vingt-quatre compositeurs qui ont écrit des œuvres importantes avant vingt-cinq ans. En fixant la barre à vingt ans, nous relevons les noms de Britten qui composa dès l'enfance, Chostakovitch, Milhaud, Poulenc, Prokofiev. Rachmaninov composa son premier concerto pour piano à dix-sept ans et au même âge Richard Strauss écrivit sa *Suite pour instruments à vent* et Stravinski sa *Symphonie en mi bémol*.

Finalement, il semble que les talents musicaux exceptionnels peuvent se révéler très tôt, aux alentours de la troisième année comme nous venons de le voir ou un peu plus tard, vers cinq ans. L'histoire de ces enfants met en évidence, chez presque tous, un environnement familial favorable voire très favorable mais cette règle souffre des exceptions : les parents de Claude Debussy n'étaient pas du tout musiciens, le père de Händel non plus. L'image du père de Mozart, instrumentiste et pédagogue obstiné, se retrouve dans beaucoup de familles de musiciens célèbre comme les Rostropovitch, les Heifetz... mais souvent le futur génie vient au monde dans une famille où l'on fait de la musique par tradition, par exemple du violon chez les Juifs Ashkénazes, instrument si souvent représenté dans les tableaux de Chagall.

L'enfant imite ses parents. Si sa mère joue du piano, il vient se blottir dans ses jupes au pied de l'instrument, bientôt il réussit à se hisser sur le tabouret, machine mystérieuse, mais... redoutable, qu'il apprivoise peu à peu et passe de longs moments à taper sur le clavier. Il faut bien se garder de l'en empêcher. Insensiblement, il découvre que deux notes voisines frappées simultanément émettent un son désagréable alors que si l'on en saute une, on entend un son pur et suave : c'est la découverte des tierces par laquelle tous les apprentis musiciens ont passé, mais... à des âges différents. Puis l'enfant fait la distinction entre le grave et l'aigu, en y associant la main gauche pour l'un, la main droite pour l'autre, ensuite il cherche à reproduire des airs ou ce qui est plus rare à en improviser. La faculté d'improviser chez un tout jeune enfant est sans nul doute le marqueur d'un talent musical certain de même celle de dénommer les notes sans les voir. Qu'on veuille bien me pardonner la longueur de cette citation de José-Luis Diaz dans *L'Enfant sublime*. « L'enfant sublime n'est pas un produit de l'éducation intellectuelle, mais un enfant de la nature. Il a tout acquis en rêvant, et il n'a pourtant rien appris. Il n'a pas de science, mais il sait "improviser", mot magique que Consuelo enseigne au petit Joseph Haydn : "C'est ainsi que l'âme vient sur les lèvres et au bout des doigts. Je saurai si vous avez le souffle divin, ou si vous n'êtes qu'un écolier adroit farci de réminiscences." L'enfant improvisateur n'apprend que par la nature et par sa mère ou ses substituts... et l'important pour cet enfant chéri ce ne sont pas ses premières œuvres, volontiers méprisées, rarement données pour accomplies... mais ce pur miracle de la "vocation divine". "Qu'y a-t-il de plus près de Dieu que le génie dans un cœur d'enfant ?" demande l'auteur de *Louis Lambert*[7]. »

Un instrument de musique familial peut servir de catalyseur pour développer les goûts musicaux des enfants. Le père de l'organiste Marie-Claire Alain, Albert Alain, construisit de ses mains un orgue de quatre claviers dans sa maison de Saint-Germain-en-Laye, sur lequel s'exercèrent ses enfants dont il fut le premier professeur : Jehan, Olivier et sa fille. Plus modestement, dès que je sus marcher, je tournais la manivelle d'un orgue à cylindre Limonaire qui trônait dans la famille depuis plusieurs générations, et dont les sonorités naïves ne sont sans doute pas étrangères à mon goût de l'orgue baroque.

Que sont les enfants prodiges musiciens devenus ? L'étude de l'évolution est, comme on dit en termes médicaux, aussi intéressante que celle de l'anamnèse et l'on peut schématiquement distinguer trois éventualités. Il arrive fréquemment que, pour de multiples raisons, l'histoire soit sans suite. Tous les pédagogues ont connu d'excellents et très précoces élèves qui vers onze ou douze ans, parfois à l'occasion d'un changement de professeur ou d'une blessure narcissique mettant en doute leurs capacités, arrêtent de façon brusque et sans appel une carrière qui s'annonçait prometteuse. La réorientation vers une autre branche pourra poser des problèmes. Il peut être nécessaire de demander l'aide d'un psychologue ou d'un pédopsychiatre compétent en psychothérapie des enfants, afin que le jeune musicien déçu puisse s'exprimer librement et en confiance, ce qui permettra d'éviter une situation bloquée ou même la survenue d'une véritable dépression de l'enfant, dont beaucoup d'adultes ne « sentent » pas toujours la réalité. Un risque certain chez les enfants prodiges est qu'on les enferme trop dans leur spécialité, ce que devrait éviter l'existence de classes à horaire aménagé pour les élèves des conservatoires.

D'autres enfants prodiges musiciens ne tiennent pas leurs promesses, ils deviennent d'honnêtes professionnels, musiciens d'orchestre, bons professeurs mais pas le... virtuose international qu'ils espéraient. Le commencement si précoce de la musique semble ne leur avoir rien donné de plus que s'ils l'avaient fait un âge normal. C. Richet (1900) a rapporté l'observation d'un enfant prodige musicien, Pepito Areola, qui à deux ans et demi était capable de jouer au piano des mélodies que sa mère chantait ou qu'il inventait. Un an plus tard, il pouvait exécuter vingt mélodies avec l'accompagnement et il improvisait, mais il ne voulait jouer que sur le piano de sa mère. Bien qu'il devînt professionnel, il ne fit pas une grande carrière. Revesz (1929) rapporta l'histoire d'un enfant encore plus extraordinaire, doué de l'oreille absolue et d'une mémoire musicale remarquable qui improvisait et savait transposer ; néanmoins, il ne devint pas un grand musicien. Plus près de nous, le jeune Roberto Benzi fut un chef d'orchestre tellement prodige qu'un film (*Prélude à la gloire*) le prit comme thème ; à l'âge adulte, sa renommée ne fut pas aussi éclatante. Scott et Moffett mentionnent diverses publications qui montrent que dix pour cent seulement des enfants musiciens prodiges deviennent des adultes virtuoses reconnus et que soixante-dix pour cent des grands violonistes ont été des enfants prodiges.

Enfin, troisième modalité évolutive : la métamorphose réussit, le musicien adolescent puis jeune adulte a tenu ses espérances, il accède au domaine des grands interprètes et compositeurs où figurent également des artistes... qui n'ont pas eu de dons si précoces. Dans cette troisième « catégorie évolutive », on peut encore distinguer deux sous-groupes, ceux dont le passage du stade d'enfant prodige à celui de musicien hors du commun voire de génie s'est fait progressivement, sans à-coups. Mozart en est le modèle emblématique. Ceux qui ont été des enfants très précoces, sans être vraiment des prodiges, puis qui ont repris leur travail technique à l'adolescence pour devenir des musiciens connus tel que Hummel ou des génies comme Beethoven. Johan Nepomuk Hummel (1778-1837) savait lire la musique à quatre ans, jouer du violon à cinq ans et du piano à sept. À huit ans, Mozart le prit gratuitement comme élève et deux ans plus tard il donna une série de concerts dans toute l'Europe accompagné de son père. Revenu à Vienne en 1793, il se mit au travail très sérieusement avec Joseph Haydn et Salieri et devint non pas un second Mozart mais tout de même un compositeur talentueux. Le développement musical fut, chez Weber et Beethoven, très particulier. Carl Maria von Weber, un cousin éloigné de Constanze Mozart, apprit la musique à trois ans, poussé par un père ambitieux, directeur de théâtre ambulant, et écrivit de petites pièces vers sa dixième année ; mais il les considérera comme des œuvres totalement immatures et il ne composa réellement que beaucoup plus tard. La maturation musicale de Beethoven (né en 1770) ne fut pas celle d'un enfant prodige. Selon une sorte d'image d'Épinal, l'enfance de Beethoven s'oppose à celle du petit Mozart. Son père, « ivrogne et imbécile » comme dit Landormy, lorsqu'il avait bien bu, tirait son fils du lit en pleine nuit pour lui faire faire des gammes. Ténor à la chapelle de l'électeur de Cologne, il avait quand même pour lui de grandes ambitions, voulant en faire un second Mozart. Il y eut paraît-il beaucoup d'« espérés futurs petits Mozart » à l'époque. Il organisa le premier concert de Ludwig à onze ans (le rajeunissant d'un an). On entend dire que ce qu'il composa à cet âge n'était que des babioles et qu'il ne se révéla vraiment qu'en 1800 à l'occasion de sa première symphonie. Il est vrai que la nécessité devant laquelle il se trouva à dix-sept ans de faire vivre sa famille, alors que sa mère venait de mourir, a été pour le jeune homme le révélateur d'une énergie peu commune qui ne cessa de s'affirmer au fur et à mesure des années. Néanmoins, on oublie que les sonatines pour piano écrites dans sa onzième année contiennent, je peux en témoigner, autant de marques d'un talent hors du commun que les premières sonates de l'enfant Mozart ; il est vrai néanmoins que Beethoven fut plutôt un *late bloomer*, comme disent nos amis de l'autre côté de l'eau.

La production des enfants prodiges musiciens ne suffit pas à leur assurer, à elle seule, une place dans l'histoire. Comme l'a écrit Menger (dans *Le Printemps des génies*) : « La précocité n'est qu'une valeur reconnue *a posteriori*... S'agissant des créateurs retenus par l'histoire, c'est une valeur construite rétrospectivement », une valeur d'anticipation d'une carrière qui ne peut se faire qu'au prix d'une maturité des dons préexistants. Si cette carrière n'a pas pu éclore, les œuvres des enfants prodiges sombrent dans l'oubli. C'est dire de combien de soins et d'attention doivent être entourés, et spécialement par leurs parents, les enfants prodiges musiciens, êtres hybrides sensibles et vulnérables, déjà soumis aux règles de vie des adultes mais encore gouvernés par leur statut d'enfants, leur besoin de changements, leur difficulté de rester plusieurs heures à travailler leur instrument, leur plaisir de jouer avec des camarades de leur âge, leur incompréhension d'un échec. C'est un souci et une responsabilité écrasante pour un professeur de savoir reconnaître chez un enfant si l'évolution de son talent sera ce que l'on pense qu'elle pourra devenir, et de pouvoir déclarer comme Mozart qui venait de recevoir le jeune Beethoven âgé de dix-sept ans : « Croyez-moi, on parlera longtemps de ce jeune homme. »

Le développement de la perception de la musique chez l'enfant

Cinq ans, quatre ans, trois ans, les exemples ne manquent pas d'extrême précocité du don de la musique chez des enfants prodiges. Si de tels records ont toujours suscité l'émerveillement, les travaux sur le développement de la musique chez le petit enfant sont récents : ils ont dû prendre leur autonomie par rapport à ceux consacrés au développement du langage.

Des études comportementales globales ont montré que tous les bébés sont sensibles aux chansons et à la voix de leur mère. On a mis en évidence d'autre part que des stimuli musicaux délivrés à proximité d'une femme enceinte dans les derniers mois de la grossesse déclenchaient des réactions motrices du fœtus (voir Eustache, 1985 pour revue) mais il y a loin de ces constatations globales à une psychologie cognitive dont l'objet a porté surtout jusqu'à maintenant sur la perception du temps musical et la perception des mélodies.

Une des finalités de ces études est de savoir ce qui, dans la perception de la musique par le bébé, revient à l'apprentissage ou bien à un état naturel inné soumis aux lois de l'hérédité. On peut se demander en outre s'il existe des bons *patterns* auditifs qui sont perçus et mémorisés avec plus de précision que des mauvais *patterns*, les premiers étant ceux que les enfants traitent plus facilement.

MÉTHODOLOGIE

La principale difficulté méthodologique est de pouvoir détecter une réponse à des stimuli sonores chez le bébé. Même s'ils n'ont pas été les premiers, les principaux travaux sur ce sujet ont été menés par Trehub et Trainor depuis 1985. Ils en ont rédigé une synthèse récemment dans l'ouvrage de McAdams et Bigand (1994). La plupart des méthodes utilisées pour étudier la perception des sons musicaux chez le nourrisson consistent à mettre en évidence dans son comportement un signe observable et reproductible d'une discrimination sonore, c'est-à-dire la perception d'un changement déclenché par les stimuli sonores présentés.

Les séquences sonores, ou les mélodies, présentées ne peuvent excéder cinq ou six notes car le nourrisson ne peut pas retenir des mélodies entières.

La méthodologie de Trehub (1990) consiste à placer, dans une cabine insonorisée, le nourrisson assis sur les genoux de ses parents en face de l'expérimentateur qui lui montre des poupées pour retenir son attention et l'habituer à regarder droit devant. La mélodie ou la séquence standard sont présentées plusieurs fois par un haut-parleur situé à quarante-cinq degrés à gauche par rapport au sujet. Les mouvements de la tête sont enregistrés. Si le nourrisson se tourne vers le haut-parleur quand apparaît un changement dans le stimulus, un jouet animé est présenté, apparition qui n'existe pas s'il tourne la tête à d'autres moments. Cette méthode, appelée *visual reinforcement audiometry*, permet de varier et d'étudier un grand nombre de types de stimuli.

La méthode n'est applicable qu'à partir de l'âge de cinq mois. Trehub et Trainor pensent que les nourrissons de sept à onze mois se prêtent le mieux à ces investigations, bien que des modifications d'orientation du regard soient décelables plus tôt. Quant au nouveau-né, c'est un auditeur trop peu coopérant pour cette méthodologie.

On peut également prendre comme réponse les changements du rythme de la succion à l'apparition d'un nouveau stimulus chez des bébés que l'on a habitués à un type de stimulus pour le rendre familier. De tels changements peuvent être décelés dès la naissance. C'est donc à partir de méthodologies peu nombreuses et légères que l'on pourra se livrer à l'étude du développement de la perception musicale chez le bébé. Il faut remarquer toutefois que les différences de réactions du bébé se déduisent d'un travail comparatif et statistique d'un grand nombre d'essais ; certains résultats dans le domaine de la perception des hauteurs sont, disent les expérimentateurs, « à la limite du hasard ».

RÉSULTATS

Concernant le traitement des indices temporels, il y a lieu de distinguer l'appréciation des groupements temporels et la perception du tempo. Une première constatation est que le bébé a la capacité de réagir (donc de les percevoir) à des différences de durées des intervalles qui séparent des sons présentés. On habitue un bébé de deux mois à la présentation d'une séquence auditive composée de sons séparés par des intervalles de 97, 291, 582 ms, soit le rapport de durée de 1, 3, 6, de ces intervalles, apparaissant toujours dans le même ordre 1, 3, 6. Si l'on présente une nouvelle séquence dont l'ordre des segments et des intervalles est inversé (6, 3, 1), on décèle chez le bébé une réaction à cette modification (Demany *et al.*, 1977). Cette constatation est très importante car elle met en évidence la précocité d'une perception des rythmes, puisque celle-ci n'est faite que sur la variation d'intervalles de temps entre les stimuli. Morrongiello (1984) a démontré, par des méthodologies voisines, que les bébés de six à douze mois sont capables de constituer des séquences rythmiques perceptives en groupant des éléments semblables.

Le tempo se définit chez l'adulte comme la perception lors de l'audition musicale d'un battement ou d'une pulsation régulière qui peut être matérialisée par un battement des mains ou des pieds. Les musiciens appellent tempo la rapidité d'interprétation d'une œuvre. Ils parlent de tempo trop rapide ou fluctuant. Grâce au métronome, mécanique ou électronique, on peut mesurer le tempo : soixante battements à la minute définissant le mouvement de marche. Des réactions peuvent être décelées chez le bébé si un tempo auquel on l'avait habitué est remplacé par un autre de quinze pour cent plus rapide (Baruch et Drake, 1997), à condition que les tempos présentés ne soient ni trop rapides ni trop lents.

Des discriminations de contours mélodiques ont pu être mises en évidence par la méthode VRA chez des bébés de sept à onze mois (Trehub *et al.*) ; comme les adultes, ils réagissent plus à la modification de la forme globale du contour qu'à des modifications ponctuelles d'intervalles qui n'altèrent pas beaucoup le contour.

Il semble que dès l'âge de dix mois, les bébés soient capables de catégoriser des contours, par exemple des groupes ascendants et descendants.

Nous arrivons maintenant à la question posée aux expérimentateurs : les bébés ont-ils une capacité innée à distinguer (et à préférer) des bonnes formes dans le domaine de plusieurs stimuli musicaux étudiés ? Ces bonnes formes seraient en particulier « la triade majeure ». Il faut tout de suite clarifier un problème de terminologie. Ce mot désigne en France un groupement de trois notes construit sur des degrés conjoints comme do-ré-mi pouvant donner aussi : mi-do-ré ou ré-mi-do, etc. C'est la définition que l'on trouve dans les traités d'harmonie (voir celui de Marcel Dupré) et que l'on enseigne dans les conservatoires... Clarisse Baruch dans sa revue cite un certain nombre de travaux surtout de Trehub, de Lynch visant à démontrer que cette triade majeure, et la gamme majeure occidentale semblent « optimalement traitées par les bébés », mais la définition de la triade donnée dans l'article de Trehub et dans le glossaire de leur ouvrage *Penser les sons* par McAdams et Bigand est tout autre : la triade majeure est considérée comme les trois degrés d'un accord parfait majeur : la fondamentale ou premier degré, le IIIe ou médiante qui est la tierce majeure et le degré V ou dominante. L'audition simultanée de ces trois notes donne l'accord parfait majeur (chiffré 5 ou 3-5) et parfait mineur selon que la tierce est majeure ou mineure. Pour éviter tout malentendu, il serait préférable de dire que le bébé traite optimalement les degrés de l'accord parfait majeur. La soi-disant triade majeure (accord parfait majeur comme ré-fa dièse-la) serait une structure plus stable que la soi-disant triade augmentée, qui contient un demi-ton de plus, soit ré-fa dièse-la dièse) ; en raison de l'ambiguïté du terme de triade, les auteurs devraient préciser dans quel sens ils l'emploient.

Cette méthodologie permet de mettre en évidence des bonnes formes, perçues plus facilement (autrement dit, qui donnent une réponse positive). D'autre part, l'équivalence d'octave représente une caractéristique musicale presque universelle : « les notes distantes d'une octave sont perçues comme équivalentes » chez l'adulte de même que chez le nourrisson. Comme chez l'adulte, d'ailleurs, la transposition d'une mélodie sans en modifier le contour n'est pas perçue comme un changement.

Trehub a montré en outre en 1994 que la faculté de détecter des changements harmoniques se situe en moyenne entre cinq et sept ans alors que la réaction comportementale à l'intrusion de stimuli de fausses notes a pu être mise en évidence vers l'âge d'un an.

Le style de la séquence musicale présentée est capable d'influencer la réactivité du bébé ; par exemple il a été montré que des bébés de six mois étaient capables de détecter des fins de phrases musicales de la même façon qu'ils peuvent détecter des terminaisons de phrases verbales. D'autres études ont permis de montrer que le style « berceuse » avait bien un effet facilitant sur l'endormissement. Ce style comprend un rythme lent, fait généralement d'une succession d'intervalles mélodiques descendants répétés et identiques. J'ai pu constater chez mon petit-fils, âgé de quinze jours, que la tierce mineur sol_3-mi_3 chantée doucement avec un accent sur la première note était, de beaucoup, l'intervalle le plus efficace pour l'endormir !

Lors d'un colloque organisé sur la perception de la musique en 1999, étonné que l'on puisse parler de capacité innée, aculturelle, d'une préférence de traitement des éléments de la gamme occidentale par le bébé, j'avais souligné qu'il serait nécessaire d'examiner dans ce sens des bébés de toutes les parties du monde et que les travaux cités avaient sans doute été menés à bien chez des bébés anglo-saxons. Trehub et Trainor écrivent d'ailleurs qu'« il est raisonnable de supposer que les gammes répandues dans d'autres cultures peuvent également renfermer les qualités de bonnes formes ». Un débat auquel j'ai participé récemment en présence de l'ethno-musicologue Shimra Arom a montré la difficulté à trouver des universaux en musique, si l'on veut bien accepter de dépasser les frontières de notre petit monde occidental. Il n'est pas besoin d'aller bien loin : pour les chanteurs et les joueurs de viola d'Anatolie, le moindre accord de trois sons n'est que de la cacophonie ; que dire d'une symphonie, fût-elle de Mozart ! Comme nous l'avons vu, cette population a une représentation de la gamme tout à fait différente de la nôtre, mais c'est au son de cette musique qu'elle a été bercée. Il faut remarquer en outre que l'oreille humaine est douée d'une plasticité étalée dans le temps, elle s'adapte et se laisse éduquer. L'histoire de la musique procède par audaces successives. Ceux qui ont appris à goûter la musique sérielle, l'usage des dissonances puis la polytonalité de Milhaud ont été capables de s'adapter aux nouveaux modes de Messiaen, et aujourd'hui à la musique électroacoustique.

CHAPITRE VII

Le cerveau de Mozart

En commençant à écrire ce livre, nous nous étions proposé deux objectifs : montrer que la musique peut être abordée sous l'angle de la neuropsychologie d'inspiration cognitive, tenter, dans cet ordre d'idée, une approche du génie de Mozart, choisi parce qu'il représente sans conteste une figure emblématique de compositeur et l'un des artistes les plus remarquables de l'humanité. Nous nous sommes permis deux incursions, la première dans le domaine des sons et de leur perception, ce qui nous a mené parfois assez loin de notre sujet, sur des terres appartenant aux neurosciences ou à l'acoustique, la seconde à travers la vie de Mozart, sa famille, son entourage, tout en repoussant l'idée d'une biographie dont il existe aujourd'hui en France d'excellents modèles. Nous n'avons pas hésité à reproduire des exemples musicaux, ayant eu à notre disposition l'œuvre complète du maître, suivant en cela l'opinion de De Wyzeva et de Saint-Foix que rien ne remplace la lecture de la partition, quand on le peut.

Une approche neuropsychologique du génie de Mozart

Nous ne sommes plus à l'époque où l'on pensait que l'œuvre d'art ne devait pas être analysée autrement que par sa méthodologie propre, à savoir en ce qui concerne la musique : l'harmonie, la composition, le contrepoint, l'orchestration. La neuropsychologie cognitive étant l'étude des processus mis en jeu lors des activités mentales, il n'y a pas lieu d'en exclure la musique, activité mentale extrêmement complexe, peut-être plus que le langage. Ici le seul travail possible n'est que rétrospectif. L'importance de la documentation concernant le compositeur, notamment la correspondance et les textes qui y sont rattachés, permet d'en extraire des aspects significatifs de son génie. Il ne nous a paru ni sacrilège ni ridicule de rechercher des éléments constitutifs du génie de Mozart afin de tenter de répondre à la question plus générale : sur quels éléments peut-on distinguer un « expert dans un art » et un génie reconnu ?

D'EXCEPTIONNELLES CAPACITÉS COGNITIVES

L'imagination n'est pas rangée habituellement dans le champ d'investigation de la neuropsychologie cognitive, c'est qu'elle est une qualité, une faculté constitutive de l'intelligence (Mathias, 1990), favorisant les opérations mentales, sans en être une en particulier ; et cependant comment parler de la musique de Mozart sans parler du pouvoir de son imagination ? L'imagination est, *stricto sensu*, la capacité de créer et de combiner des images, c'est-à-dire des représentations sensorielles différentes de ce que nous apportent nos perceptions, marquées par l'objectivité. Aujourd'hui, la définition de l'imagination ne se limite pas aux images, elle englobe la création et l'arrangement d'idées nouvelles, mais elle garde un caractère implicite de fantaisie, de liberté, qui diffère de la règle. Emmanuel Kant dans la *Critique de la faculté de juger* écrit : dans l'expérience du Beau, « l'imagination dans sa liberté et l'entendement dans sa légalité s'animent réciproquement » (cité par Mathias, 1990). L'art apparaît comme la faculté de représenter à travers des symboles picturaux, graphiques, musicaux, son propre imaginaire. La musique est un champ d'application privilégié de l'imagination aussi bien dans l'audition, l'interprétation que dans la composition. Les mélodies, les timbres, les rythmes sont représentés mentalement chez le compositeur sous forme d'images auditives, qui sont davantage des images créées que des reproductions de perceptions antérieures reçues. Les exemples abondent de la richesse de l'imagination chez Mozart. Déjà (comme on l'a vu plus haut) dans les petits menuets qu'il composait dans son enfance on est frappé par l'originalité des thèmes et son peu d'attirance pour les scolaires mouvements conjoints. Dans sa production d'adulte, son imagination vive lui permit de créer des effets de contraste et de surprise destinés à insuffler un sentiment de vie perceptible. Je pense néanmoins que c'est dans ses opéras que Mozart fit le plus la démonstration de ses qualités imaginatives. Il ne fut pas qu'un musicien de théâtre, il savait s'imposer comme une sorte de second librettiste, modifiant à sa guise par le style de sa musique la signification de l'argument que lui avait fourni son propre librettiste.

La mémoire de Mozart était comme on dit fabuleuse, nous avons développé cette particularité dans notre premier chapitre. Il était capable non seulement d'encoder un nombre d'informations musicales hors du commun mais, ce qui est plus inhabituel, de les stocker dans leur intégralité (c'est-à-dire avec les harmonies, les timbres, les rythmes, les enchaînements) pendant une durée importante puis de les restituer par écrit ou par le truchement d'un instrument, ce qui lui évitait de devoir tout « noter au fur et à mesure ». Mémoires à court terme et à long terme, mémoires épisodique aussi bien que procédurale sont tout autant exceptionnellement développées chez le compositeur.

Mozart possédait une capacité de représentation mentale hors du commun, non seulement des sons en eux-mêmes, des hauteurs des notes, des accords (fait habituel chez un compositeur, avec dans son cas une oreille absolue parfaite, cela va sans dire), mais, ce qui plus est, de toute une œuvre. Il pouvait « stocker » mentalement toute l'œuvre qu'il était en train de composer de la première à la dernière mesure. Suivons le texte d'Einstein (1991) : « Tous les témoins extérieurs de sa création s'accordent à rapporter qu'il mettait une composition sur le papier comme on écrit une lettre... la fixation [sur le papier] n'étant pour lui qu'un acte machinal consistant purement et simplement à noter une œuvre entièrement achevée. » L'écrire n'était plus qu'un recopiage.

L'étude des manuscrits, la couleur de l'encre, la fréquence à laquelle il taillait ses plumes renseignent sur la façon dont Mozart composait (*ibid.*, p. 187). Il écrivait d'un coup tout le morceau en notant d'abord les parties les plus importantes, par exemple, le premier violon, ensuite il ajoutait la basse puis les parties intermédiaires. Il est prouvé cependant que des parties très travaillées comme les passages rapides et contrapuntiques de certains quatuors ou de grandes symphonies ont fait l'objet d'un travail particulier. Landon dans son *Dictionnaire de Mozart* mentionne l'existence d'esquisses pour la *Symphonie Jupiter*, mais d'une façon générale le compositeur, selon l'expression, « jetait sur le papier » ce qu'il entendait mentalement dans son intégralité. Cette possibilité, ce don, expliquent que l'ouverture de *Don Giovanni* ait été « écrite » à Prague entre minuit et six heures du matin, la veille de la générale ; écrite, oui sans nul doute, avec les parties de chaque instrumentiste, mais il serait préférable de dire « autodictée » et composée mentalement, sans doute depuis plusieurs jours. Pas besoin d'instrument, un bon stock de papier rayé, de bonnes plumes bien taillées, de l'encre noire suffisent, sans oublier des cafetières bien pleines que sa femme prépare pour tenir son mari éveillé. D'autres records de vitesse mozartiens sont connus : la *Symphonie 36, Linz*, a été mise noir sur blanc en quelques heures la veille d'un concert. En 1788, se trouvant bien dans son nouvel appartement avec jardin situé un peu en dehors de Vienne, il écrit en six semaines ses trois grandes et dernières symphonies, n° 39 (mi bémol), n° 40, en sol mineur, et n° 41, Jupiter, en ut majeur.

Attention ! à vouloir trop expliquer les capacités créatives de Mozart, on en viendrait presque à penser que la conception musicale ne lui demandait aucun travail, qu'il lui suffisait d'écouter ce qui chantait dans sa tête comme on écoute le bruit de la mer dans un coquillage et de le recopier. Ce ne serait pas exact. Comme il a été souligné plusieurs fois dans ce livre, jamais Mozart n'a sacrifié à la facilité.

Influencée par toutes les connaissances musicales dont il avait pris conscience dans sa vie, comme autant de couches de sédiments enrichissantes, l'œuvre mûrissait en lui avant de passer dans sa traduction graphique. Il n'a rien oublié de ses acquis prestigieux du passé ; l'auteur de tant de chefs-d'œuvre a su lui-même beaucoup étudier ceux des autres et s'en imprégner. Ainsi, au prix d'un travail soutenu, il acquit une immense culture musicale. C'est dès son enfance l'enseignement rigoureux de son père, puis il approfondit la polyphonie de la Renaissance avec Martini, jusqu'à ce qu'il interroge le contrepoint de Jean-Sébastien Bach dont il a transcrit de nombreuses fugues pour quatuor à cordes. À Londres, il s'initie à la sonate classique avec Jean-Chrétien Bach. À Vienne, il ne néglige pas les conseils de son grand ami Joseph Haydn, le maître du quatuor à cordes. Il connaissait les oratorios de Händel, il a retenu la noblesse un peu compassée des motets entendus à la chapelle royale de Versailles. Tout cet acquis s'est accumulé dans sa mémoire sémantique. S'il lui est arrivé d'écrire dans une même nuit plusieurs pièces qu'il devait interpréter le lendemain ou même des concertos dont il ne notait que la partie d'orchestre, gardant dans la tête la partie de piano qu'il allait jouer, jamais Mozart n'a négligé tout le soin nécessaire à l'achèvement d'un morceau avant de le considérer comme terminé, de livrer le manuscrit au graveur et de l'inscrire dans son répertoire personnel qu'il tenait régulièrement à jour. C'était un homme soigneux, cultivé et méticuleux mais tellement doué que ses talents d'invention si extraordinaires masquaient pour ainsi dire toutes ces qualités.

Une autre particularité psychologique du compositeur est sa très grande capacité d'attention, attention soutenue quand il écoutait de la musique ; son oreille savait alors détecter la moindre petite erreur d'un instrumentiste dans le tutti de l'orchestre ou le plus petit écart de justesse d'un violon (voir notre chapitre II), attention quand il composait mentalement, attention aux plus petits détails quand il se produisait comme interprète. On s'est plu à répéter que Mozart avait fréquemment l'air absent, le regard vague, il lui a même été reproché, comme un témoignage d'indifférence, de composer pendant que sa femme accouchait. En fait, sa conscience, autrement dit la connaissance de ce qui se passait en lui-même, était sans doute organisée en plusieurs plans (au moins deux) : le plan profond habité en permanence par la musique, entendue passivement ou élaborée mentalement, le plan superficiel occupé par les contingences de l'existence et la communication verbale, autrement dit : la conversation et l'action. Sans doute, ces deux plans pouvaient-ils fonctionner (pas toujours dans une parfaite coordination) de façon indépendante. On peut imaginer qu'il lui soit arrivé d'être à la fois agité extérieurement tout en composant un adagio serein. La théorie de la mémoire de travail de Baddeley (1974) donne un modèle satisfaisant d'un fonctionnement concomitant de différents « plans opérationnels ». Dans la première conception de cet auteur, la mémoire de travail fait partie de la mémoire à court terme. Déjà dans notre premier chapitre, nous avons insisté sur la difficulté de tracer, dans l'opération du stockage de la musique, une frontière nette entre le court et le long terme. Pesenti *et al.* (2001), dans un article auquel nous allons plus bas souvent faire référence, parlent de *long-term working memory*. Il en existe dans la musique de nombreuses preuves, ne serait-ce que d'improviser des variations sur un thème donné ou encore mieux, une fugue dont il faut retenir les voix pour les faire réapparaître au fur et à mesure. Baddeley (2000) a récemment « allongé » la durée et les capacités de la mémoire de travail en créant le concept d'*episodic buffer* dont il a déjà été parlé.

L'imagerie populaire oppose souvent un Beethoven, travailleur aux prises avec un labeur pénible requérant un déploiement d'énergie considérable, à un Mozart doué de facilités quasi surnaturelles, semblant habité par l'esprit de la spontanéité et de la vivacité. Il est vrai que ces deux qualités, énergie et vivacité, qui ont en commun l'action, diffèrent par leur façon d'être dans le monde : la première évoque une aptitude à mobiliser toutes ses ressources physiques et intellectuelles devant une situation qui l'exige, la seconde est plutôt un tour d'esprit, une façon d'être, un style de vie. À vrai dire, l'auteur du *Mariage de Figaro* avait à la fois l'énergie et la vivacité. Cette énergie, il sut en faire la preuve dans la constante et indéfectible conscience de son génie, autant que pour formaliser toutes les idées musicales qu'il avait en lui, empreintes souvent elles-mêmes d'une énergie farouche (voir le début de la *Symphonie n° 39 en mi bémol majeur*) et les faire admettre à un public pas toujours réceptif. Quant à la vivacité qui anime sa musique, elle n'est que la traduction d'une vie intérieure en perpétuel éveil. En l'écoutant, on ressent l'élan vital qui la nourrit en permanence.

Plus que de son abondance, il faut plutôt parler chez Mozart de son universalité ; il est le seul compositeur à avoir pratiqué tous les genres, à avoir composé pour tous les instruments, aussi bien que pour la voix humaine et à avoir su toucher toutes les classes de la société, de l'entourage de l'Empereur jusqu'aux roturiers du théâtre de banlieue où fut créée *La Flûte enchantée* le 30 septembre 1791.

Mémoire fabuleuse, possibilités hors du commun de représentation mentale, extrême acuité de l'attention, soin raffiné dans la création des œuvres, dynamisme communicatif, vivacité et énergie, production surabondante et universelle, telles sont des qualités psychologiques reconnaissables au plus haut point chez Mozart. Elles furent au service d'une maîtrise absolue de son art.

LES SAUTES D'HUMEUR DE MOZART

Dans un précédent chapitre sur l'intelligence musicale, nous avons pris parti contre ce qu'on a appelé « la dichotomie » de Mozart, théorie que l'on trouve très finement discutée dans le livre de Hocquard (1999) *Mozart ou la voix du comique*, et que son auteur résume ainsi : « Les tenants de la dichotomie tombent dans l'erreur d'opposer au musicien génial un être trivial et grossier », les plus polis parlant d'un homme ordinaire.

Si l'on discute en termes d'intelligence, de quotient intellectuel, cette conception ne tient pas, mais ceux qui l'ont défendue n'ont pas parlé d'intelligence, ils ont fait référence à la personnalité, au comportement social du musicien, ressortant les « bateaux » que l'on trouve partout et dont une certaine catégorie de lecteurs est friande, c'est-à-dire sa conduite parfois infantile, ses facéties, son agitation, son incapacité à bien mener ses affaires et à gérer son argent, sa graphomanie et ses jeux d'écriture quasi surréalistes, sans oublier les fameuses lettres à sa cousine la Bäsle dont la piétaille a fait des gorges chaudes.

Personnage non dissocié s'il en fut, Mozart avait en revanche une humeur instable, un profil thymique particulier fait d'alternances d'états d'excitation et de dépression qui pouvaient d'ailleurs coexister ; bien entendu, on a surtout retenu les premiers. Dès lors se posent deux questions : s'agit-il de simples traits de personnalité ou d'une affection mentale ? A-t-elle pu avoir une influence sur son génie ? Un médecin australien contemporain, Peter J. Davies (1987), s'est livré à une étude approfondie concernant la première question. Les documents écrits nous dépeignent Mozart comme un personnage fougueux, toujours en mouvement, à la repartie prompte et brillante bien qu'il ait eu comme tout homme ses heures d'abattement, de nombreux jours de souffrance physique [1], des humiliations et des difficultés de tous ordres. On sait qu'il dormait peu, que sa rapidité de composition n'eut jamais son égal et que, comme beaucoup d'instrumentistes, il travaillait son piano la nuit. P. J. Davies a avancé des arguments convaincants que Mozart avait une tendance maniaco-dépressive avec des accès hypomaniaques, faits d'une réduction du sommeil, d'un état d'agitation motrice permanente, d'une excitation psychique émaillée de jeux de mots, de plaisanteries parfois scatologiques. Il cite des épisodes sans doute moins nombreux de dépression ou d'apathie, avec à l'appui une centaine d'œuvres ébauchées et laissées inachevées. Il ne faut pas perdre de vue cependant que cet homme, viril, débordant d'activité, très sensible, était en permanence « habité par la musique » et semblait de ce fait au-dessus des questions matérielles de la vie quotidienne. De plus, certaines périodes considérées comme dépressives sont en fait réactionnelles à des événements telles que la mort de sa mère (vraisemblablement d'une fièvre typhoïde) à Paris en 1778. Si, après ce malheur, il a fait preuve d'un immédiat et indéniable courage, que certains censeurs malveillants se sont empressés d'étaler comme preuve d'une indifférence quasiment autistique, la lugubre *Sonate en la mineur* (exemple 3, p. 81), écrite d'un seul jet, est là pour leur apporter un démenti cinglant. En réponse à notre première question, nous ne pensons pas que Mozart ait été atteint d'une psychose maniaco-dépressive vraie. De tels patients, comme ceux que je côtoyais, à l'hôpital Sainte-Anne, étant interne du professeur Delay, manifestaient une telle fuite des idées et une telle variabilité dans leur discours qu'ils auraient été bien incapables de la plus petite création ou du moindre enchaînement de deux concepts. D'un autre côté, à ma connaissance, Mozart n'a jamais été franchement dépressif et n'a jamais fait allusion au suicide. Le terme de psychose maniaco-dépressive n'est pas de mise ; en revanche on est autorisé à parler à son sujet de tendance cyclothymique ou de tendance à l'hypomanie.

D'autres musiciens ont présenté de véritables psychoses maniaco-dépressives, entre autres Robert Schumann, Hugo Wolf, Henri Duparc. Ils ont eu des périodes fécondes pendant lesquelles leur production était très abondante et aussi des périodes dépressives vraies au cours desquelles non seulement ils ne produisaient rien mais encore ils voulaient détruire leurs compositions antérieures. Il faut être très prudent quand on disserte sur les sautes d'humeur de Mozart, ou sur une tendance maniaco-dépressive qui aurait pu avoir un rapport avec son génie. S'il est possible de parler chez lui de tendance cyclothymique, elle n'a pu qu'influencer le rythme de sa productivité artistique, mais on serait bien en peine d'y trouver d'autre rapport avec son génie.

UNE MAÎTRISE MUSICALE ABSOLUE

Dans son livre intitulé *Les Personnalités exceptionnelles*, Gardner (1997) parle de Mozart comme le prototype d'une maîtrise absolue d'un art. Essayons de voir à quoi tenait cette maîtrise. L'invention thématique, avec ses deux composantes, mélodique et rythmique, y occupe la première place. Est-il des lignes mélodiques plus raffinées que celles de Mozart ? Rarement elles procèdent par mouvement conjoint (sauf quand celui-ci s'impose pour des raisons de virtuosité, comme la descente initiale du finale de la *Sonate en fa majeur* (voir exemple 2). Le plus souvent, elles dessinent des mouvements de tension et de détente, sous forme de bonds et de rebonds successifs, ascendants ou descendants, comparables aux inflexions de la hauteur vocale, aux pauses, aux accents, à la prosodie du langage parlé. Olivier Messiaen a fait remarquer que Mozart est incontestablement le maître du rythme ; émanant d'une telle personnalité, cette assertion, que nous avons plus haut commentée, prend un sens très fort. Il serait possible d'en donner des exemples à l'appui ; parfois on reste intrigué par des formules rythmiques très resserrées d'une étrange modernité, comme le début de l'andante cantabile de la *Symphonie Jupiter* (exemple 14). Ces rythmes bien affirmés autant que diversifiés contribuent à renforcer le caractère dynamique de cette musique, à faire ressentir chez l'auditeur une sorte de plaisir intérieur qui rend une page de Mozart tout de suite reconnaissable. Même dans les œuvres d'enfance, la ligne mélodique ignore la platitude et la banalité.

Mozart excellait dans la composition des mouvements rapides et même ultra-rapides : écoutez le presto de la *Symphonie Haffner*, numéro 35 (exemple 15) pour lequel il demande de jouer le plus vite possible ; c'est une tornade, un tourbillon qui n'a pas son semblable dans la musique classique. Mais il ne faudrait pas croire pour autant que la primauté accordée au rythme et à la vivacité soit l'apanage des tempi rapides ; paradoxalement, l'auditeur la ressent aussi dans les andantes et les adagios. Derrière l'apparente simplicité thématique de ces mouvements lents, on sent une pulsation intérieure qui les soustend, pulsation qui n'est pas faite nécessairement des temps de la mesure, mais qui procure à l'auditeur une sorte de battement rythmique intérieur, on serait tenté de dire une pulsation physiologique que peut-être, dans certains instants privilégiés, tous les auditeurs d'une salle sont capables de ressentir simultanément. Que l'on compare les belles symphonies de Joseph Haydn et celles de Mozart. Celui qui a un peu l'habitude ne s'y trompe pas : les premières, ce n'est pas diminuer leur mérite, ont toujours cet air bonhomme de saine gaieté et d'extrême bonté, soutenues par des inventions mélodiques et des modulations qui surprennent par leur

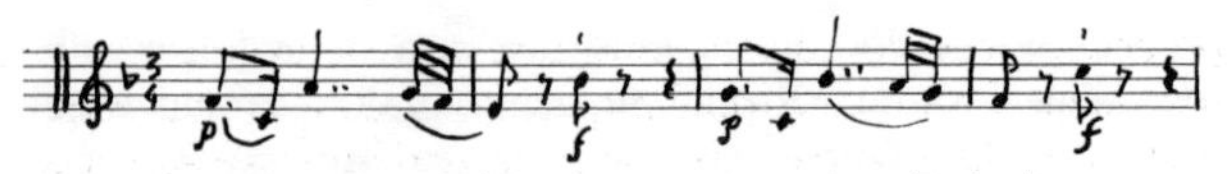

14. Mozart, *Symphonie n° 41 en ut majeur (Jupiter)*, K 551, début de l'andante cantabile

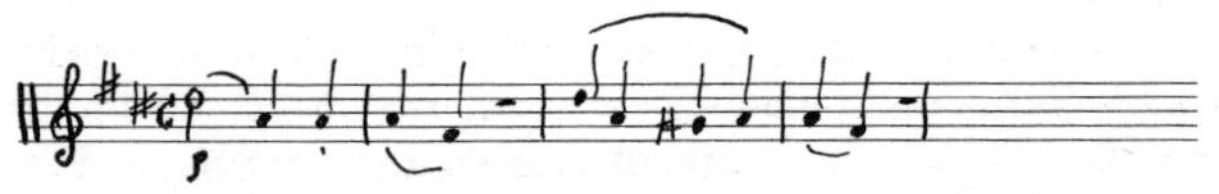

15. Mozart, *Symphonie n° 35 en ré majeur (Haffner)*, K 385. Final : presto

audace, mais nous n'y trouvons jamais ni l'allégresse, ni l'invention rythmique, ni la vivacité de Mozart.

Une autre particularité de notre compositeur est son usage intensif du chromatisme, qui confère un aspect orné, varié et inattendu à la moindre mélodie. L'interprétation n'en est que plus difficile ; une seule page de Mozart est toujours semée d'embûches et requiert une attention soutenue ; littéralement, il y a beaucoup d'« accidents » à éviter !

Qu'importe pour Mozart, car à tous les âges, il n'a jamais cessé d'être un virtuose. Il était assez rusé pour savoir se ménager, dans ses compositions, les meilleures occasions de briller en se jouant des pires difficultés, inventées d'ailleurs à dessein par lui-même pour n'en être que le plus brillant vainqueur. Il ne faut pas oublier que, considéré comme le meilleur pianiste de son temps, il était également un excellent violoniste, un altiste et un brillant organiste, ce qui nous explique le nombre important de ses concertos avec orchestre (27 pour le piano ; et pour le violon : 5 concertos plus un pour 2 violons et une symphonie concertante pour violon et alto) ; il avait en outre une connaissance très poussée de l'orchestration (la *Symphonie* dite « de Prague » *n° 38 en ré majeur* en témoigne) et le souci d'utiliser le plus de combinaisons de timbres possible, ce qui ne semble pas avoir beaucoup préoccupé ses devanciers. Intéressé par la naissance du tout jeune forte-piano, qu'il imposa à la place du clavecin, il en surveillait de très près la construction. N'alla-t-il pas jusqu'à demander à ses interprètes de modifier leur technique, le cor par exemple (selon Landon), pour obtenir des effets inédits ?

On peut présumer que, dès son enfance, l'intérêt pour les différents instruments et leur sonorité respective lui a été transmis par les collègues et amis de son père, mais cette banale remarque introduit une question jamais résolue : pourquoi Mozart fut-il le premier compositeur d'opéras de tous les temps alors que Leopold ne lui a jamais rien appris de l'art vocal qu'il ignorait, traitant dans ses compositions les voix comme de simples instruments ? Peut-être, après tout, fut-ce une manière de se montrer pour une fois plus fort que lui, d'avoir son domaine réservé ; toujours est-il que dès son enfance le petit Wolfgang a manifesté le désir d'écrire un opéra. Ses premiers essais remontent à l'âge de douze ou treize ans (*Bastien et Bastienne*, 1768 ; *La Finta semplice*, 1769). Il se peut qu'il ait été fasciné par les troupes de comédiens ambulants que la famille Mozart rencontrait dans ses périples, en particulier par les jolies et talentueuses sopranos.

D'ailleurs le théâtre n'est-il pas la meilleure expression de la mobilité, de la vivacité et de l'illusion ? Lui-même se prêtait de bonne grâce à des mascarades quand on lui demandait d'improviser des airs pour simuler la passion, la tristesse, la fureur ; ne jouait-il pas alors parfaitement la comédie, avec la bénédiction de son père ? Hocquard (1999), qui parle d'or des opéras de Mozart, écrit : « On sait que Mozart était passionné de théâtre. Il avait assisté à de nombreux opéras, en particulier lors de ses voyages en Italie. Il connaissait aussi les farces populaires de l'Allemagne du Sud dont les personnages correspondent à ceux de la commedia dell'arte et dont les Viennois étaient particulièrement friands, goût que blâme Leopold. » Le même Leopold aura une autre occasion de se déchaîner quand il apprendra que son fils désire épouser une chanteuse de seize ans, Aloysia Weber. L'adolescent Wolfgang fut précocement « un homme qui aimait les femmes », comme aurait dit Truffaut, les lettres d'Italie à sa sœur au sujet de ses petites amies en témoignent ; les aurait-il aimées seulement pour leur grâce physique sans s'éprendre de leur voix ? Si tel fut le cas, son grand amour à son retour de Paris aurait-il été cette Aloysia Weber, la sœur de sa future femme, qui chantait comme un rossignol, et qu'il voulut emmener avec lui en Italie pour interpréter ses propres opéras ? La coquette (ou la prudente ?) l'éconduisit et devint l'épouse du peintre Joseph Lange à qui l'on doit un des plus émouvants portraits du compositeur.

Passionné par l'opéra, Mozart dévora tous les livrets qu'il put trouver, mais à l'inverse de la plupart des musiciens de théâtre, à commencer par Richard Wagner, il ne considéra jamais que la musique soit au service du livret, mais au contraire qu'elle devait occuper la première place. C'est dans cet esprit qu'il collabora très étroitement avec ses librettistes Da Ponte et Schikaneder, exigeant une adéquation parfaite, qu'elle soit sérieuse ou humoristique, du verbe et du son. La lettre à son père du 26 septembre 1781 au sujet de la composition de *L'Enlèvement au sérail* montre tout le soin qu'il prit pour choisir ses tonalités, ses tempi, pour mettre en valeur les qualités vocales de ses chanteurs, qui étaient souvent des amis. Si c'est nécessaire, il fera modifier l'intrigue, allonger certains passages, raccourcir d'autres, inverser des scènes, afin que le public soit davantage captivé par l'action et que la psychologie des personnages soit mieux dépeinte. On prête à Mozart cette exigence : « Dans un opéra, il faut que la poésie soit absolument la fille obéissante de la musique. » Le rôle de celle-ci devient primordial dans de multiples situations comme de souligner une ambiguïté, de différencier le caractère de deux personnages chantant le même texte, de faire ressortir une particularité de caractère, de ridiculiser une situation. C'est ce pouvoir de la musique sur le caractère des personnages et sur leur action qui permet de mieux comprendre l'aphorisme de Mozart. Un autre point remarquable de ses opéras est leur extraordinaire vivacité, leur entrain ; tout est mené rondement, le livret est avalé prestement par les chanteurs ; tout pétille d'action et de faux semblants ; ainsi, dans *Cosi fan tutte*, après un ouverture enlevée, le spectateur se trouve tout de suite mêlé au projet d'un goût douteux de trois bonshommes, concernant deux couples amis. À l'inverse des opéras du XIXe siècle, où des phrases banales sont répétées sur tous les tons par des figurants qui ne joignent pas le geste à la parole, chez Mozart, dans les chœurs aussi bien que dans les récitatifs, les mots ne sont que très rarement répétés. À propos de *Cosi fan tutte*, dont je suis un admirateur inconditionnel, n'est-ce pas la plus belle anthologie d'ensembles vocaux : duos, trios, quatuors, et même quintette, qu'il soit donné d'entendre ? D'une écriture parfaite, leur grâce et leur agilité font oublier le contrepoint des voix qui lui-même est un modèle d'élégance. Je recommande également la saveur des petites marches formant, non pas des transitions ou du remplissage, mais l'occasion de planter un décor, ou de souligner le caractère comique d'une situation, par exemple le départ des soldats au premier acte, qui succède au quintette. Ainsi, selon qu'elle est solennelle ou enjouée, lente ou rapide, gaie ou plaintive, forte ou piano, la musique des opéras de Mozart a un pouvoir absolu : elle peut faire dire au texte le plus anodin tout ou son contraire.

Parce qu'il a utilisé des moules déjà en honneur à l'époque, il a été avancé que Mozart n'avait rien inventé, qu'il n'avait fait que suivre ce que ses devanciers avaient commencé. C'est injuste ! Tout d'abord, ces moules, il les a considérablement élargis, et même souvent fait éclater. De plus, il a su créer un style nouveau, résultant de la fusion du style savant et du style galant. C'est dans le style galant qu'il a été « élevé », se limitant à des mélodies accompagnées d'un contrepoint rudimentaire et ceci jusqu'à sa découverte de l'Italie. Certes à Bologne, il a vénéré son excellent maître Martini, mais ce que celui-ci lui a enseigné : l'art de Palestrina, le rebute à tel point que le 10 octobre 1770 il aurait raté son examen d'admission à l'Academia filarmoninica si le padre ne lui avait corrigé subrepticement sa copie ! À son retour d'Italie, l'archaïque polyphonie de la Renaissance est vite oubliée, il tente de créer un style d'église « sérieux ». Grâce au baron Van Swieten, quelques années plus tard, c'est la révélation du contrepoint de J.-S. Bach ; le jeune Mozart s'exerce alors à l'art de la fugue mais peine terriblement dans ce style d'écriture, que par malheur Constanze adore et lui réclame. La grande édition complète des œuvres montre combien il a laissé de fugues « en plan » ou seulement ébauchées ! À partir de 1780, il a trouvé son « grand style », la fusion d'un contrepoint qui sait se faire oublier, être présent sans qu'on s'en aperçoive, demeurer souple et même allègre, et de mélodies appartenant au genre galant. Les grandes symphonies, dont la *Jupiter*, quarante et unième et dernière, écrite en 1788, marquent l'apogée de cette fusion. Dans le menuet et son traditionnel trio, le contrepoint se fait vif et léger, un ouvrage tout en dentelle, alors que le dernier mouvement, bâti sur les quatre rondes : do-ré-fa-mi, brille de tous ses feux dans un développement contrapuntique d'une complexité et d'une richesse inouïes, fusant tel un feu d'artifice, qui n'est pas sans évoquer le grand *Prélude et fugue en mi bémol majeur pour orgue* de Bach père ou le glorieux choral du même Bach : « Depuis les lieux où le soleil se lève jusqu'aux extrémités de la terre... les chœurs célestes sont dans la joie, les anges chantent la louange de Dieu. » Qu'il s'appelle Dieu ou Zeus, Yaveh ou Allah, le titre de *Jupiter*, donné dit-on, à Londres en 1821 par le pianiste Kramer au personnage emblématique évoqué par ce chef-d'œuvre, n'est pas ridicule du tout.

Einstein insiste à juste titre sur l'unité interne des œuvres de Mozart : « Tout ce qui fait le mystère des œuvres instrumentales de Mozart, écrit le musicologue, la plus grande partie tient à l'unité interne de chaque mouvement pris isolément, à ce que Leopold appelle *il filo*, la succession, l'enchaînement des idées. » Enchaînement ne veut pas dire monotonie, bien au contraire : les oppositions, les contrastes, les brusques changements d'intensité font partie du langage musical de Mozart alors que les crescendos et les decrescendos y sont moins fréquents que chez les Romantiques.

FAIRE PASSER IMPLICITEMENT SES SENTIMENTS DANS SA MUSIQUE

Il était à l'époque de Mozart malséant de parler de soi, ou d'exposer ses sentiments dans la musique. Il faudra pour cela attendre Beethoven, et cependant la musique de Mozart est la plus chargée émotionnellement, la plus évocatrice d'affects qui soit. Comment concilier ces paradoxes ? Jamais, ou de façon très exceptionnelle, Mozart n'écrivit de musique imitative, jamais non plus il ne se mit en scène explicitement. En revanche, il savait admirablement rendre et faire naître les émotions. S'il utilisa les moules conventionnels de l'époque pour s'exprimer, il sut faire partager à ses auditeurs ses propres sentiments sous le couvert d'une représentation en apparence anonyme de tous les sentiments de l'humanité. De Mozart, on pourrait dire ce qu'on a dit de Cervantes, de Racine, de Molière, de Shakespeare, de Dostoïevski, de Balzac, de Proust : ils connaissaient tellement bien tous les replis de l'âme humaine qu'à travers leurs productions, qu'elles soient musicales ou littéraires, ils ont pu offrir à l'auditeur, ou au lecteur, un moyen de découvrir des aspects de leur propre affectivité, de reconnaître leurs propres émotions, leurs propres sentiments et d'accéder à la connaissance de soi-même et à la sagesse. N'est-ce pas là le message de *La Flûte enchantée* ?

Le cerveau et la musique

Les grands cliniciens de la fin du XIXe siècle ne manquaient ni de talent ni de culture musicale ; leurs épouses avaient leur salon et leur jour, et les réceptions vespérales offraient à un cercle de privilégiés l'occasion d'entendre des interprètes de qualité égale à celle des invités. Le goût de la musique classique était sans doute plus développé qu'aujourd'hui. Il faut ajouter que la découverte de Broca en 1861, localisant les fonctions du langage dans une zone circonscrite du cerveau, le pied de la troisième circonvolution frontale de l'hémisphère gauche, allait marquer la naissance d'une nouvelle science : la neuropsychologie. Les troubles du langage constituèrent de ce fait un terrain de recherches privilégié et les Bouillaud, les Proust (Adrien, le père de Marcel), les Charcot en vinrent à s'étonner que des sujets qui, à la suite d'une lésion cérébrale, avaient perdu la faculté de s'exprimer verbalement puissent garder intactes leurs facultés de percevoir ou d'exécuter de la musique. Ainsi ce qu'on a appelé d'une façon globale « les amusies » a été décrit *a contrario* à la fin du XIXe siècle. Elles furent considérées comme une partie des agnosies auditives, c'est-à-dire l'impossibilité de reconnaître et/ou d'identifier, à des degrés divers, des stimuli auditifs verbaux, musicaux ou des bruits de l'environnement que le sujet déclare cependant entendre. Des lésions soit unilatérales, soit le plus souvent bilatérales, touchant les aires auditives secondaires, en sont généralement responsables. Il faut distinguer ce syndrome de la surdité corticale due à des lésions bilatérales des aires corticales auditives primaires (gyrus de Heschl) dans lesquelles le malade a l'impression d'être sourd. Si l'agnosie auditive se limite à la musique, on parle d'amusie de perception ; il existe de plus des amusies d'expression, plus rares et moins étudiées.

LES DONNÉES DES OBSERVATIONS CLINIQUES

Il est devenu clair que l'aphasie et l'amusie ne sont pas de même nature et que les lésions qui en sont responsables ne siègent pas aux mêmes endroits dans le cerveau. Nous avons colligé (1995) cinq observations récentes illustrant cette opposition. Il s'agit de musiciens professionnels droitiers atteints d'aphasie de Wernicke[2] due à un infarctus sylvien postérieur gauche, qui purent continuer leur carrière de compositeur, de chef d'orchestre, de pianiste ou d'organiste. Tous ces patients avaient perdu la possibilité de lire un texte verbal mais ils gardaient la faculté de lire normalement la musique. Dans ces cinq observations, l'hémisphère cérébral droit (ou mineur chez le droitier) était intact, faisant penser qu'il était le siège des fonctions musicales. Une telle simplification s'est avérée exagérée ; en réalité, les deux hémisphères participent aussi bien à la perception qu'à l'expression de la musique.

Dans un but méthodologique, nous avons proposé de définir trois niveaux de perception de la musique et autant de niveaux d'altération de la perception musicale correspondants. Le premier niveau est la capacité de reconnaître la qualité musicale d'un son, le second est la capacité d'analyser et de comparer les diverses qualités d'un son musical, le troisième est l'identification de l'œuvre entendue. Les amusiques du premier niveau ne peuvent plus reconnaître la musique en tant que telle, tous les sons se mélangent dans un bruit indistinct. Les lésions causales sont bilatérales, souvent constituées en deux temps ; elles touchent les deux lobes temporaux (aires auditives primaires et secondaires) et les régions pariéto-temporales. Dans les amusies du second niveau, le patient distingue que ce qu'il entend est de la musique mais il présente des difficultés perceptives sélectives de ses éléments constitutifs : hauteur, rythme, timbre, intensité, durée. Le siège des lésions responsables est variable. Quant aux amusies du troisième niveau marquées par la perte le l'identification de la musique, elles sont dues presque exclusivement à une lésion temporo-pariétale de l'hémisphère dominant (Lechevalier *et al.*, 1985 et 1995).

Des études neuropsychologiques détaillées et des corrélations anatomocliniques ont permis dans une certaine mesure d'analyser et de localiser les diverses fonctions perceptives de la musique. Les troubles de la perception des rythmes s'observent surtout après des lésions hémisphériques gauches. Des atteintes sélectives de la perception des rythmes avec conservation de la perception des autres attributs de la musique ont été publiées (Mavlov, 1980). La dissociation peut se faire en sens inverse : la patiente de Peretz *et al.* (1994) ne pouvait plus reconnaître les mélodies alors qu'elle conservait des bonnes capacités sur la plan rythmique, les lésions étaient temporales bilatérales. La revue des données de la littérature montre que la perception des rythmes ne peut être attribuée exclusivement à l'hémisphère gauche comme on le pensait jadis. L'observation de Fries et Swihart (1990) et l'étude de groupes de patients épileptiques pharmacorésistants ayant subi une ablation à visée thérapeutique du cortex temporal antérieur droit ou gauche (Kester *et al.*, 1991) témoignent en faveur du rôle de l'hémisphère droit dans la discrimination des rythmes, ce qui fait dire à Platel (2001) que le rythme musical est « vraisemblablement une fonction composite qui peut être décomposée en plusieurs sous-composantes ». Il est vrai que du point de vue musical la notion de rythme est polymorphe ; il faut distinguer 1) le tempo, ou plus ou moins grande rapidité de la battue des temps de la mesure et qui, du plus lent au plus rapide, s'intitule : largo, adagio, andante, allegretto, allegro, presto, prestissimo. Par convention on le mesure objectivement par le métronome qui donne le nombre de battements à la minute ; 2) le « mouvement » appelé souvent mètre ou rythme : c'est une disposition conventionnelle et culturelle d'alternance des temps forts et des temps faibles : on parle de rythme (ou mouvement) de marche, de valse, de rumba, de habanera, de paso-doble... 3) le rythme *stricto sensu*, dans le sens donné par Messiaen, n'est autre que les modifications apportées par le compositeur dans la succession égale et régulière des temps : « la musique est la sculpture du temps ». Le rythme n'est donc pas qu'une succession de battements réguliers ; au contraire, il naît de l'irrégularité. Quand on parle de discrimination du rythme, c'est à cette troisième catégorie que l'on doit faire référence ; je suis donc d'accord avec Liegeois-Chauvel (1998) quand elle étudie le mètre musical et démontre que la partie antérieure du gyrus temporal supérieur tient sous sa dépendance cette fonction ; 4) nous avons signalé dans le paragraphe précédent les impressions de pulsations rythmiques subjectives qui peuvent être ressenties à l'audition de nombreuses œuvres en particulier de Mozart.

Les observations détaillées d'un trouble sélectif de la perception des hauteurs des sons (c'est-à-dire des notes) sont rares. Wertheim et Botez rapportèrent le cas d'un violoniste de quarante ans, droitier, qui fit brutalement une hémiplégie droite avec aphasie mixte modérée, due à un infarctus dans le territoire de l'artère sylvienne gauche ; il perdit l'oreille absolue, se mit à entendre une quarte au-dessus, devint incapable de faire des dictées musicales ou de reconnaître les mélodies ; en revanche, il copiait parfaitement les rythmes sans les nommer. Isabelle Peretz *et al.* (1994) distinguent à juste titre la perception du contour mélodique à partir d'une représentation globale de l'enveloppe sonore, qui dépendrait de l'hémisphère droit, et une perception élémentaire des hauteurs des sons localisée dans l'hémisphère gauche. Déjà en 1988, Samson et Zatorre avaient montré que, par rapport à un groupe contrôle de sujets sains, des patients ayant subi une excision des lobes fronto-temporaux droits échouaient dans la discrimination des mélodies.

Les lésions responsables de l'altération de la perception des timbres siègent dans l'hémisphère droit. Le patient de Spreen (1965), organiste, devint incapable de distinguer les différents jeux de son instrument ; la lésion occupait la première circonvolution temporale droite, débordant sur le cortex frontal et pariétal. Le patient de Mazzuchi (1982), atteint d'infarctus temporal droit, ne pouvait reconnaître les timbres alors qu'il reconnaissait parfaitement les hauteurs des notes, les intervalles, les tonalités. Ces observations et d'autres similaires plaident en faveur d'un rôle dominant de l'hémisphère droit (chez le droitier) dans l'analyse spectrale des sons. Souvent après des lésions de cet hémisphère, la musique est perçue de façon désagréable avec des distorsions ; il est probable que l'aspect émotionnel et affectif de la musique ait à voir avec cette région du cerveau.

L'identification de l'œuvre entendue ne se limite pas à la dénomination, elle n'est qu'un des stades du traitement sémantique du stimulus musical entendu dont les principales étapes sont selon nous : 1) le sentiment de familiarité, 2) la reconnaissance avec catégorisation sans dénomination verbale, par exemple on reconnaît que c'est le premier mouvement d'une sonate de Mozart mais on ne peut pas dire laquelle 3) la dénomination exacte. Sur ces processus purement sémantiques se greffent diverses représentations mentales : des réactions émotionnelles, un rappel du contexte mnésique et affectif, qui ont pu accompagner les précédentes auditions, parfois un certain degré de projection dans le futur, sans oublier les réactions kinesthésiques variées, les images d'action. La perte de l'identification de l'œuvre entendue est la caractéristique des amusies du troisième niveau, elle est due presque toujours à des lésions temporo-pariétales de l'hémisphère dominant. Les observations historiques célèbres de Dupré et Nathan (1911) et de Souques et Baruk (1930) gardent toute leur valeur, d'autant plus qu'elles ont comporté un examen anatomique du cerveau. Il s'agit de deux musiciens professionnels, le premier : violoniste, la seconde : pianiste. Tous les deux avaient un infarctus cérébral temporal gauche touchant les première et seconde circonvolutions et aussi la troisième chez la pianiste. Les deux patients souffraient d'une aphasie de Wernicke, ils pouvaient jouer de leur instrument, faire un dictée musicale, harmoniser une mélodie, mais ni l'un ni l'autre ne pouvait identifier un air, même s'il venait de le jouer.

Avec Eustache (1990) nous avons suivi un professeur de mathématiques de trente et un ans, mélomane qui après plusieurs accidents vasculaires transitoires dus à des embolies d'origine cardiaque constitua un infarctus sylvien gauche (visible au scanner) qui entraîna une hémiplégie droite avec aphasie. Sur vingt airs connus enregistrés qui lui furent présentés, il ne réussit à en identifier péniblement que quatre ; même *La Marseillaise* n'était pas reconnue et rien dans sa mimique n'indiquait le moindre sentiment de familiarité. Le patient dénommait bien les bruits non musicaux, il reproduisait bien les rythmes et savait détecter les erreurs dans les mélodies familières.

Toutes les corrélations anatomocliniques souffrent des mêmes défauts : il s'agit de cas pathologiques et les lésions ont pu être suivies d'une réorganisation du cerveau, doué comme on le sait d'une certaine plasticité ; elles posent en outre une question générale : le siège des lésions responsables d'un trouble neuropsychologique est-il le même que celui de la mise en route de la fonction perdue ?

L'APPORT DE L'IMAGERIE CÉRÉBRALE FONCTIONNELLE

Longtemps les seules corrélations anatomocliniques possibles ne pouvaient se déduire que de l'examen du cerveau prélevé par autopsie après la mort du patient. Du vivant du malade, le neurologue n'avait à sa disposition que l'examen clinique, l'électroencéphalogramme, qui consiste à enregistrer et à amplifier les ondes cérébrales et l'imagerie cérébrale morphologique, à savoir l'artériographie cérébrale et l'encéphalographie gazeuse, méthode fort douloureuse utilisée pour dessiner les cavités des ventricules cérébraux. Le scanner constitua un progrès appréciable dans l'étude de la morphologie. Si ces procédés sont utiles pour déceler des malformations ou des occlusions des artères du cerveau ou pour préciser les limites d'une tumeur, elles sont trop grossières (sauf le scanner) pour autoriser des corrélations anatomo-cliniques fines. L'imagerie par résonance magnétique (IRM) a constitué un gros progrès dans la visualisation du cerveau et de ses lésions *in vivo*, avec une précision jamais atteinte auparavant.

Ces méthodes morphologiques sont complétées à présent par l'imagerie fonctionnelle cérébrale. La caméra à émetteur de positons (électrons chargés positivement) permet de mesurer le métabolisme du déoxyglucose ou la captation de l'oxygène marqué par le tissu cérébral ; elle peut être utilisée dans deux conditions : chez les cérébro-lésés, ces mesures sont très utiles pour apprécier l'importance et la localisation d'un déficit fonctionnel cérébral au cours de certaines pathologies neurologiques, soit au niveau de la région lésée, soit à distance de celle-ci. On peut également mesurer le débit sanguin cérébral régional par la méthode de l'eau marquée. La mesure de ce débit est beaucoup utilisée chez des sujets sains soumis à des protocoles de recherche ; en effet, il s'élève lors de certaines tâches neuropsychologiques dans des aires corticales. Il est possible de mesurer cette élévation par rapport à un état de base hors activation, sa topographie et son degré de significativité. Le débit sanguin cérébral est également mesurable par l'IRM fonctionnelle qui prend en compte la différence des propriétés magnétiques des globules rouges selon leur degré de saturation en oxygène et gaz carbonique ; malheureusement, cette méthode souffre d'un handicap pour étudier la perception des sons : le bruit intense et désagréable auquel est soumis le sujet, défaut qui sera, espérons-le, un jour corrigé. Récemment, un nouvel élément a été pris en compte dans ces méthodes ; il s'agit de la présence constatée, à côté de régions activées lors des tâches du protocole, de zones désactivées, c'est-à-dire où le débit sanguin cérébral est abaissé [3].

Les études de la perception de la musique et de ses composantes par l'imagerie fonctionnelle sont peu nombreuses. En 1994, Zattore *et al.* ont démontré au moyen de la caméra à positons le rôle de l'hémisphère cérébral droit dans le processus de mémorisation des mélodies. Avec Platel *et al.* (1997), de l'Université de Caen, nous avons construit un protocole comprenant quatre épreuves requérant quatre consignes différentes ayant trait à la même séquence sonore de trente notes, enregistrée sur bande et présentée au sujet. Les résultats montrent des « activations significatives, spécifiques et différenciées pour chacune des tâches proposées ». Il s'agit d'activations dans l'hémisphère gauche pour des tâches d'identification et d'impression de familiarité (gyrus frontal inférieur et temporal supérieur, gyrus cingulaire) et de détection de changement de rythme (aire de Broca et insula). Les tâches de discrimination des timbres activent surtout l'hémisphère droit : dans les gyri frontal supérieur et moyen, à gauche on trouve des activations dans le précuneus et le gyrus occipital moyen. La tâche de discrimination des hauteurs de notes a montré un résultat inattendu : avec des activations spécifiques dans l'hémisphère gauche, localisées à la face interne des lobes occipitaux dans le cunéus et le précunéus, régions concernées par la perception visuelle, ce qui traduit sans doute une représentation visuelle inconsciente des hauteurs pour réaliser cette tâche. Cette étude a été effectuée chez des étudiants non musiciens.

Le même auteur a mis en évidence récemment (Platel, 2002) que l'identification par des adultes jeunes normaux, non musiciens, de mélodies sans paroles et la recherche par le sujet de savoir si elles avaient déjà été présentées peu de temps avant provoquaient des activations cérébrales de topographie différente. Dans le premier cas, il s'agit d'une tâche de reconnaissance, qui met en jeu la mémoire sémantique : des activations ont été constatées dans le cortex médial et orbital droit et gauche, et du côté gauche seulement : dans le gyrus angulaire et la partie antérieure des gyri temporaux supérieur et moyen. La seconde tâche consistait à retrouver le souvenir d'un événement et appartient à la mémoire épisodique ; des activations bilatérales (plus marquées à droite) furent mises en évidence dans les gyri frontaux supérieur et moyen. Ces données confirment l'existence de réseaux de neurones différents pour reconnaître ou se souvenir d'événements musicaux et sont à rapprocher de constatations préalables concernant ces deux types de mémoire pour du matériel verbal ou visuo-spatial.

Il existe de nombreuses autres méthodes d'imagerie fonctionnelle cérébrale d'ordre électrophysiologique comme l'étude des potentiels évoqués cérébraux, le test d'écoute dichotique. Leurs objectifs sont différents des méthodes dérivées de la caméra à positons. Lorsque l'on délivre un stimulus auditif à un sujet, on peut suivre le devenir des potentiels évoqués qui en résultent dans les voies acoustiques du tronc cérébral et dans le cerveau jusqu'à leur phase d'intégration par les neurones du cortex (jusqu'à 400 ou même 1 000 millisecondes après le stimulus). Cette méthode a une valeur localisatrice indéniable, elle permet en outre d'étudier les étapes de la perception auditive. Nous avons relaté dans notre premier chapitre un travail de Mireille Besson (2000), concernant les différences des potentiels évoqués auditifs tardifs enregistrés pendant l'audition d'un chanteur lyrique selon qu'il chante des mots erronés ou des notes erronées, ce qui démontre la différence de traitement cérébral pour le verbal et le mélodique.

Quant au test d'écoute dichotique, c'est une méthode complexe, très utilisée il y a une dizaine d'années, mais dont l'intérêt a diminué depuis l'avènement des méthodes morphologiques de l'imagerie cérébrale fonctionnelle. Nous en avons vu des applications dans notre second chapitre. Ces différentes méthodes d'imagerie ont permis certes d'affiner les connaissances sur la morphologie des structures cérébrales, elles ont surtout montré que « le modèle phrénologique – « une fonction = une région » – est maintenant définitivement abandonné au profit d'un modèle en réseau de régions distribuées, une région donnée pouvant, de plus, participer aux réseaux de différentes fonctions mentales » (Mazoyer, 2001).

Le cerveau des musiciens

Après le « cerveau musicien », c'est-à-dire l'étude des rapports fonctionnels du cerveau de tout un chacun avec la musique, nous arrivons à la difficile question du cerveau (en tant que structure pensante) des musiciens. Une des grandes différences entre langage et musique est que les connaissances musicales sont très irrégulièrement réparties selon les individus alors que le langage est donné à chacun universellement.

Il existe sans doute dans la population plus de sujets amusiques que de surdoués. Le niveau culturel général n'y est pour rien. J'ai déjà cité le cas de ce remarquable professeur d'université qui déclarait : « Je devine qu'on joue *La Marseillaise* quand je vois tous les gens se lever. » Malheureusement les personnes qui n'ont aucun intérêt pour la musique, sont incultes dans ce domaine, ne vont jamais au concert, n'écoutent pas de disques, ne reconnaissent rien de ce qu'ils entendent, chantent faux, ne réussissent pas à prendre le ton sont beaucoup plus fréquentes qu'on le pense, à tel point qu'on a créé le terme d'« amusie congénitale [4] ». À l'autre bout de la chaîne se situent les surdoués et les musiciens prodiges, enfants ou adultes. Comment peut-on expliquer cette disparité ? Tout le monde connaît les familles de musiciens, les Bach, les Couperin et près de nous les Alain, les Bardon. Presque tous les enfants musiciens prodiges, nous l'avons vu, ont découvert l'art des sons plus tôt que les autres. Ils ont cherché à imiter la musique qu'ils entendaient quotidiennement à la maison. En ce qui concerne Mozart, le problème se pose de la même façon que pour tous ces enfants prodiges.

S'agit-il d'une transmission héréditaire d'une aptitude musicale ou bien est-ce le résultat d'un environnement exceptionnellement favorable ? Sans adhérer totalement à la boutade célèbre : « La transmission génétique, c'est de l'environnement en boîte », en réalité discutable, il faut remarquer qu'il n'y a aucune commune mesure entre l'honnête talent musical de Leopold, bon pédagogue certes et père clairvoyant du génie de son fils, et le génie de Wolfgang et qu'une transmission génétique ne peut être retenue ici sans réticence. On ne trouve pas d'autre part, comme chez les Bach, de grands musiciens dans les ascendants du père ou de la mère de Wolfgang. Finalement, le don reste une réalité mais il demeure inexplicable scientifiquement ; en tout cas, on ne peut nier qu'il corresponde à une disposition particulière des réseaux de neurones. Faire dans cet arrangement la part de l'inné et de l'acquis est conjectural.

L'ÉMERGENCE D'UN CERVEAU SINGULIER

Tous les cerveaux ne sont pas identiques, c'est ce que nous allons tenter de démontrer maintenant. La théorie des localisations cérébrales aurait pu conduire à imaginer le cortex comme une juxtaposition d'aires spécialisées aux frontières précises, réparties de façon immuable et universelle. Cette conception a soulevé, dès la fin du XIXe siècle, remarques et critiques dont l'une, d'ordre anatomo-clinique, fut qu'il fallait tenir compte pour expliquer les signes de certains tableaux cliniques complexes des voies d'associations cheminant sous le cortex cérébral dans la substance blanche de l'encéphale et reliant entre elles les aires corticales. Dejerine, Liepmann, Freud (dans « Contribution à l'étude des aphasies ») ont montré que les interruptions de telles voies d'association intracérébrales pouvaient entraîner des symptômes comparables aux lésions des aires elles-mêmes (Viader *et al.*, 2002). Cette théorie, appelée à tort l'associationnisme (terme consacré par l'usage), a permis de fournir des explications convaincantes car vérifiées par l'autopsie de tableaux cliniques complexes comme les alexies sans agraphie [5].

Dans le domaine de l'aphasie, le fondateur de la neurologie, Jean-Martin Charcot (1825-1898), ne suivit pas en tous points la découverte de Broca ; il considérait que l'aphasie était une amnésie des mots (idée que reprendra plus tard Jean Delay, 1945) et que l'appareil du langage ne fonctionnait pas de la même façon chez tous. Il distinguait les visuels, les moteurs, les auditifs, les graphiques, ce qui n'est pas sans rappeler les anciens tempéraments hippocratiques et la distinction établie par Le Senne dans sa *Caractérologie* en sujets actifs et passifs, à retentissement primaire ou secondaire. Ainsi, plusieurs travaux, s'efforcèrent de lutter contre une théorie monolithique de l'intelligence et donc du cerveau humain.

Une autre constatation intéressante a été fournie par Flechsig qui a étudié les dates de la maturation de la myéline dans le cerveau de l'homme. À la naissance, seules les aires dites centrales, motrices et sensitives (aires frontale et pariétale ascendantes), et les aires visuelles sont myélinisées ; les aires associatives (ou secondaires) le sont plus tardivement. En langage courant, on pourrait dire du cerveau humain que « rien n'est joué à la naissance ».

Plus récemment, une nouvelle façon d'envisager le fonctionnement cérébral est née quand on a admis qu'après une lésion cérébrale une restauration de la fonction touchée pouvait se produire du fait de la plasticité cérébrale, ce qui prouve que l'organisation du cerveau n'est pas statique et qu'à le considérer uniquement du point de vue morphologique, on ferait fausse route et on priverait les cérébro-lésés d'une aide à la récupération de leurs dommages. Que se passe-t-il pendant la période de rééducation ? Soit une remise au travail de centres du cortex qui étaient « en veilleuse » depuis la petite enfance, soit une création de nouvelles voies d'association.

DE LA MÉMOIRE IMPLICITE AU CERVEAU D'UN EXPERT

Dans notre premier chapitre, consacré à la mémoire musicale, nous avons rappelé des notions psychologiques classiques comme la distinction d'une part de la mémoire explicite qui est la mémoire racontable des épisodes de notre vie et des connaissances acquises et, d'autre part, la mémoire implicite qui comprend la mémoire procédurale ou capacité d'acquérir et de conserver des habiletés mais également les apprentissages et les conditionnements. Alors que la mémoire explicite est localisable dans le circuit hippocampo-mamillo-thalamique et le cortex cérébral appelé néo-cortex, la mémoire implicite dépend des structures cérébrales profondes sous-corticales : noyaux gris centraux (striatum) et cervelet ; cette différence est prouvée par la pathologie et l'expérimentation. Nous faisons l'hypothèse que le cortex temporal droit intervienne également dans la mémoire non déclarative. Certes, il serait exagéré d'insister trop sur le rôle de la mémoire implicite au détriment de la mémoire explicite de type sémantique dans le développement de la personnalité ; il faut reconnaître toutefois que le savoir d'un adulte comprend une très grande part de savoir-faire acquis de façon implicite.

La conception maintenant classique de la mémoire implicite a été considérablement élargie par les travaux de Kandel, prix Nobel de médecine en 2000, et de Squire dont les conclusions ont été rapportées un an plus tôt dans un ouvrage capital, *Memory : from Mind to Molecules*. Les auteurs vont très loin dans l'extension du concept de mémoire implicite. Ils y font entrer les habitudes, la manière d'être, les croyances, les goûts, la façon de s'exprimer, enfin tout ce qui fait la personnalité et qui se forge peu à peu à notre insu. Dans cette conception, fait partie de la mémoire implicite l'encodage de traces mnésiques inconscientes qui à long terme peuvent influencer notre vie ; se déduit également le rôle de l'environnement affectif de l'enfance et de l'éducation, ce qui permet de discuter la part non génétique des dons artistiques prétendus héréditaires. Wolfgang Amadeus Mozart bénéficia d'un environnement sonore hors du commun depuis sa petite enfance, de la présence active de son père, de sa sœur, et de la tendresse de sa mère.

Partant de nombreuses études expérimentales d'un petit mollusque marin, l'Aplysie, Kandel et Squire ont proposé un modèle cohérent des mécanismes intimes de la mémoire implicite applicable à l'humain. Notons que pour ces auteurs la mémoire à long terme succède toujours à une phase de mémoire à court terme qui n'excède pas une dizaine de minutes. L'incorporation des traces mnésiques dans le long terme ne pourrait pas se faire sans l'élaboration dans le cerveau de nouvelles protéines spécifiques qui jouent un rôle en tant que facteurs de croissance dans la pousse de nouvelles connexions aboutissant à la modification ou à la création de nouveaux réseaux neuronaux particuliers à chaque individu. La conclusion de Squire et Kandel est qu'en dépit d'une apparente similitude, chaque cerveau est unique, façonné par celui-là même qui le possède ; le cerveau de Mozart n'était sans doute pas le même que celui du célèbre champion de basket-ball américain Michael Jordan !

Selon la théorie de Kandel, la construction de millions de réseaux neuronaux s'est faite progressivement depuis notre petite enfance pour aboutir à une architecture cérébrale spécifique de chaque individu. Ces réseaux peuvent unir des régions éloignées et parfois insoupçonnées, supports de programmes qui restent présents explicitement ou implicitement.

Jeannerod et son équipe de recherches de l'Institut des sciences cognitives de Lyon ont montré que toute action était précédée chez l'homme quelques millisecondes auparavant de l'établissement d'un programme d'action et que la seule idée de l'action à exécuter (appelée image motrice)

APERÇU DU MODÈLE DE KANDEL

Comme l'avait pressenti Freud, la mémoire naît au niveau des synapses qu'il appelait « barrière de contact » entre deux neurones. Il ne s'agit pas d'une transmission d'énergie comme il le pensait mais de la transmission d'une excitabilité d'un neurone à un autre. Pour Kandel, même en ce qui concerne la mémoire non déclarative, la mémoire à court terme est une phase obligatoire (qui peut durer 30 à 60 minutes) vers le long terme. Deux classes de récepteurs post-synaptiques interviennent dans la transmission transynaptique de l'excitation : les récepteurs *ionotropiques* mis en route par un neuro-transmetteur comme le glutamate font entrer l'ion Na+ dans le neurone postsynaptique et sortir l'ion K+. Cette action n'excède pas quelques millisecondes. Les récepteurs *métabotropiques* mis en route par le neurotransmetteur sérotonine ont une action lente, retardante dans la cellule. Ils activent un second messager, le cAMP ou adénosine monophosphate cycline, qui lui-même active une enzyme, une protéine kinase qui va phosphoryler des « protéines-serrures » qui ferment le canal, d'où accumulation de Ca+ dans la fente synaptique et de K+ intracellulaire.

La mémoire à long terme qui prolonge la phase précédente suppose la formation de nouvelles protéines dans le deuxième neurone. La persistance de la stimulation des récepteurs membranaires par la sérotonine fait que la protéine-kinase pénètre dans le noyau du deuxième neurone ; elle est soumise alors à des influences facilitantes (CREB 1) ou inhibantes (CREB 2) à action rapide ou lente (CREB 1). Ce dernier, par l'intermédiaire d'une protéine facteur de transcription (C/EBP), favorise la pousse de nouvelles connexions synaptiques dont vont résulter la modification de réseaux de neurones existants ou la formation de nouveaux réseaux.

La pertinence et la cohérence de ce modèle ont été prouvées expérimentalement. Une question demeure chez l'homme : quels facteurs opèrent un choix dans la mémoire à court terme pour former des souvenirs durables dans le long terme, souvenirs qui seront ensuite l'objet d'une consolidation.

fait apparaître la même activation corticale que si l'action était réellement accomplie. Nous gardons présents dans notre inconscient les schémas de ces programmes d'action, qui sont capables de se manifester si une seule de leurs parties est sollicitée ; ceci est à la base de l'apprentissage, de la mémoire implicite et pensons-nous de l'inconscient profond.

Ainsi, le cas de Mozart n'est qu'un cas parmi d'autres, que son cerveau soit unique, c'est une évidence puisque chaque cerveau humain l'est. La question serait plutôt : qu'est-ce qui fait sa spécificité ? Doué de mémoires explicite et implicite prodigieuses, favorisé par l'environnement de personnes dont le but était le développement de son génie, telles que ces jardiniers qui apportent tout leur amour et mettent tout leur soin à créer une fleur inédite, Wolfgang Amadeus Mozart a construit lui-même son outil, il l'a reçu mais il a été responsable de ce qu'il en a fait, de son œuvre qui fait partie de l'histoire de l'humanité.

Nous nous sommes permis de reproduire un encart, écrit par nous en 2001, expliquant schématiquement la conception de Kandel ; il est plutôt destiné aux lecteurs qui s'intéressent aux neurosciences.

Nous n'aurions garde d'oublier les travaux d'un autre prix Nobel de médecine, Gerald Edelman, dont la *Biologie de la conscience* (1992) a révélé la teneur. À partir d'études sur les facteurs d'adhésion des neurones, l'auteur a montré qu'au cours du développement, l'architecture des réseaux de neurones subissait des remaniements selon les principes d'un « darwinisme neuronal », en organisant des arrangements et des ségrégations de neurones. Les particularités de chaque individu rendent possible une singularité de tels arrangements, théorie qui d'après nous « va dans le même sens » que celle de Kandel. Selon Edelman, dans le cerveau, les groupements de neurones sont unis par des voies dromiques mais aussi des voies rétrodromiques qui opèrent une réentrée sélective.

LE CERVEAU DES GRANDS MUSICIENS A TOUJOURS FASCINÉ LES CHERCHEURS

La liste des articles parus sur le cerveau des musiciens est énorme. Alfred Meyer[6] fit en 1977 une revue exhaustive intitulée *Recherche sur un substrat morphologique dans le cerveau des personnes éminentes incluant les musiciens* suivie d'une bibliographie de plus de cent titres, émanant de chercheurs d'élite (Auerbach, Retzius) ayant procédé pour la plupart à des études seulement morphométriques des encéphales de musiciens, de chefs d'orchestre, de chanteurs, de pianistes (von Bülow), d'instrumentistes, par comparaison avec des cohortes importantes de cerveaux normaux. Très prudemment, Meyer insiste sur la fréquence des lésions associées, dont celles ayant entraîné la mort, tenant à l'âge ou à diverses pathologies, principalement l'artériosclérose (appelée athérome cérébral de nos jours). Il met en garde contre le nombre important de variations de taille et de morphologie des circonvolutions que l'on peut rencontrer, et sur les difficultés de tenir compte des statistiques concernant le poids du cerveau. De cette masse d'études très sérieuses, on ne peut tirer que quelques conclusions dont la plus importante est que, dans tous les cerveaux de musiciens examinés, Auerbach a constaté la vaste étendue des tiers moyen et postérieur du gyrus temporal supérieur intimement connectés avec le gyrus supramarginalis (fig. 4), également bien développé ; photographies à l'appui, Auerbach met en évidence cette particularité qui entraîne une surélévation curviligne de la scissure de Sylvius sus-jacente. L'auteur a constaté en outre chez plusieurs chanteurs une grande étendue du second gyrus frontal gauche. D'autres auteurs confirmèrent les constatations d'Auerbach. Le cerveau du grand acousticien et musicien Helmoltz montra un fort développement de la moitié postérieure de la première circonvolution temporale et de la pariétale inférieure du côté gauche. Auerbach mit en outre en évidence la vaste étendue des aires auditives primaires (gyrus de Heschl) dans le cerveau de deux instrumentistes célèbres et d'un chef d'orchestre ; Pfeifer fit les mêmes constatations. Même si elles ont surtout un intérêt historique, ces études ont le mérite de faire réfléchir à une question : indiscutablement, il existe des exemples démonstratifs, présentant toutes les garanties scientifiques requises, démontrant l'hypertrophie de certaines circonvolutions chez les musiciens ; il s'agit de celles concernées par l'audition ; gyrus transverse de Heschl, gyrus temporal supérieur mais aussi d'une aire associative très importante : le gyrus supramarginalis, et d'une autre concernée par l'expression du langage : la seconde aire frontale gauche. La question est de savoir si de telles hypertrophies sont la conséquence d'une pratique musicale prolongée ou bien s'il s'agit d'une prédisposition génétique congénitale donc génétique. C'est à quoi nous allons essayer de répondre.

Des travaux très récents plaident en faveur de la première hypothèse : la pratique prolongée de la musique peut entraîner une adaptation structurale et fonctionnelle du cerveau. L'imagerie cérébrale a permis de telles constatations, qui plaident en faveur de la réalité d'une plasticité cérébrale. Schlaug (2001) note que plus la pratique de la musique se fait tôt, plus elle influence le cerveau de l'enfant dont les constituants sont très adaptables. Le cortex moteur, le corps calleux (hypertrophié chez les musiciens), le cervelet ont de très grandes possibilités d'adaptation à la pratique musicale chez l'enfant. Nous avons vu dans un chapitre précédent les corrélations entre oreille absolue et étendue du planum temporal. Pantev *et al.* (2001) ont étudié la représentation fonctionnelle dans les cortex auditif et somatosensoriel chez des musiciens professionnels ayant une longue pratique instrumentale ; dans le domaine auditif, la représentation neuronale fut spécifiquement observée quand les stimuli présentés sont des timbres musicaux ou des voix alors qu'elles sont absentes si le stimulus est un son pur de type sinusoïdal (c'est-à-dire une fondamentale sans harmonique). En outre, des représentations privilégiées ont été trouvées correspondant aux doigts les plus souvent utilisés pour la pratique de l'instrument. En utilisant les méthodes de l'imagerie fonctionnelle, on est capable à présent de mesurer durant la vie la surface des aires du cortex cérébral. La surface des aires n'est pas la même pour tout le monde. Par exemple, chez le violoniste professionnel, l'aire dévolue au cinquième doigt de la main gauche est significativement plus étendue que chez le sujet ne pratiquant pas cet instrument.

D'autres travaux, utilisant l'imagerie par résonance magnétique nucléaire, ont montré que le cortex cérébral des musiciens contiendrait un nombre de neurones plus élevé dans certaines zones que chez les sujets non musiciens.

D'après ce qui précède, dans le domaine des réseaux de neurones intracérébraux, on peut imaginer que les variations soient importantes d'un sujet à l'autre et qu'au cours du développement, l'architecture de ses réseaux soit particulière chez les musiciens. De tels réseaux constituent des itinéraires privilégiés pour établir des contacts, des liaisons entre certaines parties du cerveau et d'autres. Si de tels concepts peuvent se concevoir sans difficulté, encore faut-il en vérifier la réalité *in vivo* par des méthodes expérimentales.

L'EXPERT ET L'ARTISTE

Le 24 décembre 1781, lors d'une joute mémorable, le célèbre pianiste Clementi affronta Mozart à Vienne en présence de l'empereur Joseph II, ce qui lui valut ce commentaire peu amène de son challenger : « il n'a pas la moindre expression ou goût, encore moins de sentiment », et il le compare à une mécanique (Landon). C'était cependant un virtuose très réputé, un expert dans son art, et un grand admirateur du jeu de Mozart. Comment peut-on définir l'artiste ? Autrefois, c'était plutôt un statut professionnel, on parlait d'artistes lyriques, d'artistes peintres. Actuellement, le terme s'applique à tous ceux qui s'occupent d'art ou qui ont un penchant pour les arts, qu'ils soient peintres, musiciens, écrivains, hommes de théâtre, plasticiens, concepteurs. Un tel éventail oblige à se demander s'il existe des points communs à toutes ces catégories d'artistes. Une telle définition peut être proposée : « L'artiste est celui qui voit, derrière la réalité objective du monde, telle qu'elle est perçue par tous, une autre réalité, et qui a le pouvoir d'exploiter cette réalité personnelle pour la faire découvrir et aimer aux autres comme un témoignage de la beauté. » Cette définition de l'artiste peut s'appliquer à tous les arts. En ce qui concerne les peintres, on est toujours frappé de la différence entre une première ébauche d'un paysage, faite souvent sur le motif, et l'œuvre achevée qui en résulte. Cela se vérifie même chez un classique comme Corot. Sa première version du *Pont de Narni*, peinte en 1826 et visible au Louvre, est très différente de celle « interprétée » présentée au salon de 1827. La différence est encore plus grande quand on compare un paysage et la photographie ; l'artiste en donne sa vision, d'où se dégage une harmonie plastique, mais surtout une impression subjective. Ce que l'on observe chez les peintres peut se comparer à l'interprétation d'une pièce musicale. Le peintre comme le musicien veulent donner un sens à ce qu'ils présentent au public. Quand le *Balzac* de Rodin fut inauguré à l'entrecroisement des boulevards Raspail et du Montparnasse, le scandale fut énorme, car personne ne reconnaissait Balzac ! Aujourd'hui, cette statue nous semble traduire de la façon la plus convaincante la vision du sculpteur : une masse d'énergie contenue, comme encerclée, par l'immense cape qui enserre l'unité de l'œuvre.

L'interprète est créateur, il infuse dans un texte musical un élément personnel qui va lui donner sens. Le compositeur s'implique encore davantage, car il forge son matériau musical, ce qu'on appelle son langage musical (même si le terme peut prêter à discussion), auquel il va, non pas donner, mais créer un sens. Cette création concerne du même coup « la matière musicale et le sens qui va avec », les deux s'enrichissant réciproquement. Ce don du sens utilise certes les procédés de l'interprétation, difficiles à analyser car résultant de multiples facteurs implicites fruit d'une réflexion, elle-même en rapport avec la personnalité, l'affectivité, en communication intime avec l'inconscient.

Si l'on désire faire une analyse neuropsychologique de la création artistique, il est nécessaire de différencier une part « instrumentale », l'écriture et ses règles, la structuration, en un mot : l'expertise, et une part plus holistique, plus difficile à cerner, qui tient aux sentiments, à l'humeur, mais également à la biographie, à la petite enfance.

Il est tentant d'assigner ces deux types d'activité psychique à un hémisphère cérébral, chez le droitier : le gauche pour les activités formelles et régulières (= de la règle), le droit pour la part affective holistique. Jean Cambier a fait une étude très convaincante de la création littéraire chez Marcel Proust, qui suit cet axe de travail ; l'œuvre d'art apparaissant comme une expression de l'indicible, dans une dialectique des deux hémisphères.

En ce qui concerne spécifiquement la musique, comme l'a démontré Platel (ouvrage cité), il est indéniable que beaucoup de processus au travail dans les diverses opérations qu'elle met en jeu sont gérés par l'hémisphère droit. L'hémisphère gauche ne tenant sous sa dépendance que l'analyse des hauteurs, les rythmes et l'identification musicale. D'un autre côté, la partie constructive qui préside à l'élaboration d'une œuvre est sans doute à mettre sur le compte du cortex pariéto-occipital droit. Mais, dans la conception de J. Cambier, ce n'est pas seulement d'une latéralisation des différentes fonctions dont il faut parler mais de la « vocation » de chaque hémisphère.

Dans un de ses derniers articles, le grand neurologue Geschwind avec Galaburda (1965) élargissait les fonctions de l'hémisphère cérébral droit ; il avança qu'il pouvait exister une asymétrie fonctionnelle congénitale de l'hémisphère droit favorisant l'allergie, en particulier l'asthme, et une tendance à l'hypersensibilité, théorie que Cambier cite dans son étude sur Proust. Si ces conceptions sont difficiles à vérifier, la spécificité fonctionnelle de chaque hémisphère doit toujours rester présente à l'esprit. L'hémisphère droit n'intervient presque pas dans le langage ; il serait plus vrai de dire dans la phonologie, c'est-à-dire l'expression verbale du langage. En revanche, il est dominant pour les activités visuo-spatiales, constructives, pour l'appréciation et la comparaison des quantités (mais non pour le dénombrement et l'arithmétique), et en ce qui concerne la musique, pour la reconnaissance des mélodies, des timbres. Peut-être que l'imagerie fonctionnelle cérébrale ou d'autres méthodes viendront-elles corroborer la place qu'on attribue à l'hémisphère cérébral droit dans la vie affective, les émotions, la création artistique.

Mozart parlait, à propos de Clementi, de manque de sentiment, on pourrait dire de sensibilité : c'est bien en effet de cela qu'il s'agit ; mais pour que l'artiste puisse s'exprimer comme tel, il ne suffit pas qu'il ressente devant une œuvre des émotions et des sentiments, il faut qu'il parvienne par le travail de son interprétation à faire ressentir au public ce que lui-même ressent. Beaucoup ne peuvent pas accéder à ce double statut d'expert doublé d'un artiste, statut difficile à atteindre, puisqu'il suppose de posséder le don, mais aussi de le cultiver par une ascèse, un travail, une réflexion continus qui s'étendent sur toute la vie.

Le cerveau de Mozart

Nous avons passé en revue, en allant du plus élémentaire au plus élaboré, le rôle du cerveau dans la perception de la musique puis les données actuelles sur le concept d'un cerveau singulier, fruit de circonstances multiples dont la petite enfance occupe sans doute un stade fondamental.

Des travaux anatomiques anciens mais non sans mérites concernant des cerveaux de musiciens dont plusieurs célébrités mettaient l'accent sur les modifications apportées dans les régions du cerveau dévolues aux perceptions acoustiques chez les grands musiciens. C'est sans doute exact et il est loisible de penser que les particularités anatomiques qu'Auerbach a découvertes au siècle dernier dans les cerveaux de musiciens célèbres comme Hans de Bülow ou Helmholtz existaient aussi chez Mozart, à savoir l'hypertrophie : des lobes temporaux avec surélévation de la scissure de Sylvius, du corps calleux, des aires associatives pariéto-occipito-temporales comme le gyrus angulaire et du cortex frontal. Mais il y a plus...

LE CERVEAU D'UN EXPERT DANS UN DOMAINE SPÉCIFIQUE

L'attention s'est portée depuis quelques années sur les cas des personnages extraordinaires. Gardner a publié un ouvrage sur les « personnalités exceptionnelles » étudiées du point de vue psychologique et sociologique. Progressivement, la notion d'*expert dans un domaine privilégié* s'est fait jour. Il s'agit de sujets exceptionnels qui possèdent des facultés dans un domaine particulier, auquel ils se consacrent entièrement, depuis de longues années, et dans lequel leur performance tant en quantité qu'en savoir-faire et qu'en qualité du résultat sort complètement des normes habituelles.

Tous les experts dans un domaine spécifique, au sens neuropsychologique du terme, ne sont pas des génies. Il ne s'agit pas que d'une distinction quantitative comme si le génie possédait toutes les qualité de l'expert au plus haut niveau. Ceci est vrai sans doute, mais la différence est d'un autre ordre : le terme *expert* s'applique à une compétence, à un savoir-faire hors du commun, fruit de l'expérience dans un domaine spécifique. L'étude de cette compétence doit pouvoir être abordée par les méthodes de la neuropsychologie, elle est le fruit d'un apprentissage long et continu. Qu'il ait été favorisé par différentes circonstances, par un environnement extraordinairement favorable, par une transmission héréditaire d'aptitudes spéciales, un tel apprentissage peut s'expliquer avec des méthodologies scientifiques requérant la rigueur habituelle à ce genre de travaux. L'expert surprend, invite à se poser des questions sur des modes de fonctionnement hors normes du cerveau. Quand il démontre ce qu'il peut faire, l'expert convainc, suscite l'admiration, parfois la méfiance ou même le doute. Faire mentalement des multiplications à quatre chiffres en quelques secondes, improviser une fugue à cinq voix sur l'orgue relèvent de l'expertise dans son art. Il s'agit là de tâches nobles mais le but de l'expert peut être plus surprenant : connaître par cœur l'annuaire du téléphone ou la liste des rues de Bordeaux ne trouve pas une application quotidienne évidente et ne suscite pas chez ses semblables une émotion.

L'expert n'est pas pour autant un génie. Si l'expert convainc, il n'émeut pas nécessairement. L'art en est la meilleure démonstration. Combien de peintres habiles des siècles passés, possédant à fond toutes les ressources techniques alors exigées, nous laissent aujourd'hui de marbre. Dans l'art musical, pour un Mozart combien de Clementi !

Ce qui est vrai en art l'est également dans d'autres domaines, le qualificatif de génie n'est accordé qu'à celui dont la créativité apporte quelque chose aux autres : une capacité de faire naître des associations d'idées et d'émotions, une découverte, une illumination soudaine, la résolution d'un problème humain. Si l'expert se fait admirer pour ce qu'il réussit à faire, le statut de génie ne sera reconnu et gratifié par la société que pour la qualité de ce qui a été fait, pour le progrès qu'il apporte à l'humanité, pour tout ce que sa personne consciente et inconsciente est capable d'offrir et de transmettre à autrui. Le génie fait un œuvre (au masculin) et pas une succession d'œuvres (au féminin), œuvre qui peut prendre sa place dans l'histoire de l'humanité, parce qu'elle a le pouvoir de toucher affectivement les hommes et les femmes appartenant à des générations successives, dans les grands domaines qui ont de tout temps fait partie de ceux de l'humanité.

DU CERVEAU DES EXPERTS À CELUI DES GÉNIES

À ma connaissance, il n'existe pas à ce jour de travaux de neuropsychologie cognitive, utilisant l'imagerie fonctionnelle cérébrale, concernant des interprètes ou des compositeurs de génie. On peut se demander d'ailleurs si de tels travaux nous éclaireraient sur la nature de leur génie, la genèse de leurs créations, le contenu de leurs messages, ou la raison de leur impact affectif et culturel. En revanche, ils pourraient nous renseigner sur les procédures hors du commun qui ont favorisé leur créativité.

Dans un domaine autre que la musique, un intéressant travail utilisant l'imagerie fonctionnelle cérébrale a été effectué récemment sur un indiscutable expert dans le domaine des calculateurs prodiges. Ce travail a, vis-à-vis de notre sujet, un double intérêt : tout d'abord de nous enseigner comment fonctionne le cortex cérébral de tels sujets d'exception, mais surtout de rechercher une analogie entre ce type d'expert et l'expert génial : Mozart, dans un domaine extrêmement précis, celui de capacités anormalement développées de la mémoire dont nous avons fait dès notre premier chapitre un des supports possibles du génie de Mozart.

Zago, Pesenti *et al.* (2001) ont étudié au moyen de la caméra à émission de positons les bases neurologiques d'un calculateur prodige par comparaison avec six sujets non experts. Le travail du cerveau pendant des opérations intellectuelles ayant à voir avec les mathématiques a déjà fait l'objet de nombreux travaux de neuropsychologie. Dehaene et son école ont montré par exemple que si la manipulation des nombres était traitée par l'hémisphère cérébral gauche, l'appréciation des quantités l'était par l'hémisphère droit. Des lésions touchant l'un ou l'autre hémisphère peuvent entraîner des atteintes dissociées. Il a été établi d'autre part que des lésions situées autour de la vallée sylvienne dans les centres du langage de Broca et de Wernicke n'altéraient pas nécessairement la pratique de l'arithmétique ; en revanche, l'atteinte de celle-ci peut survenir en dehors de toute aphasie. Le travail de ces auteurs a concerné d'une part le calcul mental chez des sujets sains de vingt et un ans qui reçurent deux ordres de consignes : des multiplications simples à un chiffre (par exemple 2 × 4 ; 5 × 6) appelées *retrieve condition* et d'autre part des multiplications à deux chiffres comme 32 par 24. Cette seconde condition, appelée *compute condition*, nécessitait de la part des sujets l'utilisation d'un algorithme connu pour ce genre d'exercice comportant sept étapes dont la difficulté principale est de retenir en mémoire de travail les résultats partiels au fur et à mesure qu'on les obtient mentalement pour ensuite en faire les sommes. Des mesures du débit sanguin cérébral furent exécutées au repos, pendant la simple lecture des chiffres, et pendant les deux types d'épreuves. Dans les multiplications à un chiffre, les sujets ont déclaré *a posteriori* qu'ils n'avaient fait qu'appliquer leur table de multiplications. Furent constatées des activations, sous forme d'une élévation du débit sanguin cérébral, dans un circuit pariéto-prémoteur gauche, l'insula antérieur et le cervelet mais aucunement dans les aires du langage qui au contraire étaient déactivées. La tâche complexe dénommée *compute* activa les deux hémisphères cérébraux avec une nette prédominance pour le côté gauche dans le gyrus supramarginalis, le sillon intrapariétal, la voie ventrale visuelle composée des gyri occipital inférieur et moyen et de la jonction temporo-occipitale du côté gauche. Le réseau pariéto-frontal gauche est identique à celui mis en jeu dans la tâche précédente, le réseau temporal inférieur et occipital inférieur dénote une stratégie d'imagerie mentale. Ces résultats soulignent l'importance des stratégies visuo-spatiales dans ces tâches de manipulation simple ou complexe de nombres. D'autres activations ont été démontrées en précentral et frontal moyen gauches, frontal inférieur bilatéralement.

Le même protocole a été appliqué par Pesenti *et al.* (2001) à un jeune calculateur prodige : R. Gamm, qui depuis de nombreuses années exerce plusieurs heures par jour sa mémoire dans des opérations arithmétiques et le maniement d'algorithmes.

Un examen poussé de ses capacités mathématiques a mis en évidence l'exceptionnelle qualité de sa mémoire de travail aussi bien à long terme qu'à court terme, de sa mémoire épisodique et de ses capacités à manipuler mentalement et à retenir pendant plusieurs heures des nombres ainsi que l'extraordinaire brièveté du délai mis pour les tâches de computation. R. Gamm active bien les mêmes régions que les non-experts mais la découverte fondamentale de ce travail est que, par rapport à ceux-ci, R. Gamm active d'autres régions du cortex cérébral qui, chez les non-experts, sont désactivées. Ces régions sont au nombre de cinq : du côté droit, le gyrus frontal médian, le gyrus parahippocampique, le gyrus cingulaire antérieur et la jonction occipito-temporale moyenne et à gauche, le gyrus paracentral. Ces résultats mettent en évidence le rôle important de processus visuo-spatiaux dans ces opérations mathématiques complexes, témoignant de la présence d'une représentation visuelle, le rôle des structures situées à la face interne (ou médiane) des hémisphères concernés par la mémoire épisodique et la mémoire visuo-spatiale, le rôle du gyrus parahippocampique également impliqué dans la mémoire épisodique, le rôle d'un lien étroit constituant un réseau précentral-postcentral qui peut représenter le témoin d'une activation des doigts.

Ainsi, le cerveau des experts ne résulte pas d'un « hyper-fonctionnement » ou d'une hypertrophie des processus existants mis en jeu dans des tâches semblables chez les non-experts. Il résulte du recrutement de *nouveaux processus corticaux* qui ne sont pas activés normalement dans des tâches semblables chez des non-experts. D'après les auteurs qui ont étudié expérimentalement Gamm, ces régions activées coïncident avec celles considérées comme le support organique de la mémoire de travail à court terme et à long terme et de la mémoire épisodique. La mise en évidence chez l'expert de l'activation dans des régions cérébrales non activées normalement chez le non-expert peut être considérée comme l'acquisition fondamentale de ce travail.

Le travail de neuropsychologie effectué chez un calculateur prodige autorise des comparaisons avec le fonctionnement cérébral d'un génie de la musique. Quelles analogies pouvons-nous tenter de dégager entre les calculateurs prodiges et le cerveau de Mozart ?

R. Gamm n'est pas considéré comme un « génie héréditaire ». Il s'est constitué, par un entraînement quotidien depuis des années, un cerveau d'expert de calculateur prodige. Il est difficile de faire la part d'une hérédité musicale chez Mozart. En revanche, son père lui a transmis un excellent apprentissage de son art, né de ses indéniables capacités pédagogiques et d'une conviction absolue de sa mission vis-à-vis du génie de son fils. Comme chez presque tous les musiciens enfants prodiges, Wolfgang a été littéralement immergé dans la musique depuis sa toute petite enfance. On peut admettre que le cerveau de Wolfgang Amadeus Mozart a été façonné depuis sa vie intra-utérine par son entourage, puis par lui-même en un cerveau d'expert devenu un génie dans son art.

1) Nous avons montré tout au long de cet ouvrage les extraordinaires capacités mnésiques de Mozart, concernant toutes les sortes de mémoire. L'émergence d'une mémoire de travail à moyen terme (envisagée par Kandel) et à long terme proposée par Pesenti *et al.* (2001) permet d'expliquer la façon dont Mozart composait, ses capacités de stockage sous forme d'une représentation mentale de toute une œuvre pendant des périodes longues. Dans notre premier chapitre, nous avons discuté de cette mémoire de travail à long terme qui correspond à ce que Baddeley (2000) a appelé récemment *episodic buffer*. Finalement cette mémoire de travail à long terme peut constituer un des fondements du cerveau des experts dans des domaines extrêmement variés. Elle doit être distinguée des

processus mentaux inconscients (alors que la mémoire de travail est éminemment consciente) qui travaillent à notre insu à la résolution d'un problème, par exemple au moment précis où Henri Poincaré descendit d'un train, lui apparut la solution d'une question de mathématique dont il recherchait la réponse depuis plusieurs jours, alors qu'il venait de parler de tout autre chose avec les étudiants qui l'accompagnaient. Le grand mathématicien, alors professeur à l'Université de Caen, expliqua sa découverte subite par le travail de son inconscient.

2) Un neuropsychologue musicien ne peut manquer d'être intrigué par l'hypothèse de l'activation des doigts à travers un réseau « précentral-postcentral » de la représentation des doigts qui a été signalé chez le calculateur prodige. Si les enfants ont tendance à compter sur leurs doigts (ce pour quoi ils étaient de mon temps réprimandés), les musiciens (du moins ceux qui utilisent un clavier) réalisent souvent de manière automatique la basse avec leur main gauche sans passer par le langage, quand ils entendent une mélodie.

3) En lisant les articles auxquels nous faisons référence qui insistent sur le rôle prédominant des processus visuo-spatiaux dans la mémoire de travail à long terme, me vinrent à l'esprit deux organistes célèbres internationalement, tous les deux aveugles, qui font discuter ces processus visuo-spatiaux : André Marchal puisque j'ai été son élève et Gaston Litaize, que j'ai bien connu. Celui-ci avait une mémoire « générale » exceptionnelle, en particulier, ses capacités en mémoire épisodique étaient surprenantes, il se rappelait immédiatement et sans aucune erreur les dates et les lieux de faits, anciens ou récents, qui le concernaient quand on les évoquait devant lui. Sa mémoire de travail était prodigieuse, notamment pendant qu'il improvisait des pièces contrapuntiques. Il était également compositeur et connaissait tout le répertoire des œuvres écrites pour son instrument. André Marchal avait un répertoire tout aussi vaste que Litaize, et une très bonne capacité de mémoire épisodique. Ses capacités

d'encodage d'une nouvelle pièce d'orgue étaient étonnantes et nous ont été contées par sa fille Madame Jacqueline Englert-Marchal : s'il devait apprendre *définitivement* une pièce, il l'apprenait tactilement en braille sans la jouer et mettait rarement plus de vingt-quatre heures pour la savoir pour le restant de sa vie. S'il ne devait garder l'œuvre dans sa mémoire que passagèrement, il commençait à apprendre sur son orgue de salon la partie jouée par la main droite puis quand il la savait, il faisait de même pour les pieds et la main gauche. Marchal était un très grand improvisateur, mais il n'a laissé aucune pièce écrite, n'étant pas spécialement attiré par la transformation en pièce définitive de la création fugitive de ce qu'il venait d'improviser.

4) La notion d'une *déactivation des aires du langage* est un autre élément de réflexion concernant Mozart, qui parfois avait l'air absent, marmonnait des propos sans intérêt ou bien se livrait à une activité motrice incompréhensible. N'était-il pas alors à l'écoute de sa musique intérieure et peut-être en train de composer un air d'opéra ou un mouvement de symphonie ? Ceci conforterait l'intérêt porté en particulier par F. Lhermitte (1976) et par D. Laplane (1997) à la question de la pensée sans langage verbal.

Sans vouloir tomber dans une simplification caricaturale, il semble permis à présent d'espérer qu'il soit possible de tenter d'analyser avec les méthodes de la neuropsychologie moderne le fonctionnement cérébral d'un expert par excellence dans son art.

GÉNIE PARMI LES EXPERTS

Aux antipodes de notre propos serait une attitude réductionniste qui voudrait faire de l'auteur du *Mariage de Figaro* une sorte de super-expert, de *human computer*. Si le cerveau des experts se singularise parce qu'il est capable d'activer des zones cérébrales que les autres mortels n'activent pas, il est difficile d'imaginer les activations cérébrales que l'on pourrait observer en plus dans le cerveau des experts reconnus comme des génies de l'humanité. Peut-être rien de plus, peut-être d'autres zones cérébrales comme celles qui sont dévolues aux émotions : le système limbique, les noyaux amygdaliens, les hippocampes. On pouvait lire l'an dernier sous la plume d'un journaliste : « Toutes les émotions utilisent le corps comme leur théâtre. » À cette constatation, discutable autant que catastrophique sur le plan de « l'économie du moi », chez Mozart et sans doute chez d'autres musiciens de génie, il serait préférable de dire : « Toutes les émotions utilisent la création musicale comme leur théâtre. » Dotés d'un outil qu'ils ont eux-mêmes façonné et dont ils sont à la fois les bénéficiaires et les prisonniers, les génies sont condamnés à l'utiliser comme mode d'expression. Ce qu'ils font de ce pouvoir, c'est à la richesse de leur imagination qu'ils le doivent, à la faculté qu'ils ont acquise d'émouvoir et de surprendre durablement leurs semblables en leur livrant, sous un masque plus ou moins anonyme, leur propre personnalité, leur propre inconscient.

Mais d'où leur vient ce pouvoir ? De tout ce qu'ils ont reçu et vécu. Chez Mozart on ne peut minimiser l'apprentissage exceptionnellement favorable dont il a bénéficié pas plus que le don tout aussi exceptionnel qui fut le sien. Mais Mozart ne fut pas que l'enfant prodige emblématique. Sa gloire ne tient pas à ses œuvres d'enfant. Celles qui nous émeuvent le plus, il les a créées dans sa vie d'adolescent et d'adulte. Expert et artiste entre les experts, son génie tient au fait que, d'une personnalité exceptionnellement riche, ayant eu à sa disposition une absolue maîtrise de son art, il ait su s'impliquer tout entier dans son œuvre. Sans jamais vouloir nous parler de lui, c'est pourtant toujours de lui qu'il nous parle, et chacun, en écoutant sa musique, reconnaît dans cet échange singulier ses propres sentiments, ses propres émotions.

Après avoir écrit ce texte, j'ai eu la chance de découvrir ces lignes de Bruno Walter se rapportant à Mozart dont il reste, pour moi, un des chefs inégalés. Je pense qu'elles sont si bien senties, si justes qu'elles méritent, au point où nous sommes arrivés, d'être retranscrites : « Il m'avait fallu assez longtemps pour abandonner complètement et définitivement le "musicien du XVIIIe siècle" ou du "rococo", le musicien du "sourire" pour découvrir, derrière sa grâce apparemment enjouée, le sérieux inexorable du dramaturge, le relief aigu de ses caractères, la richesse de ses figures – pour reconnaître enfin en Mozart le Shakespeare de l'opéra. Je compris du même coup la merveille unique que nous offre la création mozartienne : c'est que chez lui tout est dramatiquement vrai, noblesse et bassesse, bonté et méchanceté, sagesse et bêtise, etc., et que toute cette vérité devient en même temps beauté. »

ANNEXE

Les maladies et la mort de Mozart

Mozart fut un enfant souvent malade mais jamais souffreteux. Son père, homme méticuleux, a dressé de véritables observations cliniques détaillées qui parsèment sa correspondance. De nombreuses publications ont été consacrées au sujet. Les références bibliographiques les plus complètes sont les deux articles d'un médecin : Peter J. Davies (1984), parus dans *Musical Times*, qui peuvent être consultés au département de la musique de la Bibliothèque nationale. La contribution de John Stone dans le dictionnaire de Mozart de Landon est plus récente (trad. fr. 1997).

Le premier article de Davies, intitulé « The illness, 1756-1790 », dresse le calendrier année par année des maladies du compositeur, sans négliger ses antécédents familiaux. Sa mère avait trente-cinq ans à la naissance de son septième enfant prénommé Johan Chrysostom Wolfgang Théophile ; c'était une femme robuste malgré ses sept accouchements, et le décès de cinq de ses enfants en bas âge. La venue au monde de Wolfgang a été suivie d'une rétention placentaire qui fut supportée sans complication par la parturiente malgré la redoutable révision utérine à main nue, source fréquente d'infection à l'époque. Davies note qu'elle a fait plusieurs séjours aux eaux pour des états de fatigue (ou de dépression ?) après ses accouchements ou les décès de ses enfants.

1) Le petit Wolfgang a souffert de nombreuses infections oto-rhino-laryngologiques ou buccales : simples rhumes, angines ou amygdalites (tonsilites), sinusites, abcès dentaires. Davies incrimine le froid et l'humidité endurés pendant les voyages ; la première fois, en 1762, sur le coche d'eau danubien qui emmenait la famille à Vienne, l'enfant n'avait alors que six ans. Pour l'auteur, toutes ces infections ont en commun le streptocoque, hypothèse vraisemblable.

2) L'enfant Mozart fit une première poussée éruptive précédée de douleurs à Schoenbrunn après sa visite à la famille impériale. Le diagnostic de scarlatine fait par le docteur Bernhard de Vienne ne résiste pas à la description de Leopold dans sa lettre du 30 octobre 1762 : il s'agissait d'éléments séparés maculo-papuleux. « Wolfgang se plaignait de douleurs au derrière et aux hanches... j'examinai les endroits où il disait avoir mal et je trouvai quelques taches de la taille d'un kreutzer qui étaient très rouges et un peu proéminentes et qui au toucher lui causaient de la douleur. Il n'y en avait qu'aux deux tibias, aux deux coudes et sur les fesses... Il avait de la fièvre... le médecin dit que c'était une espèce d'attaque de scarlatine... Il lui a poussé en même temps une grosse dent qui lui a causé une fluxion de la joue gauche. » Le diagnostic qui vient à l'esprit est celui d'érythème noueux dont le streptocoque constitue une possible étiologie, cependant Leopold insiste sur la coloration très rouge de l'éruption, détail sémiologique qui fait discuter des éléments maculaires purpuriques appartenant à la maladie de Schönlein-Henoch.

3) À peine revenu à Salzbourg de son « impérial » voyage en octobre 1763, il souffre d'une poussée de polyarthrite avec gonflement des articulations, second volet du purpura-rhumatoïde de Schönlein-Henoch ; même tableau à Munich en 1766 : « Il ne pouvait se tenir debout, remuer ni les orteils ni les genoux, écrit Leopold le 15 novembre 1766. Il ne put dormir pendant quatre nuits, cela le fit beaucoup souffrir. » En août 1784, à Vienne, son médecin

Barisani porte le diagnostic de fièvre rhumatismale ; elle s'accompagnera de troubles digestifs : vomissements, coliques répétées pendant quatre jours. Davies conclut que Mozart a fait des infections streptococciques à répétition, responsables de l'érythème noueux autant que des rhumatismes streptococciques douloureux et invalidant dans le cadre d'une maladie de Schönlein-Henoch. Il cite d'autres travaux concernant les maladies de Mozart (en particulier ceux de Holz de Iéna, 1938, qui fit lui aussi le diagnostic d'érythème noueux).

4) Petite vérole (synonyme de variole) en novembre 1767, à Olmütz en Moravie – toutes les formes n'étaient pas mortelles ; la maladie lui laisse des cicatrices indélébiles.

5) 1765, septembre à La Haye, les jours des deux enfants Mozart semblent comptés ; leurs parents les préparent à mourir : fièvre, frissons, amaigrissement. Nannerl guérit la première. Le 1er décembre, Wolfgang délire, il est comateux, il a des exfoliations de la langue et des lèvres. Diagnostic retenu par le Dr Davies : pneumonie. Il peut s'agir également d'une fièvre typhoïde, les altérations de la langue sont en faveur.

6) Nannerl note que, lorsque son frère revint d'Italie, il avait le teint jaune ce qui le rendait méconnaissable (écrit pour l'éditeur Breitkopf en 1799). Avait-il une anémie hémolytique ou une hépatite ?

7) La question de l'oreille de Mozart : Davies rapporte que Mozart avait une anomalie congénitale de la conque de l'oreille gauche, qui existait également chez son fils pianiste et musicien prodige comme lui : Franz, Xavier, Wolfgang (1791-1844). Quand on parle de l'oreille de Mozart, il ne faut pas se tromper de sujet ! De là à penser qu'il avait une anomalie de l'oreille interne. Personne n'a franchi ce pas. Aucun portrait de Mozart ni de ses fils ne découvre, à ma connaissance, l'oreille gauche.

8) Nous avons discuté la tendance cyclothymique dans notre chapitre VII. Pour Davies, Leopold Mozart était un obsessionnel responsable de la personnalité immature

de son fils et de son besoin constant d'assistance, même à l'âge adulte.

La maladie de Schönlein-Henoch chez l'enfant et chez l'adulte

Même si l'on peut discuter les causes de la mort de Mozart, il est difficile de nier qu'il ait été atteint de purpura-rhumatoïde ou maladie de Schönlein-Henoch pendant son enfance et pendant sa vie d'adulte.

La maladie survient essentiellement chez l'enfant. D'évolution généralement favorable, elle est faite de poussées associant des signes cutanés, articulaires, digestifs et généraux. L'éruption est de type pétéchial, purpurique, rouge ne s'effaçant pas à la pression, traduisant l'atteinte de capillaires de la peau ; des variantes ont été signalées, par exemple macules et vésicules, ulcérations nécrotiques, atteintes des muqueuses. Cette éruption évolue par poussées. Les douleurs sont polyarticulaires, intenses, touchant surtout les grosses articulations et les membres inférieurs ; les articulations sont gonflées mais cette polyarthrite ne laisse pas de séquelles. Coliques, diarrhées sont fréquentes ainsi que fièvre et anémie modérées. Le mécanisme est immunologique. Cette maladie est la conséquence d'une hyper-réaction de sensibilisation à une cause variable comme les infections à streptocoque hémolytique. Chez l'enfant, l'évolution est favorable.

La maladie est plus rare chez l'adulte[1], elle est aussi plus grave en raison du risque d'insuffisance rénale terminale, qui dans la statistique de Lasseur *et al.* (1996) portant sur quarante patients a été observée huit fois. L'âge moyen est de trente-neuf ans, et dans près d'un tiers des cas on retrouve à l'origine une rhinopharyngite, une angine ou une diarrhée fébrile. L'éruption purpurique est bilatérale et symétrique comme chez l'enfant, parfois maculeuse ; elle évolue par poussées. Les douleurs coliques étaient présentes ainsi que la polyarthrite dans près d'un tiers des cas. L'atteinte rénale fait tout le danger de cette maladie ; sa survenue est généralement tardive (jusqu'à 25 à 29 ans après le début) ; elle complique 83 à 100 % des formes de l'adulte. Elle peut entraîner hypertension artérielle, hématurie, œdème des poignets et des mains ou œdème massif dans le cadre d'un syndrome néphrotique[2], et s'accompagner de douleurs musculaires des membres ou de complications cardiaques comme la péricardite. Des signes biologiques d'infection streptococcique (élévation des antistreptolysines) ont été mis en évidence chez cinq patients de cette statistique.

Nous sommes en mesure de penser que Mozart a fait un purpura rhumatoïde dont le début remonte à l'enfance et qui a rechuté à l'âge adulte, pour se terminer par une insuffisance rénale tardive et fatale. La question se pose de sa ré-infestation sur un terrain déjà fragilisé immunologiquement.

La mort de Mozart

De nombreuses explications ont été proposées de la mort de Mozart (Davies, 1984 ; Hirschmann, 2001) survenue au terme d'une maladie dont l'aggravation terminale a été brève, presque soudaine. Rappelons les faits en suivant le texte très documenté de Davies avant de discuter des causes possibles de l'exitus.

Selon Davies, à partir de 1788, Mozart devint dépressif, il n'eut plus de concerts par souscription et dut faire face à des problèmes d'argent. De plus, Constanze était souvent fatiguée et souffrante (troubles veineux des membres inférieurs d'après Davies).

À partir de juillet 1791, il eut l'idée obsédante qu'on l'avait empoisonné et s'en ouvrira à Contanze à l'automne lors d'une promenade au Prater.

Quand il composait *La Flûte enchantée* (première à Vienne le 30 septembre 1791), il souffrait de violents maux de tête et il eut plusieurs pertes de conscience qui font évoquer à Davies une encéphalopathie hypertensive, fait plausible à une époque où l'on ne mesurait pas encore la pression artérielle.

Le 25 août, il se rend à Prague avec sa femme pour la représentation de *La Clémence de Titus* donnée en l'honneur du couronnement de l'empereur. Son ami Niemetschek note que le compositeur frappait par sa pâleur, sa tristesse, sa mélancolie ; on le vit même en proie à une crise de larmes.

Quand elle rentra de Baden au début d'octobre, Contanze fut alarmée par l'amaigrissement de son mari et l'aggravation de sa pâleur. Après la consultation du Dr Thomas Franz Closset, il s'améliora et put composer une cantate maçonique pour l'inauguration d'une nouvelle loge, dont il dirigea lui-même l'exécution le 18 novembre. Ce fut sa dernière apparition en public.

Il prit définitivement le lit le 20 novembre « à la suite d'une épidémie dans Vienne, presque certainement contactée à la loge, deux jours avant » (Davies). Pendant la nuit, il se plaignit de douleurs des pieds et des mains qui gonflèrent progressivement. Il pouvait s'agir d'arthralgies, de myalgies, mais également du début d'un important œdème dû à un syndrome néphrotique. Il eut de la fièvre, une abondante transpiration puis apparurent des accès répétés de vomissements et de diarrhée, compatibles avec le syndrome de Schönlein-Henoch, puis une impossibilité de mouvoir ses membres. Selon Schack, le ténor qui chantait Pamino, il avait une telle faiblesse qu'il ne pouvait pas se retourner ni s'asseoir dans son lit sans aide.

Il est fait mention d'un œdème du corps mais pas de la face. Il fut examiné par le docteur Closset, qui fit le diagnostic de « dépôt intracrânien » (dans le langage médical de l'époque, cela signifie une complication encéphalique d'une affection générale, par exemple une encéphalopathie hypertensive) et appela en consultation le 28 novembre un médecin hospitalier, le Dr von Sallaba, dont le diagnostic, figurant dans le registre des décès, fut « fièvre miliaire aiguë ». Davies résume ce terme comme l'association non spécifique d'un état fébrile et d'un exanthème de type miliaire (c'est-à-dire à petits éléments, comme le purpura), tout en discutant celui-ci, que ne signalent ni Constanze ni sa sœur Sophie : la question est posée d'un rash purpurique.

L'évolution devint légèrement fluctuante mais ses vomissements s'aggravèrent surtout la nuit. On sait qu'ils sont fréquents au stade avancé de l'insuffisance rénale. Le dimanche 4 décembre, une sorte de répétition du *Requiem* eut lieu au pied de son lit. Le compositeur chanta la partie d'alto jusqu'au *Lacrymosa* ; il déclara alors en pleurant qu'il ne finirait pas le *Requiem* et repoussa la partition puis demanda à entendre des passages du rôle de Papageno, ce qui lui apporta beaucoup de bonheur. Il était très lucide et donna des conseils à son élève Süssmayr sur la façon de terminer le *Requiem*, et à sa femme, des instructions au sujet de la déclaration de sa mort et de la situation de l'organiste Albrechtsberger. D'après Davies, un prêtre vint à la demande de Sophie lui donner l'extrême-onction. Le Dr Closset arriva vers onze heures du soir et annonça à Süssmayr qu'il n'y avait plus d'espoir. Il recommanda de placer des compresses sur le front brûlant du malade ; leur application fut suivie d'un frisson ; Closset lui administra un sédatif. Le mourant chercha à se lever puis tourna la tête vers le mur, devint inconscient et expira le lundi 5 décembre 1791 à une heure moins cinq minutes du matin. Dans ce rapport, il n'est rien dit des médicaments reçus par Mozart. Davies pense qu'il a été saigné, comme tous les malades à l'époque et avance le rôle aggravant de cette méthode. Peut-être a-t-il reçu du mercure, autre thérapeutique très employée en ce temps-là, qui est néphrotoxique.

La (ou les) cause(s) de la mort de Mozart

Les principales hypothèses sont : l'empoisonnement, l'insuffisance rénale terminale d'une maladie de Schönlein-Henoch, le rôle néfaste de la thérapeutique, la trichinose (maladie parasitaire des muscles transmise par l'ingestion de viande de porc ou de cheval).

1) L'hypothèse de l'empoisonnement repose sur trois éléments : la conviction de Mozart exprimée à sa femme (en juillet 1791) par le compositeur qui pensait avoir été empoisonné par de l'eau Toffana (un mélange napolitain d'arsenic et de plomb), la rumeur publique propageant la nouvelle que Salieri avait empoisonné Mozart et le gonflement important du corps après la mort, considéré alors comme l'indice d'un empoisonnement. L'incrimination de Salieri fut tenace, ses déclarations sont à prendre avec prudence car il devint très dépressif, on peut même parler de mélancolie délirante ; en effet il tenta de se trancher la gorge et s'accusa de nombreuses forfaitures. Deux ans avant sa mort survenue en 1825, il déclara solennellement au pianiste Moscheles de Leipzig qu'il n'était pas l'assassin de Mozart. Un ami de Salieri Giuseppe Carpani publia *Défense de Salieri* en 1824 et pria le médecin-chef de l'hôpital de Vienne, le Dr Guldener, de s'exprimer sur la cause de la mort de Mozart. Après une concertation avec les Dr Cosset et Sallata, il conclut que Mozart était mort « d'une fièvre rhumatismale et inflammatoire qui avait également attaqué aussi un grand nombre d'habitants de Vienne à cette époque » et que « Mozart était mort d'un dépôt dans le cerveau [2] ».

2) Puisque nous avons passé en revue les signes cliniques de la maladie de Schönlein-Henoch de l'adulte tels qu'ils sont répertoriés dans l'article de Lasseur (1996), il nous reste à examiner les homonymies et les différences avec les symptômes et les signes présentés par Wolfgang Amadeus Mozart.

Maladie possible chez l'adulte, âge moyen 39 ans	oui
Pic de fréquence en automne et hiver	oui
Étiologie infectieuse possible dans les semaines précédentes	oui
Arthralgies prédominant aux membres inférieurs, grosses articulations	oui
Purpura pétéchial sur les membres inférieurs ou supérieurs, le tronc	?
Coliques, vomissements, diarrhées, entéropathies suivies d'œdèmes	oui
Atteintes rénales glomérulonéphrites ; oedèmes, syndrome néphrotique	oui
Insuffisance rénale terminale (8 cas sur 40) qui peut être retardée	oui
Myalgies avec œdèmes distaux poignets et des mains	oui
Encéphalopathie	oui
Évolution prolongée et par poussée	oui
Amaigrissement important, fièvre	oui
Complications cardiaques, péricardite signalée	?

Plusieurs questions restent en suspens dues au fait que les renseignements cliniques qui nous sont parvenus sont très minimes. Nous ne savons rien sur l'état des urines, leur quantité, leur aspect, l'existence éventuelle d'une hématurie, pas plus que sur la présence d'une dyspnée. L'œdème massif de l'abdomen peut être attribué à un syndrome néphrotique. On peut se demander, en outre, si la persistance prolongée d'un bon état cognitif est compatible avec ce tableau. Il est possible que la brusque aggravation ayant entraîné la mort soit due à une hyperkaliémie, de règle dans l'insuffisance rénale ou bien encore à la constitution rapide d'une péricardite ou d'une insuffisance ventriculaire gauche hypertensive, sans négliger le rôle des saignées et des drogues administrées, notamment le mercure qui peut être cause de graves néphropathies.

3) L'hypothèse de la trichinose présentée récemment par Hirschmann mérite d'être examinée : tout d'abord, il s'appuie sur une traduction en anglais, discutable, de la lettre de Mozart à Constanze en date du 7 et 8 octobre 1791 (reproduite en partie par Hirschmann) qui ne mentionne nulle part le terme « côtes de porc » ; dans la traduction donnée par les Massin, il est écrit « *carbonnades* », c'est-à-dire viande grillée sur du charbon. Elles avaient été préparées par l'aubergiste Joseph Deiner, dit Don Primus, grand ami de Mozart. Les rares cas de trichinoses que j'ai pu observer comportaient un gonflement caractéristique de la face et des yeux donnant une expression particulière au malade, mais pas d'œdème massif du tronc comparable à celui de Mozart. Hirschmann écrit que dans la trichinose « le gonflement des mains, des jambes, des bras est fréquent et le résultat d'une inflammation des muscles ». Chez Mozart c'était différent, il était atteint semble-t-il d'un volumineux œdème du tronc (appelé anasarque ou hydropisie) de « type rénal », comme on en voit dans les glomérulonéphrites et le syndrome néphrotique.

Hirschmann élimine le diagnostic de Schönlein-Henoch sur le fait qu'il ne survient pas après vingt et un ans ; c'est mal connaître les travaux actuels qui démontrent la réalité, la fréquence et la gravité des formes de l'adulte. De plus, il argumente contre le diagnostic d'*acute rhumatism fever*, et en cela il a tout à fait raison, car Mozart n'est pas mort de cette maladie qu'on appelle en France le rhumatisme articulaire aigu, ou maladie de Bouillaud, dont les complications redoutables sont beaucoup plus cardiaques que rénales. Il est mort vraisemblablement d'une glomérulonéphrite aggravée par les thérapeutiques, évolution terminale d'une maladie de Schönlein-Henoch (ou purpura rhumatoïde). En somme dans son long article, Hirschmann aurait dû trouver des arguments plus convaincants avant d'éliminer le diagnostic de maladie de Schönlein-Henoch sur lequel nous nous sommes étendus, que nous avons défendu, et qui l'est également par John dans le *Dictionnaire de Mozart* de Landon.

Notes

INTRODUCTION

1. Les détails concernant le cimetière Saint-Marx proviennent de l'article de Hirschmann (2001), référencé.

CHAPITRE I. – Une aventure à la chapelle Sixtine

1. Les neuropsychologues ont envisagé une mémoire épisodique non autobiographique qui peut être difficile à distinguer de la mémoire sémantique. Pour P. Piolino (2000) : « Au sein de la mémoire non autobiographique, les aspects épisodiques s'appliquent aux connaissances de personnes ou d'événements publics associés à leur contexte temporo-spatial d'acquisition, tandis que les aspects sémantiques correspondent aux informations et aux événements publics indépendants du contexte spécifique d'encodage et aux connaissances contextuelles, totalement décontextualisées » (p. 48).

2. L'épisode de la chapelle Sixtine a été fidèlement reconstitué d'après la « correspondance ». La majorité des références citées concernant la mémoire se trouvent dans F. Eustache *et al.*, *La Mémoire*, De Boecke, 1996.

CHAPITRE II. – Une oreille au demi-quart de ton près

1. En réalité, c'est un musicien de l'orchestre qui le fait sur une flûte piccolo.

Concernant le peu d'attirance de Mozart pour la musique

imitative, on peut imaginer qu'il en avait trop entendu pendant sa jeunesse : c'était la grande spécialité de Leopold Mozart.

2. Do-mi est l'intervalle appelé tierce majeure, il comprend 4 demi-tons. Do-mi bémol est une tierce mineure, cet intervalle ne contient que 3 demi-tons, il caractérise le mode mineur moderne. Ce modèle se retrouve dans toutes les gammes quelle que soit la tonique (ou premier degré).

3. Les quatre modes, dits authentiques, du plain-chant portaient des numéros impairs : 1, 3, 5, 7. Ils avaient pour finale la tonique (respectivement : ré, mi, fa, sol). Les modes dits plagaux portaient des numéros pairs : 2, 4, 6, 8. Chacun avait la même finale que le ton authentique dont le numéro le précède, mais leur dominante différait. Dans ces anciens modes, art vocal essentiellement, la place de la dominante avait une grande importance. Actuellement, la dominante est toujours sur le 5e degré (par exemple : sol dans la gamme de do).

4. Voir Ismail Hakki Ozkan (biblio.).

5. Pour plus de détails, nous renvoyons à l'ouvrage de Chouard, *L'Oreille musicale* (2002).

CHAPITRE III. – Peut-on parler d'intelligence musicale ?

1. Sur Luria, voir l'excellent article de Ch. Derouesné dans la *Revue neurologique* (réf. *in* biblio.).

CHAPITRE IV. – Voir, percevoir et concevoir la musique

1. Des œuvres de ce peintre doivent être présentées à Petichet où Messiaen séjournait l'été et composait (renseignements transmis par Mme Loriot-Messiaen).

2. La musique actuelle nous a appris à connaître d'autres modalités de composition, faisant appel à l'informatique, aux mathématiques (Xénakis), à la physique, dont nous ne parlerons pas ici.

3. La revue *Allgemeine Musikalische Zeitung* était éditée par Breitkopf et Hartel de Leipzig. On ne peut la trouver dans les bibliothèques françaises. La Bibliothèque nationale ne possède qu'un petit opuscule relatant une traduction par Cremer de quelques anecdotes (voir biblio.). La collection complète de la revue *AMZ* est conservée à la Bibliothèque universitaire de Heidelberg et à la Bayerische Staats Bibliothek de Munich. Friedrich Rochlitz (1769-1842) fut le très actif et prolixe directeur de cette revue, pour laquelle il travailla depuis 1798. Il consacra de très nombreux articles à Mozart. Une recherche sur Internet en croisant « Mozart et Rochlitz » fait apparaître une

soixantaine de références. On constate que le style des écrits de Rochlitz sur Mozart est hagiographique. Les musicologues n'hésitent pas à écrire aujourd'hui qu'il a « concocté » des articles selon les convenances de l'époque, sans craindre de masquer ou de falsifier la vérité (Einstein, Ulrich) ; l'excuse du journaliste fut, selon Konrad Ulrich (1998), le désir de donner de son compositeur préféré une image irréprochable, « la musique devant être un art moralement pur », ce qui faisait plaisir à ses lecteurs et bien marcher ses affaires. Il ne faut pas oublier que Rochlitz n'avait que 22 ans à la mort de Mozart. Landon (biblio.) ne le mentionne pas parmi les personnes qui ont connu Mozart. Ses premiers écrits sur l'auteur de *La Flûte enchantée* n'apparurent dans l'*AMZ* que sept ans après la mort du compositeur ; quant à la lettre apocryphe dont nous parlons, elle fut publiée vingt-quatre ans après le décès, c'est pourquoi Rochlitz veut la rendre plus vraisemblable en attribuant au baron von... le rôle de destinataire, ce qu'Ulrich appelle une « falsification évidente ».

CHAPITRE V. – La méchante trompette et le violon de beurre

1. Cette tradition d'écrire une œuvre pour un interprète s'est perpétuée au cours des siècles : la *Sonate pour violon* de Franck à Ysaye, le *Concerto en sol* de Ravel pour la pianiste Marguerite Long et celui pour la main gauche pour le pianiste Paul Wittgenstein qui avait perdu son bras droit lors de la Première Guerre mondiale.
2. Voir l'annexe.
3. Renseignements transmis par le Dr Bianca Lechevalier.

CHAPITRE VI. – Le Koechel 1, enfants prodiges musiciens, développement de la musique chez l'enfant

1. L'anacrouse est la partie initiale d'un motif qui précède le premier temps de la première mesure de ce motif.
2. La modulation est un moyen de passer par transition d'une tonalité à une autre en faisant entendre des notes caractéristiques de la tonalité où l'on va.
3. Un triolet est la succession de trois notes qui résultent de la division ternaire d'une figure de notes. Un triolet de croches a une durée égale à une noire, un triolet de noires à une blanche, etc.
4. Cahier conservé au Mozarteum de Salzbourg ; beaucoup de pages originales de Mozart auraient été arrachées.
5. Instrument de François-Henri Clicquot, facteur d'orgues du roi ; il vient d'être reconstruit selon l'original.

6. Voir l'annexe.

7. Honoré de Balzac écrivit en 1832 ce court roman, qui fait partie des études philosophiques. Il relate l'histoire d'un enfant génial mort prématurément, inventeur d'un système philosophique. Pour les critiques de l'édition consultée, l'auteur n'a pas pu (ou n'a pas voulu) éviter l'autobiographie.

CHAPITRE VII. – Le cerveau de Mozart

1. Voir l'annexe consacrée aux maladies de Mozart.

2. L'aphasie de Wernicke se caractérise par l'importance des troubles de la compréhension du langage et un jargon fait de paraphasies phonémiques et sémantiques, il peut exister une alexie et une agraphie. La lésion responsable siège dans les régions temporale externe et pariétale postérieure de l'hémisphère gauche.

3. Consulter le chapitre I sur les potentiels auditifs cérébraux. La magnétoencéphalographie (MAG) mesure le champ magnétique des neurones. C'est plutôt un outil de recherche.

4. Voir au chapitre II l'article de Rameau.

5. Pour Dejerine, l'alexie sans agraphie, c'est-à-dire la perte de la lecture avec conservation de l'écriture, est un syndrome de déconnexion, une lésion interrompant les voies intracérébrales venant des aires visuelles occipitales droites et se rendant (à travers la grande commissure ou corps calleux) aux aires du langage situées à la partie postérieure du cortex temporal externe gauche chez le droitier. Cette conception a été remise en question récemment.

6. Toutes les références de ce paragraphe se trouvent dans le chapitre écrit par A. Meyer dans Macdonald Critchley (ouv. référencé).

ANNEXE

1. Nous remercions notre collègue et ami, le professeur Hurault de Ligny, néphrologue, qui nous a fait part de son expérience dans ce domaine et a bien voulu revoir ce texte et nous a fourni une précieuse bibliographie.

2. D'autres personnes, dont Davies (1984) fait l'historique, ont été accusées d'avoir voulu empoisonner Mozart.

Bibliographie

ABBOTT A. (2002), « Music maestro, please ! », *Nature*, 416, 12-14.

AMY DE LA BRETEQUE B. (1991), *Le Chant : contraintes et liberté*, Courlay, Éditions J.M. Fuzeau.

ANTOINE M. (1989), *Louis XV*, Paris, Fayard.

AROM S. (1985), « De l'écoute à l'analyse des musiques centrafricaines », *Analyse musicale*, I, 35-39.

ASSAL G. (1973), « Aphasie de Wernicke chez un pianiste », Paris, *Revue neurologique*, 129, 251-255.

ATKINSON R.C. et SHIFFRIN R.M. (1968), « Human memory : a proposed system and its controlled process », *in* W. SPENCE & J.T. SPENCE (éds), *The Psychology of Learning and Motivation*, New York Academic Press, 2, 89-195.

BADDELEY A.D. et HITCH G.J. (1974), « Working memory », *in* G.A. BOWER (éd.), *The Psychology of Learning and Motivation*, New York Academic Press, 47-89.

BADDELEY A. (1986), *Working Memory*, Oxford, Oxford University Press.

BADDELEY A. (1993), « La mémoire humaine », *Théorie et pratique*, Grenoble, PUG.

BADDELEY A. (2000), « The episodic buffer : a new component of working memory ? », *Trends in Cognitive Sciences*, 4, 417-423.

BALZAC H. DE (1833 et 1966), « Louis Lambert », in *Études philosophiques*, Paris, Seuil.

BARON-COHEN S. (1987), « Hearing words and seeing colours : an experimental investigation of a case of synaesthesia », *Perception*, 16, 761-767.

BARUCH C. et DRAKE C. (1997), « Tempo discrimination in infants », *Infant Behavior and Development*, 20, 573-577.

BASSO A., CAPITANI E. (1985), « Spared musical abilities in a conductor with global aphasia and ideomotor apraxia », *J. Neurol. Neurosurg. Psychiatry*, 48, 407-421.

BEAUDOT A. (1973), *La Créativité*, Paris, Dunod, coll. « Organisation des sciences humaines ».

BECK (1941), *Poètes symbolistes et poètes d'aujourd'hui*, Paris, Classiques Delagrave.

BELLOW S. (1995), *Tout compte fait*, trad. fr., Paris, Plon.

BERGSON H. (1919), *L'Énergie spirituelle*, Paris, Alcan, rééd. PUF.

BERGSON H. (1939), *Matière et Mémoire*, Paris, PUF, rééd. 1990.

BESSON M. et REGNAULT P. (2000), « Comparaison des processus impliqués dans certains aspects du traitement du langage et de la musique : apport de la méthode des potentiels évoqués », *Revue de neuropsychologie*, 10, 563-582.

BOTTE M.C., MCADAMS S. et DRAKE C. (1995), « La perception des sons et de la musique », *in* B. LECHEVALIER, F. EUSTACHE, F. VIADER, *Perception et Agnosies* (séminaire Signoret), Bruxelles, De Boeck Université.

BURGESS P.W. et SHALLICE T. (1996), « Response suppression, initiation and strategy use following frontal lobe lesions », *Neuropsychologia*, 34, 263-273.

BURT A.M. (1993), *Textbook of Neuroanatomy*, Philadelphie, W.B. Saunders Company.

CAMBIER J. (1998), « Marcel Proust, prophète de l'inconscient, ou : la dialectique des hémisphères cérébraux dans la création », *in* B. LECHEVALIER, F. EUSTACHE, F. VIADER (éds), *La Conscience et ses troubles*, Bruxelles, De Boeck Université.

CAMBIER J., VERSTICHEL P. (1998), *Le Cerveau réconcilié*, Paris, Masson.

CHOUARD C.H. (2001), *L'Oreille musicienne*, Paris, Gallimard.

CHOUILLET-ROCHE A.M. (1976), « Le clavecin oculaire du père Castel », *Dix-huitième siècle*, VIII, 141-166.

CLARKE Robert (2001), *Super-cerveaux, des surdoués aux génies*, Paris, PUF, Le Grand Livre du Mois.

CLYNE M. (1983), *Music and the Brain*, New York, Plenum Press.

COHEN L. et DEHAENE S. (1998), « Les nombres et les hémisphères », *in* J. CAMBIER et P. VERTSTICHEL (1998), ouvrage cité.

COHEN L., DEHAENE S., NACCACHE L., LEHERICY S., DEHAENE-LAMBERTZ G., HENAFF M.A., MICHEL F. (2000), « The visual form area : spatial and temporal characterisation of an initial stage of reading in normal subjects and posterior split – brain patients », *Brain*, 123, 291-317.

CRITCHLEY M. et HENSON R.A. (1977), *Music and the Brain*, Londres, William Heineman Medical Books.

DAMASIO A.R. (1995), *L'Erreur de Descartes*, Paris, Odile Jacob.

DAVIES P. J. (1984), « Mozart's illness and death », *Musical Times*, 125,

I : « The illness, 1756-1790 », 437-442 et II : « The last year and the fatal illness », 534-561.

DAVIES P. J. (1987), « Mozart's manic-depressive tandancies », *Musical Times*, 128, 123-126 et 191-196.

DECETY J. et GREZES J. (1998), « Représentations mentales/neurales en action », *in* B. LECHEVALIER, F. EUSTACHE, F. VIADER (éd.), *La Conscience et ses troubles*, Bruxelles, De Boeck.

DELAY J. (1949), *Les Maladies de la mémoire*, Paris, PUF.

DELAY J. et BRION S. (1954), « Syndrome de Korsakoff et corps mamillaires », *Encéphale*, 43, 193-200.

DELAY J., BRION S., LEMPÉRIÈRE T., LECHEVALIER B. (1965), « Cas anatomoclinique de syndrome de Korsakoff postcomitial après corticothérapie pour asthme subintrant », Paris, *Revue neurologique*, 113, 583-594.

DELAY J. et BRION S. (1969), *Le Syndrome de Korsakoff*, Paris, Masson.

DEMANY L., MCENZIE B., VURPILLOT E. (1977), « Rhytm perception in early infancy », *Nature*, 266, 718-719.

DEROUESNÉ C. (1994), « L'apport Alexandre Romanovitch Luria à la compréhension des conséquences des lésions frontales », Paris, *Revue de neuropsychologie*, 4, 273-288.

DESCARTES R. (1640), « Lettre au père Mersenne du 1er avril 164 ».

DEUTSCH J.A. et DEUTSCH D. (1963), « Attention : some theorical considerations », *Psychological Review*, 70, 80-90.

DEUTSCH D. (1977), « Memory and Attention in Music » (p. 111), *in* M. CRITCHLEY et R.A. HENSON, *Music and the Brain*.

DEUTSCH D. (1969), *The Psychology of Music*, 1re édition, New York Academic Press, 2e édition 1999.

DUFOURT (1991), *Musique, pouvoir, écriture*, Paris, C. Bourgois.

DUPRÉ E., NATHAN M. (1911), *Le Langage musical*, Paris, Alcan.

DUPRÉ M. (1936) *Cours d'harmonie analytique*, Paris, Alphonse Leduc.

EDELMAN G. (1992), *Biologie de la conscience*, Paris, Odile Jacob.

EFRON R., CANDALL P. (1983), Central auditory processing : the « Cocktail party effect and temporal anterior lobectomy », *Brain and Language*, 19, 237-253.

ENGLERT-MARCHAL J. (1985), « André Marchal remembered by his daughter », *The American Organist*, 19, 7, 40-46 (p. 41).

EINSTEIN A. (1991), *Mozart*, Paris, Gallimard.

EUSTACHE F., LECHEVALIER B., VIADER F. (1996), *La Mémoire*, Bruxelles, De Boeck Université.

EUSTACHE F., LECHEVALIER B., VIADER F., LAMBERT J. (1990), « Identification and discrimination disorders in auditory perception : a report of two cases », *Neuropsychologia*, 28, 257-270.

FRIES W. et SWIHART A. (1990), « Disturbance of rythm sense following right hemisphere damage », *Neuropsychologia*, 28, 1317-1323.

GARDNER H. (1997), *Les Personnalités exceptionnelles : Mozart, Freud...*, Paris, Odile Jacob.

GARNIER C., ENOT-JOYEUX F., JOKIC C., LE THIEC F., DESGRANGES B., EUSTACHE F. (1998), « Une évaluation des fonctions exécutives chez les traumatisés crâniens : une adaptation du test des six éléments », *Revue de neuropsychologie*, 8, 385-414.

GENC B.O., GENC E., TASTEKIN G., IIHAN N. (2001), « Musicogenic epilepsy with ictal photon emission computed tomography (SPECT) : could these cases contribute to our knowledge of music processus », *European J. Neurology*, 8, 191-194.

GHÉON H. (1932), *Promenade avec Mozart*, Paris, Desclée de Brouwer.

GIARD M.H. (2000), « Mécanismes neurophysiologiques de l'attention sélective auditive chez l'homme », *Revue de neuropsychologie*, 10, 535-562.

GIRAUD A.L., PRICE C.J., TRUY E., GRAHAM J.M., FRACKOWIACK S.J. (2000), « Réorganisation après implantation cochléaire : études en tomographie par émission de positons », *Revue de neuropsychologie*, 10, 583-602.

GRAF P. et SCHACTER D.L. (1985), « Implicit and explicit memory for new associations in normal and amnesic subjects », *Journal of Experimental Neuropsychology*, 11, 501-518.

GRAFMAN J. (1995, « Similarities and distinctions among current models of prefrontal cortical functions », *Ann. N. Y. Acad. Sci.*, 15 (769), 337-368.

GUILFORD J.P. (1950), *Fields of Psychology*, Toronto, D. Van Nostrand Company Inc.

GUILFORD J.P., « La Créativité », *in* A. BEAUDOT (1973).

HALPERN (1984), « Organisation in memory for familiar songs », *Journal of Experimental Psychology*, 3, 496-512.

HELMHOLTZ H. VON (1868), « Théorie physiologique de la musique », trad. fr. 1990, Paris, Jacques Gabay.

HENSON R.A. (1977), *Neurological Aspects of Musical Experience*, *in* M. CRITCHLEY, ouv. cité.

HIRSCHMANN J.V. (2001), « What killed Mozart ? », *Archives of Internal Med.*, 161, 1381-1389.

HOCQUARD J.V. (1999), *Mozart ou la voix du comique*, Paris, Maisonneuve et Larose/Archimbaud.

HOCQUARD J.V. (1996), *Mozart, musique et vérité*, Paris, Les Belles Lettres/Archimbaud.

JAFFARD R. et MEUNIER M. (1993), *Role of the Hippocampal Formation Learning and Memory Hippocampus*, vol. 3, 203.

JAHN OTTO (1856-1858), *W.A. Mozart*, première édition (en allemand) ; 4 vol., *cf.* t. III, p. 423-426, Leipzig Breikopf und Hartel.

JAMES W. (1890) *Précis de psychologie*, trad. fr., Paris, Marcel Rivière et Cie, 10e édition 1946.

KAWAMURA M., MIDORIKAWA A., KEZUKA M. (2000), « Cerebral localisation of the center for reading and writing music », *Neuroreport*, 11 (14), 3299-3303.

KELKEL M. (1999), *Scriabine*, Paris, Fayard.

KENNESON C. (1998), *Musical Prodigies*, Oregon, Amadeus Press Portland.

KERST F. (2001), *Mozart : The Man and the Artist, as Revealed in his Own Words*, trad. en anglais par E. Kriebiel, Blackmask on line [www.blackmask.com], 44 p.

KESTER D.B., SAYKIN A.J., SPERLING M.R., O'CONNOR M.J., ROBINSON L.J. et GUR R.C. (1991), « Acute effect of temporal lobectomy on musical processing », *Neuropsychologia*, 29, 703-708.

LANDON H.C. Robbins (1989), *L'Âge d'or de la musique à Vienne*, Paris, J.-C. Lattès.

LANDON H.C. Robbins (1997), *Dictionnaire Mozart*, trad. fr., Paris, Fayard.

LANDORMY P. (1932), *Seconde édition, sans date. Histoire de la musique*, Paris, Méllottée.

LANTERI-LAURA G. (1970), *Histoire de la phrénologie*, Paris, PUF.

LAPLANE D. (1997), *La Pensée d'outre-mots*, Le Plessis-Robinson, Synthelabo, coll. « Les Empêcheurs de tourner en rond ».

LASSEUR L., RISPAL P., COMBE C., PELLEGRIN J.L. (1996), « Rheumatoid purpura in adults. À propos de 40 cas », *Revue de médecine interne*, 17, 381-389.

LECHEVALIER B., EUSTACHE F., ROSSA Y. (1985), « Les troubles de la perception de la musique d'origine neurologique », *Rapport de neurologie, biblio.*, Paris, Masson.

LECHEVALIER B., PLATEL H., EUSTACHE F. (1995), « Neuropsychologie de l'identification musicale », *Revue neurologique*, 151, 505-510.

LECHEVALIER B. et LECHEVALIER B. (1998), *Le Corps et le Sens*, Lausanne, Delachaux et Niestlé.

LECHEVALIER B., LAMBERT J., EUSTACHE F., PLATEL H. (1999), « Agnosies auditives et syndromes voisins. Étude clinique, cognitive et psychopathologique », *Biblio. Encycl. Méd. Chir.* (Elsevier, Paris), *Neurologie*, 17-021-B20.

LECHEVALIER B., AUPÉE A.M., DE LA SAYETTE V., EUSTACHE F., BARON J.C. (2000), « Imagerie fonctionnelle des hippocampes dans le syndrome de Korsakoff », *Bulletin Acad. Nation. Méd.*, Paris, 184, 191-197.

LECOURS A.R. et LHERMITTE F. (1979), *L'Aphasie*, Paris, Flammarion et Montréal, Presses de l'Université.

LE HUCHE F. et ALLALI A. (1989), *La Voix (anatomie, physiologie, pathologie, thérapeutique)*, 2e édition, Paris, Masson.

LEIPP E. (1980), *Acoustique et musique*, Paris, Masson.

LEZACK M.D. (1982), « The problem of assessing executive functions », *International J. Psychology*, 17, 281-297.

LEZACK M.D. (1995), *Neuropsychological assessment*, 3e édition, Oxford, Oxford Univerity Press.

LIBERMAN A.M. et MATTINGLY J.G. (1985), « The motor theory of speech perception revised », *Cognition*, 21, 1-36.

LIEURY A. (1990), *Manuel de psychologie générale*, Paris, Dunod.

LORY J. (1991), « Prénom Wolfgang Amadeus : la vie et l'œuvre de Mozart », in *Tout Mozart*, Paris, compactothèque Philipps.

LURIA A.R., TSVETKOVA L.S., FUTER D.S. (1965), « Aphasia in a composer », *J. Neurol. Neurosurg. Psychiatry*, 2, 288-292.

LURIA A.R. (1965), « Frontal lobe syndromes », *in* P.J. VINKEN et G.W. BRUYN, *Handbook of Clinical Neurology* (vol. 2), Amsterdam, North Holland.

LURIA A.R., TSVETKOVA L.S. (1967), *Les Troubles de la résolution des problèmes*, Paris, Gauthier-Villars.

LURIA A.R. (1978), *Les Fonctions supérieures de l'homme*, Paris, PUF.

MCADAMS S. et BIGAND E. (1994), *Penser les sons*, Paris, PUF.

MARIN O.S.M., PERRY D.W. (1999), « Neurological aspects of music perception and performance », *in* D. DEUTSCH, *The Psychology of Music* (ouvrage cité).

MASSIN J. et B. (1970), *Wolfgang Amadeus Mozart*, Paris, Fayard.

MATHIAS P. et VEILLARD-BARON J.-L. (1990), « Imagination », *in* S. AUROUX (éd.), *Les Notions philosophiques*, tome 1, Paris, PUF.

MAVLOV L. (1980), « Amusia due to rythm agnosia in a musician with left hemisphere damage... », *Cortex*, 16, 331-338.

MAZOYER B. (2001), *L'Imagerie cérébrale fonctionnelle*, Paris, PUF, coll. « Que sais-je ? ».

MAZZUCHI A., MARCHINI C., BUDAI R., PARMA M. (1982), « A case of recepive amusia with prominent timbre perception defect », *J. Neurol. Neurosurg. Psychiatry*, 45, 644-647.

MANTURZEWSKA M. (1994), « Les facteurs psychologiques dans le développement musical et l'évolution des musiciens professionnels », *in* A. ZENATTI, *Psychologie de la musique* (ouvrage cité).

MENUHIN Y. (1972), in *Theme and Variations*, p. 61-62, Londres, Heinemann.

MESULAM M. (1998), « From sensation to cognition », *Brain*, 121, 1013-1052.

MIDORIKAWA A., KAWAMURA M. (2000), « A case of musical agraphia », *Neuroreport*, 11 (13) 3053-3057.

MILNER B. (1962), « Laterality effects in auditon », *in* V.B. MOUNTCASTLE (éd.), *Interhemispheric Relations and Cerebral Dominance*, Baltimore, John Hopkins, p. 177-195.

MORRONGIELLO B.A. (1984), « Auditory temporal pattern perception in a 6- and 12- month old infants », *Developmental Psychology*, 20, 416-448.

MOZART Marie-Anne (1799), « Mémoire adressé à la maison Breitkopf Leipzig », notes écrites en 1793, cité par J.G. Prodhomme.

MOZART L. (1759-1992), Nannerl-nottenbuch (musique), Universal Édition, présentation de Hans Kann.

MOZART W.A. (1986), *Correspondance*, 7 vol., trad. fr. de G. Geffroy, Paris, Flammarion.

MURSELL J.L. (1937), *The Psychology of Music*, New York, Norton.

NIEUWENHUYS R., VOOGD J., HUIJZEN C. VAN (1988), *The Human Central Nervous System*, Berlin, Springer-Verlag.

NISSEN G.N. VON (1868), *Biographie de Mozart d'après ses lettres* (original en all. 1828 ; tr. fr.).

NOORDEN L. VAN (1975), « Temporal coherence in the perception of tones sequences », thèse de doctorat, Eindhoven (Pays-Bas), Technische Hogeschoel.

O'REILLY G. et KEYTE H. (2001), *Miserere* de Gregorio Allegri/Tommaso-Bai, document joint au disque de l'ensemble William Byrd Ambronay Fondation France-Telecom.

ÖZKAN I.H. (1998), *Türk Mûsikîsi nazariyati ve usûlleri, Kudüm Velveleleri*, Otûken nesriyat A.S. Ankara et Istanbul.

PANTEV C., ENGELIEN A., CANDIA V., ELBERT T. (2001), « Representational cortex in musicians. Plastic alterations in response to musical practice. Ann. », *Acad. Science Jun.*, 930 ; 300-314.

PAPERMAN M., VINCENT E., DUMAS M.E. (2002), « Chanter juste, chanter faux », *in* LECHEVALIER B. (éd.), *Le Cerveau musicien*.

PAULESCU E., HARRISON S., BARON-COHEN J.D.G., WATSON L. (1995), « The physiology of coloured hearing A PET activation study of colour-word synaesthesia », *Brain*, 118, 661-676.

PAULHAN F. (1904), *Psychologie de l'invention*, cité par Laplane.

PERETZ I. (1990), « Processing of local and global musical information by unilateral brain damaged patients », *Brain*, 113, 1185-1205.

PERETZ I., KOLINSKI R., TRAMO M., LABRECQUE R., HUBLET C., DEMEURISSE G., BELLEVILLE S. (1994), « Functionnal dissociations following bilateral lesions of auditory cortex », *Brain*, 117, 1283-1301.

PESENTI M., ZAGO L., CRIVELLO, MELLET E., SAMSON D., DUROUX B., SERON X., MAZOYER B., TZOURIO-MAZOYER N. (2001), « Mental calculation in a prodigy is sustained by right prefrontal and medial temporal areas », *Nature Neurosciences*, 4, 1-6.

PIAGET J. et INHELDER B. (1966), *La Psychologie de l'enfant*, Paris, PUF.

PIERCE J.R. (1984), *Le Son musical*, trad. fr, Paris, Belin.

PIOLINO P. (2000), *La Mémoire autobiographique ; théorie et pratique*, Marseille, Solal.

PLATEL H., EUSTACHE F., « La mémoire musicale : approches neuropsychologiques » (2000), *Revue de neuropsychologie*, 10, 623-644.

PLATEL H. (2001), « La perception de la musique : approches neuropsychologiques », *Revue de neuropsychologie*, 11, 327-355.

PLATEL H., PRICE C., BARON J.C., WISE R., LAMBERT J., FRACKOWIACK R.S., LECHEVALIER B., EUSTACHE F. (1997), « The structural components of music perception : A function anatomical study », *Brain*, 120, 229-243.

PLATEL H., BARON J.C., DESGRANGES B., BERNARD F., EUSTACHE F. (2002), « Semantic and episodic memory of music : A positron emission tomography study » (à paraître).

PRABHAKARAN K., NARAYANAN K., ZHAO Z., GABRIELI J.D.E. (2000), « Integration of diverse information in working memory within the frontal lobe », *Nature neuroscience*, 3, 85-90.

PROD'HOMME J.G. (1928), « Mozart raconté par ceux qui l'ont vu », Paris, Stock [contient p. 60, la traduction de la lettre de Daines Barrington].

PROUST M. (1913), *À la recherche du temps perdu. Du côté de chez Swann, seconde partie : Un amour de Swann*, Paris, Gallimard, coll. « La Pléiade », 1954.

RAMEAU J.P. (1752), « Réflexions sur la manière de former la voix et d'apprendre la musique et sur nos facultés en général pour tous les arts d'exercice », Paris, *Mercure de France*, dédié au roy [bibl. du Museum, Paris].

REY A. (1998), *Dictionnaire historique de la langue française*, Paris, Le Robert.

REVESZ G. (1925), *The Psychology of Musical Prodigy*, New York, Harcourt Brace.

RICHET C. (1900), « Note sur un cas remarquable de précocité musicale », *Quatrième congrès international de psychologie*.

RICŒUR P. (2000), *La Mémoire, l'histoire, l'oubli*, Paris, Seuil, « L'ordre philosophique ».

RISSET J.-C. (1994), « Quelques aspects du timbre dans la musique contemporaine », *in* Arlette ZENATTI, *Psychologie de la musique*, Paris, PUF.

RISSET J.-C. (1999), Discours pour la médaille d'or du CNRS, publié en partie sous le nom « La portée d'une recherche » dans la revue *Alliage*, n° 40, 96-102, Nice.

ROSEN Ch. (1978), *Le Style classique, Haydn, Mozart, Beethoven*, trad. fr., Paris, Gallimard, « Bibl. des idées ».

ROCHLITZ F. (1801), *Anecdotes sur W.A. Mozart*, trad. fr. par Cremer,

Paris, Imprimerie de C.F. Cremer [n'est pas une traduction de l'ouvrage cité ci-dessous].

ROCHLITZ F. (1830), *Für Freunde der Tonkunst*, Leipzig, C. Cnobloch, 4 vol., t. II, p. 281 : *Ein guter Rath Mozarts* [*Un bon conseil de Mozart*].

ROCHLITZ F. (1820), « Ein guter Kath Mozarts », *Allgemeine Musikalische Zeitung*, XXII, 297-307.

ROCHLITZ F. (1815), « Schreiben Mozarts an den Baron von B. », *Allgemeine Musikalische Zeitung*, XVII, 561-566.

RUTTER J. (1996), *European Sacred Music* [texte musical], Oxford, Oxford University Press, Choral Classics.

SACQUIN M. (édit.) (1993), *Le Printemps des génies*, Paris, Bibliothèque nationale, Robert Laffont.

SAINT-ARROMAN J. (1988) *L'Interprétation de la musique française 1661-1789*, t. II, Paris, Honoré Champion éditeur.

SAMSON S. et ZATTORE R.J. (1988), « Melodic and harmonic discrimination following unilateral cerebral excision », *Brain and Cognition*, 7, 348-360.

SAMSON S., ZATTORE R.J., RAMSAY J.O. (1997), « Multidimensioanl scaling of synthetic musical timbre : Perception of spectral and temporal characteristics », *Can. Journal of Psychology*, 51, 307-315.

SAMSON S. (2002), « Perception des timbres », *in* B. LECHEVALIER, *Le Cerveau musicien*, Bruxelles, De Boeck Université.

SAMUEL C. (1967), *Entretien avec Olivier Messiaen*, Paris, Pierre Belfond.

SCHACTER D.L. (1999), *À la recherche de la mémoire*, trad. fr. par B. Desgranges et F. Eustache, Bruxelles, De Boeck Université.

SCHLAUG G., JÄNCKE L., HUANG Y., STEINMETZ H. (1995), « In vivo evidence of structural brain asymmetry in musicians », *Science*, 267, 699-701.

SCHLAUG G. (2001), « The brain of musicians. a model for functional and structural adaptation », *Ann. New York Acad. Sci.*, 930, 281-299.

SCHWEITZER A. (1904), *J.-S. Bach musicien poète*, Lausanne, M. Foetisch.

SEASHORE C.E. (1919), *The Psychology of Musical Talents*, New York, Silver Burdett.

SEASHORE C.E. (1938), *Psychology of Music*, New York, McGraw-Hill.

SEMAL C. et DEMANY L. (1993), « Further evidences for an autonomous processing of pitch in auditory short-time memory », *Journal of Acoustic Society of America*, 94, 1315-1322.

SERGEANT D., ROCHE S. (1973), « Perceptual shifts in the auditory information processing of young children », *Psychology of Music*, 1-2, 39.

SERGENT J., ZUCK E., TERRIAH S., MACDONALD B. (1992), « Distributed neural network underlying musical sight-reading and keyboard performance », *Science*, 257, 106-109.

SIGNORET J.L., VAN EECKOUT P., PONCET M., CASTAIGNE P. (1987), « Aphasie sans amusie chez un organiste aveugle », *Revue neurologique*, Paris, 143, 172-181.

SOUQUES A., BARUK H. (1930), « Autopsie d'un cas d'amusie (avec aphasie) chez un professeur de piano », Paris, *Revue neurologique*, 1, 545-557.

SPREEN O., BENTON A.L., FINCHAM R.W. (1965), « Auditory agnosia without aphasia », *Arch. Neurol.*, 13, 84-92.

SQUIRE L.R. (1992), « Declarative and nondeclarative memory : multiple brain systems supporting learning and memory », *Journal of Cognitive Neurosciences*, 3, 233-243.

SQUIRE L.R. et ALVAREZ P. (1995), « Retrograde amnesia and memory consolidation : a neurological perspective », *Current Opinion in Neurology*, 5, 169-177.

SQUIRE L.R. et KANDEL E. (1999), « Memory : from mind to molecules », *Scientific American Library*, New York, trad. fr. par B. Desgranges et F. Eustache, Bruxelles, De Boeck Université (2001).

STONE J. (1997), *in* LANDON, *Dictionnaire Mozart* (ouvrage cité).

STUCKENSCHMIDT H.H. (1969), *La Musique au XXe siècle*, Paris, Hachette, coll. « L'Univers des connaissances ».

SUAREZ DE MENDOZA F. (1899) *L'Audition colorée...*, seconde édition, Paris, Société d'éditions scientifiques.

TREHUB S.E. et TRAINOR L.J. (1994), « Les stratégies d'écoute chez le bébé : origines du développement de la musique et de la parole », *in* S. MCADAMS et BIGAND (réf.).

TRILLET M. (1993), « La mémoire musicale », *Rééducation orthophonique*, 31, 315-324.

ULRICH Konrad (1998), *Mozarts croquis* (traduit en partie en fr.), Acta Mozartiana, cahier, décembre [par Google : www.Mozart gesellschaft.de/mozart/acta/beitrag1.htm].

VIADER F., LAMBERT J., SAYETTE V. DE LA, EUSTACHE F., MORIN I., MORIN P., LECHEVALIER B. (2002), « Aphasie. Encycl. Med. Chir. », *Neurologie*, 17-018-L-10.

VIGNAL M. (1997), *Les Fils de Bach*, p. 224, Paris, Fayard.

VINCENT C. (2000), « Le bonheur et la tristesse filmés directement dans le cerveau », *Le Monde*, 22 septembre, 30.

WALTER Bruno, sans date, texte accompagnant le disque 33 tours Phillips-réalités, *Symphonies n° 39 et n° 41*, orchestre philharmonique de New York.

WERTHEIM N. et BOTEZ M.I. (1959), « Plan d'investigation des fonctions musicales », *L'Encéphale*, 3, 246-255.

WERTHEIM N. et BOTEZ M.I. (1961), « Receptive amusia : a clinical analysis », *Brain*, 84, 19-30.

WYZEWA T. DE et SAINT-FOIX G. DE (1936 et 1986), *Wolfgang Amadeus Mozart*, 2 tomes, Paris, Robert Laffont, coll. « Bouquins ».

ZAGO L., PESENTI M., MELLET E., CRIVELLO F., MAZOYER B., TZOURI MAZOYER N. (2001), « Neural correlates of simple and complex mental calculation », *Neuroimage*, 13, 314-327.

ZATTORE R. (1989), « Intact absolute pitch ability after left temporal lobectomy », *Cortex*, XXV, 567-580.

ZATTORE R. et SAMSON S. (1991), « The role of the right temporal lobe in short-time memory for pitch information », *Brain*, 114, 2403-2417.

ZATTORE R.J., EVANS A.C., MEYER E. (1994), « Neural mechanisms underlying melodic perception and memory for pitch », *Journal of Neurosciences*, 14, 1908-1919.

ZATTORE R., PERRY D.W., BECKETT C.A., WESTBURRY C.F., EVANS A.C. (1998), « Functional anatomy of musical processing in listeners with absolute pitch and relative pitch », *Proceedings Nat. Acad. Sci.*, mars, 17 ; 95 (6) : 3172-3177.

ZENATTI A. (1994) (éd.), *Psychologie de la musique*, Paris, PUF.

ZOLA-MORGAN S., SQUIRE L.R., AMARAL D.G. (1986), « Human amnesia and the medial temporal region enduring memory impairment following limited lesion to the field CA1 of hippocampus », *Journal of Neurosciences*, 6, 2950-2967.

ZWANG G. (1984), « L'oreille absolue et le diapason dit baroque », *Revue musicale*, Paris, n° 3.

ZWANG G. (1998), *Le Diapason*, Montpellier, Sauramps.

Remerciements

Je désire remercier toutes les personnes qui m'ont aidé dans la réalisation de cet ouvrage : Francis Eustache, Claire Lechevalier, qui ont relu le manuscrit et m'ont fait bénéficier de leurs conseils, Jean Cambier pour sa préface et ses remarques pertinentes, Hélène Sybertz pour sa documentation sur le clavecin oculaire, Madame Loriod-Messiaen pour ses informations sur Olivier Messiaen, Bruno Hurault de Ligny pour sa contribution scientifique à l'annexe, Marie-Ève Dumas pour le fruit de son expérience sur la voix, Victor Alboukrek pour m'avoir initié à la musique du Moyen-Orient, Yves Hellegouarch pour sa documentation sur les timbres, Robert Weddle pour ses renseignements sur le *Miserere* d'Allegri, Sophie Houtteville pour ses traductions de l'allemand ancien, Bianca Lechevalier pour son soutien et sa patience.

Mes remerciements s'adressent également à Laure Léveillé, directrice de la bibliothèque de l'École normale supérieure de la rue d'Ulm pour ses recherches sur Rochlitz, aux personnes qui ont aidé mes recherches dans les bibliothèques : municipale de Caen, du Conservatoire de région et de l'Université de Caen, nationale département de la musique, et de la Grande Bibliothèque de France, à Michel Lechevalier et Philippe Conejero pour leur assistance technique.

Je témoigne toute ma reconnaissance aux éditions Odile Jacob pour le soin apporté à la réalisation de ce livre et spécialement à Mesdames Catherine Meyer et Gaëlle Fontaine qui ont suivi son élaboration depuis le début et à mon ami Édouard Zarifian qui a soutenu sans relâche le projet.

Index

Table

Ouvrage proposé par Édouard Zarifian et publié sous la responsabilité éditoriale de Catherine Meyer.
Les dessins, excepté p. 36, 37, 41, 79, 89, 228, 229, sont de l'auteur.

DANS LA COLLECTION « POCHES ODILE JACOB »

N° 1 : Aldo Naouri, *Les Filles et leurs mères*
N° 2 : Boris Cyrulnik, *Les Nourritures affectives*
N° 3 : Jean-Didier Vincent, *La Chair et le Diable*
N° 4 : Jean François Deniau, *Le Bureau des secrets perdus*
N° 5 : Stephen Hawking, *Trous noirs et bébés univers*
N° 6 : Claude Hagège, *Le Souffle de la langue*
N° 7 : Claude Olievenstein, *Naissance de la vieillesse*
N° 8 : Édouard Zarifian, *Les Jardiniers de la folie*
N° 9 : Caroline Eliacheff, *À corps et à cris*
N° 10 : François Lelord, Christophe André, *Comment gérer les personnalités difficiles*
N° 11 : Jean-Pierre Changeux, Alain Connes, *Matière à pensée*
N° 12 : Yves Coppens, *Le Genou de Lucy*
N° 13 : Jacques Ruffié, *Le Sexe et la Mort*
N° 14 : François Roustang, *Comment faire rire un paranoïaque ?*
N° 15 : Jean-Claude Duplessy, François Morel, *Gros Temps sur la planète*
N° 16 : François Jacob, *La Souris, la Mouche et l'Homme*
N° 17 : Marie-Frédérique Bacqué, *Le Deuil à vivre*
N° 18 : Gerald M. Edelman, *Biologie de la conscience*
N° 19 : Samuel P. Huntington, *Le Choc des civilisations*
N° 20 : Dan Kiley, *Le Syndrome de Peter Pan*
N° 21 : Willy Pasini, *À quoi sert le couple ?*
N° 22 : Françoise Héritier, Boris Cyrulnik, Aldo Naouri, *De l'inceste*
N° 23 : Tobie Nathan, *Psychanalyse païenne*
N° 24 : Raymond Aubrac, *Où la mémoire s'attarde*
N° 25 : Georges Charpak, Richard L. Garwin, *Feux follets et Champignons nucléaires*
N° 26 : Henry de Lumley, *L'Homme premier*
N° 27 : Alain Ehrenberg, *La Fatigue d'être soi*
N° 28 : Jean-Pierre Changeux, Paul Ricœur, *Ce qui nous fait penser*
N° 29 : André Brahic, *Enfants du Soleil*
N° 30 : David Ruelle, *Hasard et Chaos*
N° 31 : Claude Olievenstein, *Le Non-dit des émotions*
N° 32 : Édouard Zarifian, *Des paradis plein la tête*
N° 33 : Michel Jouvet, *Le Sommeil et le Rêve*
N° 34 : Jean-Baptiste de Foucauld, Denis Piveteau, *Une société en quête de sens*

Nº 35 : Jean-Marie Bourre, *La Diététique du cerveau*
Nº 36 : Françoois Lelord, *Les Contes d'un psychiatre ordinaire*
Nº 37 : Alain Braconnier, *Le Sexe des émotions*
Nº 38 : Temple Grandin, *Ma vie d'autiste*
Nº 39 : Philippe Taquet, *L'Empreinte des dinosaures*
Nº 40 : Antonio R. Damasio, *L'Erreur de Descartes*
Nº 41 : Édouard Zarifian, *La Force de guérir*
Nº 42 : Yves Coppens, *Pré-ambules*
Nº 43 : Claude Fischler, *L'Homnivore*
Nº 44 : Brigitte Thévenot, Aldo Naouri, *Questions d'enfants*
Nº 45 : Geneviève Delaisi de Parseval, Suzanne Lallemand, *L'Art d'accommoder les bébés*
Nº 46 : François Mitterrand, Elie Wiesel, *Mémoire à deux voix*
Nº 47 : François Mitterrand, *Mémoires interrompus*
Nº 48 : François Mitterrand, *De l'Allemagne, de la France*
Nº 49 : Caroline Eliacheff, *Vies privées*
Nº 50 : Tobie Nathan, *L'Influence qui guérit*
Nº 51 : Éric Albert, Alain Braconnier, *Tout est dans la tête*
Nº 52 : Judith Rapoport, *Le Garçon qui n'arrêtait pas de se laver*
Nº 53 : Michel Cassé, *Du vide et de la création*
Nº 54 : Ilya Prigogine, *La Fin des certitudes*
Nº 55 : Ginette Raimbault, Caroline Eliacheff, *Les Indomptables*
Nº 56 : Marc Abélès, *Un ethnologue à l'Assemblée*
Nº 57 : Alicia Lieberman, *La Vie émotionnelle du tout-petit*
Nº 58 : Robert Dantzer, *L'Illusion psychosomatique*
Nº 59 : Marie-Jo Bonnet, *Les Relations amoureuses entre les femmes*
Nº 60 : Irène Théry, *Le Démariage*
Nº 61 : Claude Lévi-Strauss, Didier Éribon, *De près et de loin*
Nº 62 : François Roustang, *La Fin de la plainte*
Nº 63 : Luc Ferry, Jean-Didier Vincent, *Qu'est-ce que l'homme ?*
Nº 64 : Aldo Naouri, *Parier sur l'enfant*
Nº 65 : Robert Rochefort, *La Société des consommateurs*
Nº 66 : John Cleese, Robin Skynner, *Comment être un névrosé heureux*
Nº 67 : Boris Cyrulnik, *L'Ensorcellement du monde*
Nº 68 : Darian Leader, *À quoi penses-tu ?*
Nº 69 : Georges Duby, *L'Histoire continue*
Nº 70 : David Lepoutre, *Cœur de banlieue*
Nº 71 : Université de tous les savoirs 1, *La Géographie et la Démographie*
Nº 72 : Université de tous les savoirs 2, *L'Histoire, la Sociologie et l'Anthropologie*

Nº 73 : Université de tous les savoirs 3, *L'Économie, le Travail, l'Entreprise*
Nº 74 : Christophe André, François Lelord, *L'Estime de soi*
Nº 75 : Université de tous les savoirs 4, *La Vie*
Nº 76 : Université de tous les savoirs 5, *Le Cerveau, le Langage, le Sens*
Nº 77 : Université de tous les savoirs 6, *La Nature et les Risques*
Nº 78 : Boris Cyrulnik, *Un merveilleux malheur*
Nº 79 : Université de tous les savoirs 7, *Les Technologies*
Nº 80 : Université de tous les savoirs 8, *L'Individu dans la société d'aujourd'hui*
Nº 81 : Université de tous les savoirs 9, *Le Pouvoir, l'État, la Politique*
Nº 82 : Jean-Didier Vincent, *Biologie des passions*
Nº 83 : Université de tous les savoirs 10, *Les Maladies et la Médecine*
Nº 84 : Université de tous les savoirs 11, *La Philosophie et l'Éthique*
Nº 85 : Université de tous les savoirs 12, *La Société et les Relations sociales*
Nº 86 : Roger-Pol Droit, *La Compagnie des philosophes*
Nº 87 : Université de tous les savoirs 13, *Les Mathématiques*
Nº 88 : Université de tous les savoirs 14, *L'Univers*
Nº 89 : Université de tous les savoirs 15, *Le Globe*
Nº 90 : Jean-Pierre Changeux, *Raison et Plaisir*
Nº 91 : Antonio R. Damasio, *Le Sentiment même de soi*
Nº 92 : Université de tous les savoirs 16, *La Physique et les Éléments*
Nº 93 : Université de tous les savoirs 17, *Les États de la matière*
Nº 94 : Université de tous les savoirs 18, *La Chimie*
Nº 95 : Claude Olievenstein, *L'Homme parano*
Nº 96 : Université de tous les savoirs 19, *Géopolitique et Mondialisation*
Nº 97 : Université de tous les savoirs 20, *Lart et la Culture*
Nº 98 : Claude Hagège, *Halte à la mort des langues*
Nº 99 : Jean-Denis Bredin, Thierry Lévy, *Convaincre*
Nº 100 : Willy Pasini, *La Force du désir*
Nº 101 : Jacques Fricker, *Maigrir en grande forme*
Nº 102 : Nicolas Offenstadt, *Les Fusillés de la Grande Guerre*
Nº 103 : Catherine Reverzy, *Femmes d'aventure*
Nº 104 : Willy Pasini, *Les Casse-pieds*
Nº 105 : Roger-Pol Droit, *101 expériences de philosophie quotidienne*
Nº 106 : Jean-Marie Bourre, *La Diététique de la performance*

Nº 107 : Jean Cottraux, *La Répétition des scénarios de vie*
Nº 108 : Christophe André, Patrick Légeron, *La Peur des autres*
Nº 109 : Armatya Sen, *Un nouveau modèle économique*
Nº 110 : John D. Barrow, *Pourquoi le monde est-il mathématique ?*
Nº 111 : Richard Dawkins, *Le Gène égoïste*
Nº 112 : Pierre Fédida, *Des bienfaits de la dépression*
Nº 113 : Patrick Légeron, *Le Stress au travail*
Nº 114 : François Lelord, Christophe André, *La Force des émotions*
Nº 115 : Marc Ferro, *Histoire de France*
Nº 116 : Stanislas Dehaene, *La Bosse des maths*
Nº 117 : Willy Pasini, Donata Francescato, *Le Courage de changer*
Nº 118 : François Heisbourg, *Hyperterrorisme : la nouvelle guerre*
Nº 119 : Marc Ferro, *Le Choc de l'Islam*
Nº 120 : Régis Debray, *Dieu, un itinéraire*
Nº 121 : Georges Charpak, Henri Broch, *Devenez sorciers, devenez savants*
Nº 122 : René Frydman, *Dieu, la Médecine et l'Embryon*
Nº 123 : Philippe Brenot, *Réinventer le couple*
Nº 124 : Jean Le Camus, *Le Vrai Rôle du père*
Nº 125 : Elisabeth Badinter, *XY*
Nº 126 : Elisabeth Badinter, *L'Un est l'autre*
Nº 127 : Laurent Cohen-Tanugi, *L'Europe et l'Amérique au seuil du XXIe siècle*
Nº 128 : Aldo Naouri, *Réponses de pédiatre*
Nº 129 : Jean-Pierre Changeux, *L'Homme de vérité*
Nº 130 : Nicole Jeammet, *Les Violences morales*
Nº 131 : Robert Neuburger, *Nouveaux Couples*
Nº 132 : Boris Cyrulnik, *Les Vilains Petits Canards*
Nº 133 : Christophe André, *Vivre heureux*
Nº 134 : François Lelord, *Le Voyage d'Hector*
Nº 135 : Alain Braconnier, *Petit ou grand anxieux*
Nº 136 : Juan Luis Arsuaga, *Le Collier de Néandertal*
Nº 137 : Daniel Sibony, *Don de soi ou partage de soi*
Nº 138 : Claude Hagège, *L'Enfant aux deux langues*
Nº 139 : Roger-Pol Droit, *Dernières nouvelles des choses*
Nº 140 : Willy Pasini, *òqtre sûr de soi*
Nº 141 : Massimo Piattelli Palmarini, *Le Goût des études ou comment l'acquérir*
Nº 142 : Michel Godet, *Le Choc de 2006*
Nº 143 : Gérard Chaliand, Sophie Mousset, *2 000 ans de chrétientés*

Nº 144 : Alain Bentolila, *Tout sur l'école*
Nº 145 : Christian De Duve, *À l'écoute du vivant*
Nº 146 : Aldo Naouri, *Le Couple et l'Enfant*
Nº 147 : Robert Rochefort, *Vive le papy-boom*
Nº 148 : Dominique Desanti, Jean-Toussaint Desanti, *La liberté nous aime encore*
Nº 149 : François Roustang, *Il suffit d'un geste*
Nº 150 : Howard Buten, *Il y a quelqu'un là-dedans*
Nº 151 : Catherine Clément, Tobie Nathan, *Le Divan et le Grigri*
Nº 152 : Antonio R. Damasio, *Spinoza avait raison*
Nº 153 : Bénédicte de Boysson-Bardies, *Comment la parole vient aux enfants*
Nº 154 : Michel Schneider, *Big Mother*
Nº 155 : Willy Pasini, *Le Temps d'aimer*
Nº 156 : Jean-François Amadieu, *Le Poids des apparences*
Nº 157 : Jean Cottraux, *Les Ennemis intérieurs*
Nº 158 : Bill Clinton, *Ma Vie*
Nº 159 : Marc Jeannerod, *Le Cerveau intime*
Nº 160 : David Khayat, *Les Chemins de l'espoir*
Nº 161 : Jean Daniel, *La Prison juive*
Nº 162 : Marie-Christine Hardy-Baylé, Patrick Hardy, *Maniaco-dépressif*
Nº 163 : Boris Cyrulnik, *Le Murmure des fantômes*
Nº 164 : Georges Charpak, Roland Omnès, *Soyez savants, devenez prophètes*
Nº 165 : Aldo Naouri, *Les Pères et les Mères*
Nº 166 : Christophe André, *Psychologie de la peur*
Nº 167 : Alain Peyrefitte, *La Société de confiance*
Nº 168 : François Ladame, *Les Éternels Adolescents*
Nº 169 : Didier Pleux, *De l'enfant roi à l'enfant tyran*
Nº 170 : Robert Axelrod, *Comment réussir dans un monde d'égoïstes*
Nº 171 : François Millet-Bartoli, *La Crise du milieu de la vie*
Nº 172 : Hubert Montagner, *L'Attachement*
Nº 173 : Jean-Marie Bourre, *La Nouvelle Diététique du cerveau*
Nº 174 : Willy Pasini, *La Jalousie*
Nº 175 : Frédéric Fanget, *Oser*
Nº 176 : Lucy Vincent, *Comment devient-on amoureux ?*
Nº 177 : Jacques Melher, Emmanuel Dupoux, *Naître humain*
Nº 178 : Gérard Apfeldorfer, *Les Relations durables*
Nº 179 : Bernard Lechevalier, *Le Cerveau de Mozart*

Compogravure : Facompo, Lisieux

Impression réalisée sur Presse Offset par

BRODARD & TAUPIN

GROUPE CPI

La Flèche (Sarthe), le 23-05-2006
N° d'impression : 35147
N° d'édition : 7381-1759-X
Dépôt légal : juin 2006

Imprimé en France